VINTE ANOS E UM DIA

JORGE SEMPRÚN

Vinte anos e um dia

Tradução
Rosa Freire d'Aguiar

COMPANHIA DAS LETRAS

Publicado em espanhol por Tusquets Editores, Barcelona, 2003

A presente edição foi traduzida mediante ajuda da Dirección General del Libro, Archivos y Bibliotecas do Ministerio de Educación, Cultura y Deporte de España

Título original
Veinte años y un día

Capa
Angelo Venosa

Imagem de capa
Judite e Holofernes, de Artemisia Gentileschi (1597-*c*. 1651). Nápoles, Museo di Capodimonte. Copyright © 2003. Foto Scala, Florença. Cortesia de Ministero per i Beni e le Attività Culturali

Preparação
Eugênio Vinci de Moraes

Revisão
Ana Maria Barbosa
Otacílio Nunes

Dados Internacionais de Catalogação na Publicação (CIP)
(Câmara Brasileira do Livro, SP, Brasil)

Semprún, Jorge
Vinte anos e um dia / Jorge Semprún ; tradução Rosa Freire d'Aguiar. — São Paulo : Companhia das Letras, 2004.

Título original: Veinte años y un día
ISBN 85-359-0554-5

1. Romance espanhol I. Título.

04-6016 CDD-863.64

Índice para catálogo sistemático:
1. Romances : Literatura espanhola 863.64

[2004]

EDITORA SCHWARCZ LTDA.
Rua Bandeira Paulista 702 cj. 32
04532-002 — São Paulo — SP
Telefone (11) 3707-3500
Fax (11) 3707-3501
www.companhiadasletras.com.br

VINTE ANOS E UM DIA

1.

Michael Leidson chegou a La Maestranza no final da manhã. Mayoral, o intendente da fazenda, esperava por ele, recebeu-o oferecendo-lhe um café, um refresco, o que desejasse. Leidson disse que talvez algo para beber, um copo d'água gelada, por que não? Mais nada? Não, nada, um copo d'água está bom.

Mayoral o convidou para se sentar ali mesmo, no espaçoso alpendre da casa, enquanto levavam sua sacola para o quarto que lhe era destinado. Havia uma mesa, poltronas de vime; sentou-se. Fazia calor, sentiu como que uma angústia leve, indefinida...

Uma hora antes, Leidson tinha empurrado a porta do armazém de Eloy Estrada, na entrada da aldeia para quem vem pela estrada principal, pretendendo perguntar o caminho de La Maestranza. É óbvio que não sabia que o dono se chamava Eloy Estrada: não chegavam a tanto os dados que tinham lhe fornecido para essa viagem. Não sabia antes de chegar à aldeia e não soube ao chegar. Tinha visto a tabuleta do estabelecimento, LA PROSPERIDAD, e pensou que ali poderiam lhe indicar o caminho mais curto até a fazenda; entrou: só isso.

Dentro estava fresco.

O local era espaçoso, abobadado, penumbroso. Não só armazém, restaurante também, talvez estalagem. Misturavam-se cheiros muito diferentes: temperos exóticos, verdura e fruta fresca, couro de guarnições e correames, café recém-torrado, vinho tinto forte. E outros que Leidson não identificou de imediato.

Aproximou-se do balcão, pediu ao dono um café pingado e uma garrafa de água mineral gasosa.

Eloy Estrada — ou melhor, aquele senhor que ainda não tinha nome mas tinha presença física, aparência; que era só isso, o que aparentava ser, mais nada: um homem de estatura mediana, seco em matéria de carnes, mas, pelo que se notava, forte, de pele muito morena, olhos de um verde pálido, extraordinário — olhou para ele sem dizer nada, afastou-se da beira do balcão, preparou o café.

Ou seja, o que se costuma fazer nesses casos.

Depois, enquanto Leidson saboreava o primeiro gole, perguntou-lhe de chofre.

"Americano, não é?"

"Nota-se tanto assim?", ele respondeu.

Eloy Estrada meneou a cabeça.

Vamos repetir seu nome para identificá-lo como personagem, sem floreios nem rigores excessivos ou melindres narrativos, embora Michael Leidson — única testemunha, até agora, de sua existência — ainda não o saiba. E o diremos para comodidade do leitor, que também pode ter algo a ver com o desenrolar deste relato, com sua legibilidade. Além disso, o narrador desta história não é Leidson, como já se verá; portanto, pouco importa que ele ainda não saiba o nome do personagem que acaba de lhe servir um café pingado, abrir uma garrafa de água mineral; alguém saberá, supõe-se, como sabe todo o resto, já que alguém está narrando esta história e, se o sabe, pode dizê-lo quando lhe apetecer, até mesmo de forma arbitrária, adiantando-se ao que o próprio Leidson, nessa altura, é capaz de adivinhar.

Eloy Estrada negou com um gesto de cabeça.

"Pelo sotaque, não", disse. "Conhece Hemingway, o escritor?"

Leidson não teve tempo de se surpreender com uma pergunta dessas, nem de responder que sim, que conhecia Hemingway, que o havia entrevistado longa, minuciosa, quase morosamente, anos atrás, quando estava escrevendo um ensaio sobre a guerra civil espanhola e os escritores americanos (na verdade, o projeto inicial foi se ampliando durante o seu trabalho, a ponto de incluir todos os escritores de língua inglesa, Orwell em primeiro lugar, e esse foi seu primeiro livro publicado sobre o tema da guerra civil, que desde então não parou de interessá-lo).

Mas não teve tempo de dizer que não só conhecia Hemingway como, aliás, o escritor americano era, ao menos indiretamente, o responsável por sua presença ali naquela véspera do dia 18 de julho. E Eloy Estrada continuou falando, sem esperar resposta para o que, na verdade, talvez não fosse uma pergunta.

"Esteve na aldeia há uns meses, no outono passado, na fazenda dos Dominguín. A outra fazenda grande do distrito. Aqui mesmo andou tomando umas bebidas, numa tarde. Uma vez brigou durante um jogo de cartas com uns patifes de Múrcia. Vinham ou iam para uma feira de gado. Costumam fazer isso todo ano, umas duas vezes. Jogam rios de dinheiro no pôquer. Deixaram Hemingway sem um tostão e o velho morria de rir. Que eu seja despojado por uns feirantes de Múrcia era o que me faltava ver nesta vida filha-da-puta! Morrendo de rir. Também bastante bêbado. Bem, bêbado a seu jeito, que não era andar cambaleando. Mas era como eu lhe dizia: nele sim, nota-se o sotaque ianque, embora fale castelhano com muita fluência. No senhor não, nem de longe. É outra coisa. Um jeito, o modo de vestir, estes sapatos que aqui não se usam, coisas assim... Como nos filmes..."

* * *

"'Nossa guerra'", Hemingway dissera. "Todos vocês dizem o mesmo. Como se fosse a única coisa, pelo menos a mais importante, que podem partilhar. O pão vosso de cada dia..."

Resmungava entre os dentes, em solilóquio.

E é verdade que tinha um inconfundível sotaque de gringo.

Aconteceu dois anos antes. Já tanto tempo? Isso mesmo, era fácil calcular: no final de maio de 1954. Pouco mais de dois anos. E foi no El Callejón, um restaurante de Madri.

Leidson almoçava com Hemingway e a turma das touradas. Lembra-se de Domingo "Dominguín". Não só porque ele fosse memorável, mas também porque foi Domingo que falou pela primeira vez daquela morte antiga.

Estavam na sobremesa, bebiam bastante. O cozido, como de costume, madrileno. Michael Leidson era apaixonado pela história da Espanha, não só a recente. Mas pela cozinha espanhola não. Ou melhor, em geral gostava, mas ela deixava seu estômago em pandarecos. Cozido para todos, não conseguiu evitar: a tarde seria de sesta e flatulências.

Hemingway acabava de contar uma história sobre seu primeiro retorno à Espanha, depois da guerra civil. Riram. Em *O verão perigoso*, um relato de *don* Ernesto, que Leidson leu alguns anos depois, a mesma história era contada de outra maneira. Menos interessante, sem dúvida. No livro, que descreve a temporada taurina de 1959, com o constante desafio, banhado no inevitável sangue, entre Antonio Ordóñez e Luiz Miguel "Dominguín", ombro a ombro, a história da viagem à Espanha apresenta-se, na verdade, de forma um tanto solene. Inclusive com algumas pitadas de megalomania.

Na versão impressa, obviamente mais simpática para o narrador, o policial da fronteira em Irún reconheceu Hemingway na mesma hora, e levantou-se para cumprimentá-lo, felicitando-o por seus romances, que garantia ter lido. Difícil acreditar, porém. Não parece plausível que em 1953 um policial da ditadura tivesse lido, e apreciado, a obra romanesca de Ernest Hemingway.

Seja como for, no El Callejón, em maio de 1954, Hemingway contou outra versão da mesma história. Outra versão de sua volta à Espanha. Não só mais verossímil, como também mais certa em matéria de narração. Afinal de contas, cabe exigir de um romancista acertos narrativos, não apenas mínimas verdades.

No El Callejón, durante a conversa arrastada da sobremesa, Leidson ouviu uma primeira versão da história do regresso. Segundo ela, o policial comentou ao examinar o passaporte de Hemingway: "*Hombre!* Seu nome é igual ao daquele americano que andou com os vermelhos, os comunas, durante a nossa guerra...". Tinha levantado os olhos ao dizer isso. E Hemingway respondeu: "Meu nome é igual ao dele porque eu sou justamente aquele americano que andou com os comunas durante a guerra de vocês...". O policial fechou a cara. Seu olhar encheu-se de raivosa negrura. Impotente, porém. Um ianque era um ianque, intocável, tivesse ele andado com os vermelhos, os brancos ou com o demônio em pessoa.

Riram, alguém contou outra anedota daqueles tempos.

Mais tarde, Hemingway voltou a falar da guerra civil.

"'Nossa guerra'", murmurava. "Todos vocês dizem o mesmo. Como se fosse a única coisa, pelo menos a mais importante, que podem partilhar. O pão vosso de cada dia. A morte, é isso que os une, a antiga morte da guerra civil."

Leidson esteve prestes a dizer a Hemingway que talvez não fosse só a morte que os espanhóis partilhavam na lembrança, porventura eucarística, da guerra, da guerra deles. A juventude também: o ardor. Embora, quem sabe, a morte não seja mais que um dos semblantes da ardorosa juventude.

Ou vice-versa, vá saber.

Mas naquela ocasião não disse nada. Os outros, sim. Os espanhóis que participavam do almoço tinham todos algo a dizer. A guerra, a nossa guerra: a juventude deles. Todos tinham lutado na contenda, dezoito anos antes. Mas nem todos no mesmo lado. Pois bem, hoje nem uns nem outros pareciam tão convencidos de suas razões, ou de seus ideais sem razão, como sem dúvida estavam em 1936: bastante convencidos, outrora, a ponto de terem jogado suas vidas.

Domingo Dominguín, Leidson pensou ter entendido, havia lutado com os *nacionales*. Ao que parece numa milícia da Falange. Foi ferido no início da guerra. Outro comensal, mais velho que Dominguín, um antigo bandarilheiro agregado à família dele, ficara com os comunas, os vermelhos. Caçoava carinhosamente de Domingo, de seu remoto passado falangista. Com uma ironia condescendente, referia-se às suas aventuras no hospital de campanha. Todas as freirinhas se apaixonaram por ele, comentava o bandarilheiro, e o tremendo sem-vergonha, de seu leito de dor, mandava e desmandava nelas.

Riram, continuaram bebendo.

Michael Leidson teve a impressão de que, no final das contas, aqueles homens já não se confrontavam com as paixões de antigamente. Em todo caso, não do mesmo modo. Os que tinham lutado com os nacionais — o próprio Dominguín, em primeiro lugar — pareciam muito mudados. Agora pareciam mais de esquerda, inclusive mais radicais, do que os outros que haviam ficado com os comunas, e agora tinham certa propensão a criticar, a respeito de tudo, os excessos ou erros de seu próprio bando.

Foi então que, na confusão de uma conversa entrecruzada, Domingo Dominguín contou a história daquela morte antiga.

Falou sem tirar os olhos de Hemingway. Contava a eles, por cima das anedotas, dos risinhos e das exclamações dos outros.

Contava-lhes aquela morte porque eles estavam fora dela, mais além dessa vivência. Isto é, mais além daquele sangue da guerra civil, do outro lado da memória desse sangue. Embora próximos dele. Portanto, capazes de entender a sangrenta mensagem — estéril, repetitiva, absurdamente heróica, injusta, necessária? — daquele passado.

Absorto, Hemingway aquecia entre as mãos um copo de aguardente.

No dia 18 de julho de 1936, contava Domingo Dominguín, numa fazenda da província de Toledo, os camponeses, ao serem informados do levante militar, tinham assassinado um dos donos. O mais moço dos irmãos. Aliás, o único liberal da família, segundo diziam no povoado. Mas é que a morte nem sempre escolhe seus pretendentes. Não os escolhe de caso pensado, em nenhuma hipótese. São seus pretendentes e mais nada.

No entanto, ainda que fosse a causa de tudo, essa morte era o de menos. Houve tantas naqueles dias. O interessante foi o que veio depois. De fato, todo ano, desde o final da guerra civil, a família — a viúva, os irmãos do falecido — organizava uma comemoração no próprio dia 18 de julho. Não só uma missa ou algo do gênero, mas uma verdadeira cerimônia expiatória, teatral. Os camponeses da fazenda tornavam a repetir o assassinato: a fingir que o repetiam, claro. Tornavam a chegar em tropel, armados de escopetas, para de novo matar, ritual e simbolicamente, o dono da propriedade. Alguém que representava seu papel. Uma espécie de auto sacramental, assim era a cerimônia.

Os camponeses tornavam a mergulhar — isto é, viam-se obrigados a mergulhar — na lembrança daquela morte, daquele assassinato, para expiá-lo mais uma vez. Alguns, os mais velhos, talvez tivessem participado da morte de outrora, pelo menos passivamente. Ou a tivessem presenciado. Ou dela teriam conhecimento direto, memória pessoal. Outros, a maioria, que eram os mais jovens, não. Mas todo ano se viam mergulhados naquela memória coletiva, e culpabilizados por isso. Não tinham sido os assassinos de 1936, mas de certo modo a cerimônia tornava-os cúmplices daquela morte, obrigando-os a assumi-la, a fazê-la de novo presente, ativa.

Um batismo de sangue, em certo sentido.

Assim, ao perpetuar a lembrança, os camponeses perpetuavam sua condição não só de vencidos mas também de assassinos. Ou de filhos, parentes, descendentes de assassinos. Perpetuavam a insuportável razão de sua derrota ao comemorarem a injustiça da morte que perfidamente justificava sua derrota, sua redução à condição de vencidos. Em suma, a cerimônia expiatória — a que costumavam assistir autoridades da província, civis e eclesiásticas — ajudava a sacralizar a ordem social que os camponeses, sem dúvida temerariamente — temerosamente também, como é de supor —, acreditavam ter destruído em 1936 assassinando o dono do sítio.

Ninguém disse nada quando Dominguín terminou de contar. O silêncio, transparente e denso, em gestação desde o começo do relato, afinal se libertou. Michael Leidson fechou os olhos, tentou imaginar a paisagem, os rostos, o cerimonial da expiação. Hemingway deu um demorado gole em sua bebida, murmurou alguma coisa, uma só sílaba sibilante. "*Shit.*" Merda, sim, nunca tão bem dito.

Foi mais ou menos dois anos antes, no El Callejón.

"O senhor virá na de amanhã, claro", diz Eloy Estrada. "Pelo visto será a última vez."

Falara detalhadamente — é narrador de pormenores, como se sabe — da visita de Hemingway, uns meses antes, a La Companza, a fazenda dos Dominguín. Junto com a dos Avendaño, é a outra grande propriedade da aldeia, disse Estrada. O avô dos de agora (restam dois irmãos: José Manuel, o mais velho, homem de empresa e de poder; José Ignacio, jesuíta; e dona Mercedes, viúva de José María, o falecido; bem, restam também dois filhos póstumos do morto, Isabel e Lorenzo, gêmeos de vinte anos), o avô Avendaño, o Indiano, ganhou a fazenda aqui mesmo, num memorável jogo de cartas. Mas talvez o senhor não tenha tempo e o assunto nem lhe interesse. Nesse caso, desculpe o incômodo.

Leidson diz que tem tempo e que lhe interessa, que pode continuar contando.

Pois a história do avô Avendaño, prossegue Eloy, quem me contou foi meu próprio avô — os Estrada estão aqui sabe-se lá desde quando: Eloy Estrada, às suas ordens. Aqui parava três vezes por semana, já há mais de um século, um carro puxado a mula que vinha de Maqueda com o correio e uns poucos viajantes —, os papéis, as contas, está tudo lá em cima, na mansarda, tudo muito arrumado; outro dia quem os andou vendo foi Benigno Perales, o secretário de dona Mercedes, e ficou muitíssimo interessado. O estabelecimento é bastante antigo, como eu lhe dizia, e meu próprio avô assistiu àquele jogo de cartas, o Indiano chegava justamente de Maqueda, embora, bem, na verdade chegasse de Cartagena das Índias, que foi onde fez fortuna, segundo diziam, ainda que nunca se tenha sabido como, com que negócios, mas que fez fortuna fez, e chegou de Maqueda um belo dia, se bem que esse negócio de belo ainda é preciso ver, mas vamos deixar para lá, não se sabe por que nem o que procuraria nestas terras, já que os Avendaño são de lá do alto, da Montanha de Santander, lá têm a casa da família, para lá retornavam os indianos, que isso aí sempre existiu — mas esses Avendaño, apesar do que as pessoas, tão ignorantes, pensavam, não iam para Cuba, como quase todos, Cartagena das Índias fica na Colômbia, como decerto o senhor sabe —, e o avô chegou de Maqueda para ver o primo, que na época era o dono de La Maestranza — a propriedade não se chamava assim, é claro, esse nome quem pôs foi o Indiano, justamente, para que rimasse com La Companza, dizem que ele dizia —, e nunca se soube o que havia entre eles, que pendenga, rancor ou que raios que o partam, nunca se soube por que o Avendaño de cá — sobrenome materno, mas mesmo assim Avendaño — teve de aceitar o desafio, jogar nas cartas a propriedade da fazenda, a sua própria vida, porque depois levou um tiro, e antes isso, assim evitou o deboche da desonra, pois naquela mesma noite o Indiano — mas ele não tinha por que saber que seu primo em segundo grau tinha levado um tiro, isso aconteceu quando ele já havia chegado à fazenda —, naquela mesma noite — bem, eu conto como me contaram, não fui testemunha ocular, é lógico, isso foi no século passado, não posso lhe garantir que alguém, de conto em conto, na aldeia, na minha própria família, não tenha acrescentado um detalhe, um enfeite, mas eu conto como meu avô me contava —, naquela mesma noite o Indiano não só se apossou da fazenda como também da viúva — embora talvez não soubesse, ao se deitar com ela, que já era viúva, isso resta a ver — e dizem que trepou com ela a noite inteira, que se ouviam em toda a casa os risinhos e os gemidos, depois os gritos dela, dizem que a viúva, assanhadinha, nunca tinha conhecido uma festança dessas, gozava como uma burra, e pelo visto o Indiano dizia safadezas a plenos pulmões — bem, na fazenda ainda existe uma velha que foi cozinheira e agora já não faz nada, passa as longas horas no escuro, de mãos cruzadas, contando histórias, e essa velha, a Satur, alega que era muito criança mas que ainda se lembra do escândalo daquela noite, enquanto o Indiano papava a viúva do primo —, pois é, que em La Maestranza eles estão acostumados com as histórias, e o senhor vem amanhã, claro. Vai ser a última vez...

Já não estavam no balcão de La Prosperidad, de pé, cada um de um lado. Nessa altura das recordações e dos relatos estavam sentados a uma mesa. E Michael Leidson já não tomava café, mas um copo de *orujo* que Estrada lhe havia oferecido e que ele não se atreveu a recusar. Uma bagaceira de sabor espesso, cálido, violento.

Talvez os Avendaño — embora um deles só o fosse de segunda mão, pelo lado materno — tomassem essa mesma aguardente, ou outra parecida, quando no final do século passado jogaram a posse da fazenda e da fêmea — é de supor que a mulher é que sempre esteve em jogo entre os dois, não podia ser de outra forma — ao longo de uma partida que durou dois dias e uma noite. E no final do segundo dia o Indiano foi à fazenda e por ele esperavam, no alpendre, os peões, os capatazes, toda a criadagem, e ele entrou, jogou o chapéu em cima da mesa e subiu para o quarto, onde, sem dúvida, a mulher estaria aguardando o vencedor.

"A última vez", diz Leidson, "e por quê?"

"Vinte anos, já", responde Eloy Estrada. "Dona Mercedes acha que é hora de enterrar os mortos, que descansem em paz..."

"Os mortos... Houve vários?"

Estrada nega com a cabeça.

"Mortos houve muitos, o senhor já vai saber se se interessa pela história de nossa guerra. Mas aqui, pelo menos naquele dia, só esse: José María Avendaño."

"Ele não está enterrado?", pergunta Leidson.

Estrada dá um risinho. Enche de novo seu copo de *orujo*.

"Está enterrado e bem enterrado. Ou melhor, estava. Hoje de madrugada o tiraram do cemitério da aldeia e o levaram para La Maestranza. A senhora conseguiu autorização para ter uma cripta na própria fazenda. Ali vão sepultá-lo de novo, solenemente, amanhã."

"Então, só um morto", diz Leidson.

"Dois mortos", corrige Estrada, taxativo.

Mas tem de se levantar da mesa para atender a uma mulher que vem comprar alguma coisa. Fica em suspenso o caso dos dois mortos.

Para Michael Leidson aquele era um ano sabático.

Havia decidido aproveitar o tempo das longas férias universitárias para terminar o ensaio que tinha entre as mãos: a crise da Segunda República e a guerra civil. Até então se ocupara essencialmente da situação dos braceiros e camponeses nos anos 20 e 30, das lutas de classe na Andaluzia e na Extremadura, mas queria ampliar seu campo de pesquisas.

Passara todo o outono trabalhando em sua casa de San Diego, Califórnia, escrevendo uma primeira versão do ensaio. Depois, em janeiro, com o manuscrito debaixo do braço, foi para Madri. Iniciava-se o ano de 1956, conforme já se terá calculado. Como testemunha interessada, assistiu às manifestações estudantis de fevereiro, e logo percebeu suas possíveis repercussões. Entrevistou dezenas de pessoas, protagonistas ou simples participantes — vítimas, talvez — dos acontecimentos da guerra civil. Revirou arquivos privados, violentou com sua cortês insistência — "inatingível pelo desânimo", como dizia ironicamente de si mesmo, repetindo a frasezinha de José Antonio Primo de Rivera — esquecimentos providenciais. Submergiu naquela memória, chegando a alguns de seus mais odiosos, gloriosos ou lamentáveis desvãos.

Foi feliz naqueles meses em Madri.

Um dia, em final de junho, reencontrou Domingo Dominguín. Lembrou-lhe a história daquela morte antiga. A propósito, como se chamava a aldeia toledana? Quismondo, pois é. Quismondo? O nome era rotundo, tinha certa pinta clássica.

Quismondo: sem dúvida soava bem. E vigoroso.

Foi na rua Ferraz, na casa de Domingo, ao cair da tarde. Estavam num terraço do último andar. Houve um entra-e-sai de gente, sem parar. Uns vinham resolver problemas taurinos, outros pedir dinheiro, ou devolvê-lo. Outros, provavelmente, conspirar, cochichando em algum canto. Ou procurar um livro proibido que talvez houvesse na biblioteca da casa, disparatada mas abundante. Outros vinham para nada, ou seja, vinham para o mais importante, para estar com Domingo no terraço, só isso, tomando tragos, conversando, enquanto caía a tarde, depois a noite.

Leidson afastou-se daquele generoso alvoroço. Aproximou-se do parapeito do terraço.

Talvez a noite de junho não caísse, pensou, mas se levantasse: erguia-se a noite como um bafo ou véu de escuridão que vinha do próprio oco da terra. Levantava-se sobre a paisagem azul do platô, por cima dos jardins situados defronte da casa da rua Ferraz, ali onde outrora foi o Quartel da Montanha. Contra o fundo azul, que ia escurecendo, da paisagem do planalto, até o horizonte do Guadarrama ainda impregnado de luminosidade lateral por um sol já desaparecido, levantava-se a noite. Dos cinzentos e ocres do campo, do verde escurecido dos sobreiros, erguia-se, em vez de cair, a escuridão crescente da noite.

Ao afastar os olhos do crepúsculo portentoso, Michael Leidson perguntou a Domingo Dominguín se neste ano também se celebraria, na fazenda da província de Toledo, a cerimônia que ele lhe contara no dia do almoço com Hemingway.

Pois claro, sem a menor dúvida, se celebraria. Neste como em todos os anos.

Quando Eloy Estrada voltou a se sentar na frente dele, depois de ter despachado as donas de casa, Leidson perguntou-lhe se estava na aldeia vinte anos antes, se tinha lembrança dos acontecimentos daquele dia de julho de 1936.

Sim, disse o dono de La Prosperidad. Mas não, acrescentou. Estava, sim, em Quismondo, mas não, não se lembrava de nada. Olhou-o de soslaio, mexendo a cabeça.

"É curioso", disse Estrada depois de um longo silêncio, "que eu tenha esquecido, costumo ter boa memória. Sei que estava em Quismondo, tenho lembrança dos gritos no rádio, dos discursos, das músicas marciais, das palavras de ordem de uns e outros. Mas não consigo me lembrar do que fiz naquela famosa tarde, por onde andei exatamente. E olhe que me esforcei, de verdade. Pois é inútil, totalmente inútil..."

Ao falar desse seu esquecimento, tão inexplicável, Eloy Estrada olhava para ele revirando as pálpebras, escondendo o brilho habitualmente vigilante, penetrante de seus olhos verdes muito claros.

"E o outro morto?", perguntou Leidson.

Mas novamente entrou alguém.

Estrada ergueu a cabeça e deu uma olhadela. Ficou de pé, nervoso, adiantou-se para o recém-chegado com um gesto obsequioso. Quase engasgou quando o cumprimentou. *Don* Roberto para cá, *don* Roberto para lá; o que vai beber, *don* Roberto? Como tem passado, *don* Roberto?

Michael Leidson contemplava *don* Roberto.

Um homem de uns cinqüenta anos, com um sorriso tênue, amargo e arrogante, um olhar cinza, inapreensível. Nada apreensivo, porém. Com esse ar de cansaço que costumam ter os poderosos, e só eles; que não é cansaço físico, mas algo mais profundo, vá saber por quê.

Assim, o assunto do outro morto a que Eloy Estrada tinha se referido e que seria, segundo disse, enterrado junto com José María Avendaño no dia seguinte ficou para ser esclarecido.

Por ora, ao menos.

* * *

“Sente-se”, dissera Mayoral, naquela manhã. “Sente-se um instante. Raquel lhe trará um copo d’água gelada, se é o que deseja.”

Leidson sentou-se no alpendre da casa-grande de La Maestranza, numa das poltronas de vime, com o olhar virado para o campo: amarelo, pelado, pardo. A planura, uma fileira de árvores, encostas ao longe. O sol desabava sobre a paisagem, plúmbeo. Sentiu uma angústia leve, indefinida. Ficou pensando se, daquele lugar, Avendaño teria visto os camponeses chegarem, em tropel armado. Fazia vinte anos. Olhou para a fila de choupos que margeavam o caminho de Quismondo, imóveis no ar carregado de meio-dia.

Por ali chegaram, sem dúvida.

Notou uma presença, um suave estalo de roupa engomada. Virou a cabeça, uma mulher se aproximava. Era Raquel com um copo d’água numa bandeja de prata. Emocionou-o a estranha beleza da mulher vestindo luto.

Horas mais tarde, pouco depois de meia-noite, tornou a ver Raquel na penumbra do corredor. Alguém acabava de bater de leve em sua porta. Foi abrir, surpreso: era Raquel.

“Se não está cansado”, disse, “a senhora o está esperando. Para continuar contando...” — deixou a frase em suspenso, por um instante. E acrescentou, com olhar de convite, quase de provocação feminina: “No quarto dela, é claro...”.

Falou em voz baixa, com um rouco sussurro, e agora estendia a mão para, decerto, levá-lo pelos corredores escuros da casa.

“Vou levá-lo”, Raquel acrescentou.

O coração de Michael Leidson batia disparado.

Quando ouviu baterem na porta do quarto, acabava de escrever um relato do dia. Acabava de fechar o caderno, de formato oblongo e capa de cartolina, vermelha — dessa mesma cor, marcada apenas por um ligeiro relevo, podia-se ler na capa a palavra inglesa DIARY —, onde costumava anotar suas reflexões, interrogações, os fatos mais importantes de cada dia.

Naquela noite não tinha sido fácil resumir, para memorizá-los, os acontecimentos do dia 17 de julho de 1956. Com efeito, por onde começar o relato? Pelo começo, é óbvio, sempre convém começar pelo começo. Contudo, é mais fácil dizer do que fazer. Michael Leidson tinha verificado mais uma vez que não é tão simples determinar quando começa de verdade uma história: quando, pela lógica, deve se iniciar o seu relato.

À primeira vista, poder-se-ia se pensar que o relato começa com sua chegada a Quismondo, com a conversa com Eloy Estrada no armazém La Prosperidad. Todavia, pensando melhor, esse não era o verdadeiro ponto de partida de sua história. Se dois anos antes não tivesse encontrado Hemingway — mero acaso, é claro — no bar do Palace de Madri, se Hemingway não o tivesse convidado para acompanhá-lo no almoço marcado para aquele dia com o pessoal da tourada, esta história nem sequer teria sido possível.

Ao menos para mim, pensou.

Seria oportuno, então, começar seu relato pelo almoço no El Callejón? É possível. Se Hemingway não tivesse resmungado aquelas frases sobre a morte, a guerra civil, no fim do almoço, com certeza Domingo Dominguín não teria se lembrado da história de Quismondo, daquela antiga vingança.

Mas, pensando ainda melhor, também não se podia garantir que o almoço no El Callejón, dois anos antes, fosse um começo realmente indiscutível, um acontecimento real, radicalmente originário.

É que a história de suas relações com Ernest Hemingway não se iniciara naquele dia no bar do Palace. Se Hemingway o havia convidado para acompanhá-lo, depois de beberem uns drinques, era sem dúvida porque já se conheciam, porque já tinham mantido longas conversas, quando Leidson trabalhava em seu ensaio sobre os escritores americanos e a guerra civil espanhola. Foi aí que surgiu entre ambos, talvez não uma amizade, seria dizer muito, mas certa cumplicidade intelectual.

Mas não, as conversas com Hemingway, por mais interessante que fosse sua transcrição pormenorizada, também não podiam ser consideradas um autêntico início de história.

De fato, não era Hemingway, por si só, Hemingway em si, para dizer de outro jeito, que lhe interessava quando foi falar com ele. Era a Espanha na obra de Hemingway. Espanha: as festas valencianas de *sanfermin*, as tardes de touradas, os vinhos, as tascas, os ditos populares, a guerra civil, tudo aquilo. Certa relação de Hemingway com a Espanha. Sabe-se que essa relação é substancial, que não é possível imaginar Hemingway sem ela. Mas igualmente substancial é a relação de Hemingway, de sua obra romanesca, com várias outras coisas. Com as mulheres, sua beleza inalcançável e traiçoeira, por exemplo; com a figura do pai; com a caça de grande porte; com a sensualidade de iguarias e bebidas; com várias outras coisas. Quando foi falar com Hemingway, porém, nenhuma dessas lhe interessava particularmente. Só a Espanha. Ou, melhor ainda: a guerra civil espanhola. E esta não lhe interessava por causa de Hemingway mas por algo muito anterior.

Ou seja, no final das contas — se é que realmente se pode contar uma coisa até o final; ou melhor, até o princípio —, todo começo aparente desta história de Quismondo parecia remeter a outro acontecimento anterior, talvez esquecido, obscurecido pelo passar do tempo, mas que o determinava sinistramente. Jamais se saberia quando começava na verdade esta história, por onde se teria de começar a contá-la. Mas provavelmente não acontece só com esta: talvez aconteça com todas as histórias.

No entanto, na véspera Michael Leidson tivera a certeza — fugaz, vertiginosa, isso sim, mas absoluta: absolutamente certa de sua certeza — de que chegava ao fim de um percurso. Melhor ainda: de que voltava à radical origem de um percurso, o de sua própria vida.

Foi em Toledo.

Poucos dias antes, lendo numa noite o *Voyage en Espagne* de Théophile Gautier, topou com a descrição de Santa María la Blanca: "*À peu de distance de San Juan de los Reyes se trouve, ou plutôt ne se trouve pas, la célèbre mosquée-synagogue; car, à moins d'avoir un guide, on passerait vingt fois devant sans en soupçonner l'existence...*".*

Assim, em 1840, mais de um século antes, Gautier teve a surpresa de descobrir, abandonado entre escombros e miseráveis oficinas de artesãos, o edifício prodigioso de Santa María la Blanca, a mais antiga sinagoga de Toledo, que ele descreve com fervor em seu livro de viagens.

Ao ler essa página, Michael Leidson lembrou-se da chave, da grande chave medieval de metal lavrado. Durante toda a sua infância, na segunda metade dos anos 20 e começo dos 30, tinha visto aquela chave pendurada em algum canto preferido, nas salas de estar de todas as residências de sua família. "É a chave de minha casa", a mãe de Leidson costumava explicar. A chave da casa de seus antepassados, entenda-se. "A chave de Toledo", acrescentava

* Perto de San Juan de los Reyes encontra-se, ou melhor, não se encontra, a célebre mesquita-sinagoga; pois, a não ser que se tenha um guia, passaríamos vinte vezes na sua frente sem suspeitar de sua existência. (N. T.)

sua mãe, com a voz cheia de orgulho e nostalgia. Depois, quando Michael cresceu, soube que não se tratava da Toledo de Ohio, nos Estados Unidos, mas da Toledo de verdade. Da Toledo de Sefarad, berço, ao que parece, da família de sua mãe.

Assim, dias antes ele tirara os olhos do livro de Gautier e saboreara a aguardente de framboesa, gelada, que estava tomando. Lembrou-se da chave de Toledo, que os antepassados de sua mãe tinham levado séculos antes, quando os judeus foram expulsos da Espanha. Em Túnis, depois no Cairo, finalmente em Salônica, a chave da casa de Toledo foi o principal enfeite dos salões familiares ao longo dos séculos. Os Levi de Toledo eram os antepassados de sua mãe, e acabaram se chamando Levi-Toledano. Depois da Primeira Guerra Mundial, fugindo das batalhas, guerrilhas, dos golpes de mão e de Estado, desembarques ingleses, gregos ou turcos que assolaram aquelas regiões, ao ruir o Império Otomano, a família de sua mãe abandonou Salônica e emigrou para a América.

Em 1922, em Los Angeles da Califórnia, Raquel Levi-Toledano casou-se com Ilya Leidson, e Michael nasceu no ano seguinte.

Os Leidson não eram oriundos de Toledo, mas de Riga, que obviamente não se pode comparar. Quando os bolcheviques dissolveram a Assembléia Constituinte de Petrogrado, em 1918, o pai de Ilya Leidson, portanto avô de Michael, convocou a comunidade familiar e explicou como iam ser as coisas nos próximos decênios para os comerciantes em geral, e para os judeus em particular, naquela região do mundo. Depois de discutir longamente o assunto, examinando todas as hipóteses plausíveis, a comunidade familiar resolveu emigrar para a América.

Mas partiu sem a chave da casa de Riga. Talvez porque nenhum dos Leidson jamais pensou em voltar a Riga. Talvez porque a casa não tivesse chave digna de ser exposta, de forma sacramental, nos salões do exílio e do sonho. Talvez porque Riga, por mais bonita que fosse, insinuava Raquel L. Toledano, não podia de jeito nenhum ser tanto quanto a Toledo de Sefarad.

Seja como for, e mesmo que a chave não estivesse à vista, sua mãe sempre falou com ele em castelhano, pelo menos na intimidade familiar, das portas para dentro. Sempre lhe contou prodígios e lendas de Sefarad, país remoto e tão entranhado, que despertavam em Michael, desde sua mais tenra infância, um interesse apaixonado pela história e pelas histórias da Espanha.

Portanto, naquela noite largou na mesa de centro de seu quarto o copo gelado de aguardente de framboesa, calculou que na Califórnia era uma hora decente para se receber um telefonema, e discou os algarismos necessários para conseguir ligar para a casa de sua mãe em Beverly Hills.

"Mãe?", disse. "É Miguel."

"Só podia ser. Acha que não conheço sua voz?"

Michael riu, saboreou um gole de aguardente.

"Está doente?", a mãe perguntou.

Ele disse que não, que estava bem, contente. Era outro o motivo do telefonema.

"Qual é a rua de Toledo? Onde ficava a casa dos Levi de Toledo?"

Ouviu como um suspiro, lá, na Califórnia, na outra ponta da linha telefônica. Um respiro profundo.

"Agora você se lembra de Toledo?", disse Raquel Levi. "Agora, de repente, depois de tanta viagem a Sefarad e tantos meses em Madri, que fica ao lado... Agora? Pois já era hora, Michael!"

Pois é, só se lembrara agora. E foi preciso a leitura ocasional de um livro de viagens de Théophile Gautier para que ressurgisse a lembrança daquela chave, chave dos sonhos e das histórias infantis.

"Bem, me diga o nome da rua, mãe... Depois explico por que me lembrei agora. Por telefone sairia muito caro..."

Ela riu com certa agressividade irônica. Como se quisesse salientar, assim, e sem entrar em divagações estéreis, a que ponto era imprópria essa observação a respeito do preço do telefonema. Como se precisasse sugerir, com aquele riso curto, cortante, a que ponto era trivial atribuir um preço ao ressurgimento de uma lembrança essencial.

"A rua", disse a mãe, "em seu trajeto atual, que mudou bastante desde a nossa época, é a que sobe da igreja de San Juan de los Reyes, cruzando a antiga judiaria... Agora se chama de los Reyes Católicos, que belo escárnio!"

Raquel Leidson nunca tinha ido à Espanha. Só irei, costumava dizer, quando Sefarad for um país livre. Antes o general Franco terá de morrer. Pode ser que eu não tenha tempo, pois nas nossas histórias os caudilhos costumam chegar a anciãos. Talvez seja o clima do planalto madrilenho, tão agradável para os sobreviventes, acrescentava; talvez a água de Lozoya, ou o presunto de Jabugo, mas o fato é que nossos caudilhos costumam chegar à velhice.

Pois bem, mesmo que nunca tivesse estado na Espanha, a mãe de Michael conhecia como a palma da mão a topografia de Toledo, pelos livros de viagens, os álbuns de fotos, os guias turísticos, os catálogos de museus e exposições, cuja publicação seguia atentamente.

"Quando você vai a Toledo?", perguntou Raquel Leidson.

"Em meados de julho", ele disse. Por causa de seu livro tinha que ir a um povoado da província, uns dias mais tarde; então iria.

"Pois então eu tenho tempo de lhe enviar uma carta com os detalhes", a mãe esclareceu. "Sairá mais barato pra você", concluiu com leve sarcasmo.

Na véspera, 16 de julho, a caminho de Quismondo, Michael

Leidson esteve em Toledo. Começou seu percurso na igreja San Juan de los Reyes, tal como recomendavam tanto sua mãe como Théophile Gautier, que não podiam ter conspirado com um século de intervalo.

Mas não foi Santa María la Blanca, em vias de preguiçosa restauração, o que mais o impressionou. Foi, um pouco mais longe, mais acima, a sinagoga de El Tránsito. Era um prédio pequeno, sem ostentação exterior capaz de chamar a atenção. Dentro, porém, Leidson permaneceu imóvel, atordoado. A beleza enxuta da única nave, dos arcos ornamentados, do teto artesoado desprendia uma atmosfera de serenidade ancestral, dilacerante.

Colocou-se no centro da nave, absorto, submerso naquele torvelinho de imobilidade secular, contemplou o friso de inscrições hebraicas. Então, durante longos minutos de meditação teve a certeza de uma verdade radical, originária, que talvez pudesse ser a fonte — ofuscada, esquecida, mas imperecível — de sua própria vida.

Depois, ao sair da sinagoga, no passeio del Tránsito, procurou a sombra porosa das árvores que davam para a paisagem do Tajo. Leu num guia que a sinagoga tinha sido construída no século XIV por encomenda de Samuel Levi, famoso tesoureiro do rei dom Pedro. Então compreendeu uma referência de sua mãe na carta que lhe enviara por correio urgente. Alusão a certo parentesco com um Levi de Toledo que fora célebre.

Foi na véspera, no passeio del Tránsito, de nome tão oportuno quando se reflete sobre o sentido da vida.

Mas Michael Leidson não é romancista.

Naquela noite, depois do jantar, quando se recolheu a seu quarto em La Maestranza e anotou na agenda os acontecimentos do dia, não iniciou o relato pela sinagoga de El Tránsito, pela evocação a Samuel Levi. Ao contrário, pensou fugazmente que nunca se sabe quando uma história começa de fato. Também se lembrou de Hemingway e de Théophile Gautier. Evocou — como não? — a figura da mãe, Raquel L. Toledano. Passaram por sua mente — se é que a mente pode ser considerada um lugar por onde algo passa — lembranças ou imagens mais ou menos apagadas. Fosse ele um romancista, e com certeza tudo isso iria se agregando à nebulosa de um romance em curso. Ou provocaria o movimento de espiral centrípeta que costuma dar origem a uma nebulosa romanesca. Mas Leidson não era romancista, os problemas de articulação narrativa não se apresentavam dessa maneira.

Por isso, depois de instantes de indecisão e devaneio, admissíveis ao fim de um dia tão cheio de acontecimentos e até de surpresas, Michael Leidson começou a escrever no caderno vermelho de capa de cartolina, seu diário.

> 17.VII. 56. Eloy Estrada, La Prosperidad: estranhamente não se lembra de nada. A viúva se refere a ele com desprezo. História do avô Avendaño, de como se tornou proprietário da casa: em grande parte, lenda familiar, diz a viúva. Quismondo: tive tempo de ler no Madoz o que se diz desse lugar (eles têm o Madoz na biblioteca da casa, bem-vindo prodígio!), e além disso deparei na mesma estante com um livro de John Maynard Keynes dedicado ao finado José María. Depois, ela me explicou essa história de Keynes (se eu fosse romancista em vez de mero historiador, que romance!). Almoço: só com as duas mulheres, a viúva Avendaño (Mercedes e de sobrenome próprio, Pombo) e a outra, Raquel (mas nem Levi nem de Toledo). Difícil definir, até mesmo intuir, a relação entre as duas. Ambas parecem viúvas do mesmo homem. Fiz perguntas sobre aquele dia de vinte anos atrás. Assim se esclareceu o caso dos mor-

tos: o marido de Mercedes, José María, e um rapaz da fazenda, apelidado, ela não se lembra por quê, de El Refilón, que foi chefe de um grupo guerrilheiro nos morros de Toledo. Depois, em poucas palavras (acho que com certa reticência, como se não quisesse entrar em recordações íntimas), contou um pouco de sua viagem de lua-de-mel. Itália, Paris, Biarritz. (A Saturnina de quem falou será a Satur de Estrada? Certamente. A noite de san Jurjo, pois é, isso mesmo...) Retorno a Madri, em julho, por causa da situação política. Leitura de Lorca, *A casa de Bernarda Alba*, em casa de Eusebio Oliver, um médico, poucos dias antes do início da guerra. Às cinco horas, interrompidos pela chegada dos irmãos do morto (ou do finado, como dizem no jornal *ABC*). O primogênito, José Manuel: inteligente, duro, homem de dinheiro, de poder. José Ignacio, o jesuíta: requintado, cultíssimo. Antes do jantar, encontrei Benigno Perales, secretário-bibliotecário ou algo assim, um sujeito fantástico. Conversamos um pouco, a sós. Também tinha sido convidado o *don* Roberto que tanto parecia impressionar Estrada (não consegui saber seu sobrenome, todos o chamam pelo nome), delegado da Brigada de Investigação Social. Astuto, nada primitivo, bom conversador, mau inimigo, imagino: perigoso. Incrível discussão, a certa altura do jantar, sobre a virgindade.

Leidson não lembra como tinha se iniciado aquela discussão acalorada. Tentou puxar pela memória. Seja como for, qualquer coisa poderia ter acendido a controvérsia áspera e confusa, qualquer faísca ocasional. Desde o início o ambiente estava tenso.

Mal tinham se sentado — Mercedes Pombo colocara Leidson à sua direita e o cunhado jesuíta à sua esquerda; diante dela, o outro cunhado, ladeado por *don* Roberto e Benigno, que se alegrou com esse arranjo, pois assim evitava estar diretamente exposto ao olhar inquisitivo do delegado —, o primogênito dos

Avendaño explicou-lhes qual era o problema que havia causado tanto atraso.

Os lavradores da fazenda, disse, negavam-se a representar no dia seguinte o papel dos assassinos de 1936. Não querem fazer o espetáculo, concluiu abruptamente.

O espetáculo? Houve um instante de embaraço, os comensais se olharam. O que José Manuel estava dizendo? Depois Leidson se lembrou do almoço de dois anos antes no El Callejón, primeira vez em que ouvira falar da estranha cerimônia expiatória. "É como uma espécie de auto sacramental", alguém dissera, talvez o próprio Dominguín.

"*Shit*", murmurara Hemingway, mais prosaico e contundente: "merda".

Leidson ficara impressionado com que tanto tempo depois da guerra civil os camponeses da fazenda continuassem aceitando fazer o papel de assassinos.

Mercedes interveio, de modo menos brusco do que o cunhado.

"Vinte anos, chega! Entende-se que eles não queiram continuar esse simulacro horroroso. Além disso, restam poucos dos que estavam aqui naquele 18 de julho. Não podemos pedir a eles que continuem carregando essa velha culpa!"

O delegado a interrompeu:

"Vinte anos não são nada, minha senhora. Em tudo o que resta de século eles deveriam repetir essa cerimônia, ou outra parecida. Eles e os descendentes deles: comuna é coisa que vem da raça, como se sabe..."

Até José Manuel parecia constrangido com Sabuesa. Encolheu os ombros, desviou o olhar, enquanto esfarelava migalhas de pão. Agora, ao prosseguir sua diatribe, o delegado o encarava.

"Eu já lhe disse no ano passado, *don* José Manuel... A cerimônia de vocês é exemplar. Deveríamos fazer uma semelhante em escala nacional todo dia 18 de julho. No Cerro de los Ángeles, por exemplo..."

Leidson o escutava, entre horrorizado e divertido. Já quase não havia, pensou, exemplares humanos tão representativos da hispânica barbárie. Fez-se de ignorante, aparentou não ter entendido a alusão, para ver até onde chegava a estultícia sectária do policial.

"No Cerro de los Ángeles? Por que exatamente ali?"

Roberto Sabuesa o fulminou com um olhar de ódio displicente.

"O senhor não é historiador? Não sabe o que ocorreu ali durante a Cruzada?"

Leidson sabia, é claro, mas fingiu que não, com uma expressão entre perplexa e compungida. Sabuesa prosseguiu, triunfal, prepotente.

"Pois o que foi é que esses bestas puseram nele o nome de Cerro Rojo e organizaram o fuzilamento da estátua de Cristo Rei por um piquete de milicianos. Há fotografias desse fato tão sacrílego..."

"Não vejo a relação", disse então o Avendaño jesuíta, em tom descontraído mas taxativo. E, virando-se para o irmão: "Bem, conte-nos o que acontecerá amanhã, José Manuel...".

Anos mais tarde, quando o delegado Sabuesa, já aposentado, rememorasse episódios e peripécias de sua vida profissional, talvez com um colega, tomando tragos ou jogando mus, bisca ou *tute arrastrado* — qualquer jogo de cartas, contanto que fosse genuinamente nacional —, ou talvez sozinho, aboletado numa poltrona na frente da televisão; quando surgisse, por qualquer motivo, e, como se sabe, são infinitos os motivos possíveis, imprevisíveis, e imperiosas as ocasiões, uma recordação daquela época, daquele ano desgraçado de 1956, Roberto Sabuesa chegaria à conclusão de que naquele dia de julho, na sala de jantar de La

Maestranza, ao ouvir os irmãos Avendaño, ao ver com que displicência afastavam da conversa o assunto do fuzilamento de Cristo Rei pelos comunas no Cerro de los Ángeles, e como começaram a explicar e quase a justificar o subversivo abandono da tradição expiatória pelos peões da fazenda, naquele dia justamente foi que teve a intuição ou a premonição, dolorosa mas irrefutável, de que, apesar das aparências, os seus correligionários, os bem chamados *nacionales*, estavam começando a perder a guerra. Ou melhor: a deixar que se perdessem os frutos da vitória, ao consumirem-se os valores que a haviam ensejado; a perder a confiança e a segurança que deveria conferir-lhes e até então havia conferido o fato de terem ganhado a guerra, à custa de tanto sacrifício, tantos mártires famosos ou desconhecidos, tantos caídos por Deus e pela Espanha.

Ao ver como José Ignacio — um sacerdote, para completar — despachava com um gesto de desdém o assunto da expiação, e como José Manuel — deveria estar com a cara no chão, por ser tão ingrato; riqueza e poder ele os devia ao Regime, à excelsa situação que tivera oportunidade de conseguir, e agora vem aí com essa lengalenga de uma liberalização necessária e urgente do sistema econômico; cara-de-pau! — seguia a corrente, foi aí que, com profundo sobressalto e súbita pressão sangüínea arrítmica, o delegado compreendeu que na Espanha os ideais da Cruzada estavam definhando, que a pátria se atolava num materialismo céptico e egoísta.

Naquela noite não formulou suas impressões de modo tão categórico. Mas teve um momento de assombro, de indignação absorta, quando percebeu que os irmãos Avendaño o interrompiam sem a menor consideração ou cortesia durante sua divagação sobre a necessidade de cerimônias exemplares de expiação e remorso.

Sentiu o golpe, aparentemente sem se alterar. Mas logo

depois pensou em sua provável vingança: prato que se pode comer frio, como se sabe, que não é preciso comer quente. Deliciou-se ao lembrar o que já sabia e o que ainda achava ser possível investigar sobre Lorenzo Avendaño. Pensou que se sua intuição estivesse certa, e ela costumava estar, logo logo teria, graças ao rapaz da casa, ainda que à sua revelia, oportunidade de dar uma boa lição, um bom susto, nos donos arrogantes de La Maestranza.

É que, se Lorenzo estivesse metido a fundo no complô universitário, como pareciam indicar todos os dados em seu poder; se suas relações com o "cérebro" visível do complô lhe permitissem aproximar-se secretamente do invisível, do decisivo de verdade, então ele seria brindado com a ocasião de uma saborosa desforra.

Enquanto isso, José Manuel concluía.

"Não vamos trazer a Guardia Civil para levá-los à força à cerimônia, não é mesmo? Não há nenhuma razão para isso: até agora, tudo foi voluntário. Um assunto quase de família. Se não há vontade não há cerimônia, por mais que me pese..."

Estas últimas palavras se dirigiam claramente ao delegado, que ficou imóvel, sem reagir.

"Em suma, resolvemos fazer a cerimônia de amanhã mais curta e simples... Vai se limitar à inumação na nova cripta de nosso irmão José María e de Chema, El Refilón..."

O delegado se mexeu, torcendo o rosto.

"Que Refilón? O que foi chefe da guerrilha comunista?"

"Comunista não se sabe muito bem", José Manuel esclareceu. "Chefe de guerrilha, isso sim... Ficou anos a fio com seu bando nos morros de Toledo... Foi capturado por volta de 1949..."

De repente, como se estivesse entediado, ou achasse inútil dar tanta explicação, o Avendaño primogênito emudeceu. Desinteressou-se pelo relato iniciado. Ficou saboreando, com visível deleite, o gaspacho servido por Raquel.

Mas Mercedes rendeu a guarda.

"Ele acaba de morrer em Burgos, na prisão", disse dirigindo-se a Leidson. "Como não tem família, resgatamos da fossa comum o seu corpo e o trouxemos para cá... Descansará para sempre ao lado de José María, na cripta que o bispo nos autorizou a ter na fazenda."

Portanto, dois cadáveres. Estrada tinha razão.

Michael Leidson olhou para Raquel, que estava apresentando a Perales a bandeja com tigelinhas de porcelana azul e branca contendo os diversos acompanhamentos do gaspacho.

"É que Chema era daqui, da aldeia e da fazenda... El Refilón... Nós todos em criança brincamos com ele...", concluiu Mercedes.

Benigno foi o último a se servir de quadradinhos de pão, pedacinhos de pepino, tomate e cebola, tudo o que se costuma acrescentar ao untuoso líquido do gaspacho. Raquel tinha se afastado para um canto da sala de jantar, de onde espreitava, atenta, qualquer pedido dos comensais.

Vinte anos antes, José María tinha mandado Mayoral trazer o binóculo. Para lá da fileira de choupos, na estrada de Quismondo, via-se chegar uma multidão em tropel. Cavalgaduras também. Foices erguidas, canos de escopetas refulgiam. Mais tarde, quando tornaram a passar, dentro do Oldsmobile vermelho que Mayoral dirigia, diante do alpendre da casa-grande, os lavradores estavam chegando. E à frente da tropa marchavam Chema Pardo, El Refilón, e Eloy Estrada.

A irritação do delegado era imensa. Estava vermelho, suarento; quase tartamudeava.

"Não entra na minha cabeça, é difícil acreditar... O seu finado marido e o guerrilheiro comunista que provavelmente participou do assassinato dele, na mesma sepultura!"

O jesuíta interveio, suavemente irônico:

"Na mesma cripta, sim, mas em sepulturas separadas. Não

seja mais franquista do que Franco, delegado... O que se faz aqui é apenas um Valle de los Caídos em escala familiar..."

O policial ficou boquiaberto: nunca tinha se sentido tão mal.

"Bem", disse José Manuel, saboreando o gaspacho. "Não vamos passar a noite toda no mesmo assunto. Os tempos mudaram. O essencial é preservar a paz e a ordem que a vitória nos deu, ainda que seja por outros métodos. Assim sendo, por mim, nem mais uma palavra..."

Mas o delegado custava a dar o braço a torcer.

"Quem será o cerebrozinho desse motim dos trabalhadores rurais? Porque há de ter um cabecinha, sempre tem..."

Fez-se um silêncio que foi se prolongando, tornando-se denso, pegajoso.

Mas Leidson não se lembra de como surgiu o assunto da virgindade.

Lembra-se, à meia-noite, quando está se esforçando para rememorar o dia em todos os seus detalhes e peripécias a fim de anotá-los no caderno, lembra-se de que se fez silêncio quando o delegado Sabuesa referiu-se ao cerebrozinho dos trabalhadores rurais.

Lembra-se também de que flagrou olhares entrecruzados, provavelmente carregados de significado, embora não o decifrasse; olhares entre Mercedes e Benigno, entre este e José Ignacio Avendaño.

Mais tarde, e sem que viesse ao caso, pelo menos em sua lembrança, o jesuíta tinha feito uma preciosa, talvez meio pedante e demasiado longa digressão sobre o cristianismo primitivo, sobre a renúncia voluntária ao amor carnal em inúmeras comunidades cristãs do Mediterrâneo, principalmente do oriental. E de repente, sem que fosse possível reconstituir a ligação entre os fatos, viram-se envolvidos numa discussão absurda sobre a virgindade.

Se bem que, na verdade, gritaria e desordem só houve no final, quando o delegado, transtornado, enfurecido, fez seu estranho pronunciamento.

"Veados!", gritava Sabuesa, "todos os que aceitam se casar com uma mulher que não é mais donzela são veados, embora não saibam, embora não creiam!"

Insistia grosseiramente ao ver as expressões, ao ouvir as exclamações de espanto dos outros comensais.

"Veados, veados de uma figa: na buceta da mulher só têm tesão pelo vestígio, pelo rastro do membro que a desvirginou!"

Todos olhavam para o delegado, atônitos, consternados. Um dos irmãos Avendaño o repreendeu pela inaceitável grosseria de sua proclamação.

"O senhor está esquecendo, delegado, que há senhoras aqui."

Sabuesa esteve prestes a responder que não via senhoras, o que se chama de senhoras de verdade, em lugar nenhum. Mas se conteve.

Leidson está acabando de escrever o resumo do dia quando ouve alguém bater suavemente com os nós dos dedos na porta de seu quarto. Surpreso, olha o relógio: já passa de meia-noite.

Vai abrir, Raquel está no corredor, escuro.

"Se não está cansado", diz, "a senhora o espera."

Horas antes, no final da manhã, Michael Leidson estava sentado numa das poltronas de vime, no alpendre de La Maestranza.

"Raquel lhe trará um copo d'água", dissera o intendente.

Raquel? Pensou em sua mãe, naturalmente. Lembrou-se da carta que ela havia mandado pelo correio urgente. No lado esquerdo do passeio del Tránsito, escrevia Raquel L. Toledano, há uma ruazinha que se chama Samuel Levi. Onde está a casa-museu de El Greco. Esse Levi foi tesoureiro do rei dom Pedro, mandou edificar a sinagoga a que acabo de me referir. Era parente nosso, não muito chegado, mas parente. É a nossa rua, a de Samuel Levi. Mas a casa cuja chave conservo não ficava ali. Ficava mais embaixo, mais perto da San Juan de los Reyes e da ponte. E digo "ficava" porque foi derrubada quando fizeram sei lá que urbanizações no século XVIII. Agora a chave só abre as portas da memória, da fantasia...

Assim dizia mais ou menos a carta de sua mãe.

Lembrou-se dela enquanto contemplava a paisagem parda do planalto. Depois notou uma presença suave, virou a cabeça. Era Raquel com um copo d'água.

Deu um bom gole, encheu a boca de frescor. Respirou, bebeu de novo. Estava com sede, desde os copos de *orujo* com Eloy Estrada em La Prosperidad.

"Você é Raquel?" Olhava para a mulher, enquanto devolvia o copo vazio.

"Quer mais água?", ela disse.

Tinha uma voz melodiosamente grave, com toques de sonoridade rouca, cortante: provocativamente sensual. Mas logo em seguida Leidson corrigiu esse adjetivo. Na verdade nada era provocativo na mulher, de aspecto ainda jovem mas de luto fechado, sem enfeites nem cores vivas. Tez branca, natural; lábios sem pintura; olhos pretos, sem nenhum realce artificial. Nada provocativo, em suma, a não ser sua própria feminilidade, luminosa, angustiantemente feminina. Bem, não angustiante em si, mas em Leidson, em quem a presença de Raquel despertava, de modo súbito e irresistível, essa leve angústia, esse tremor que sempre acompanha o surgimento de um desejo, por mais fugaz ou irrealizável que seja: angustiantemente revelador de sua própria virilidade.

Disse que não, que não queria mais água.

Mas voltou a sentir a boca seca. Já não era de sede, e sim de desejo. Conteve-se, propôs-se dominar o repentino ardor que invadia seu peito, subindo da virilha, sangue agitado, aos borbotões. Conteve o gesto absurdo que nascia em seus dedos: acariciar sem aviso prévio a face de Raquel, sua cintura, o quadril que evidenciava o porte ereto e altivo da mulher.

Desviou o olhar para a paisagem do altiplano e sossegou. Viu a fileira de choupos, a planície de peças geométricas e desiguais costuradas, ocre, amarelo, pardo. Parece um quadro de Caneja, pensou. Tinha conhecido o pintor poucas semanas antes, ao visitar seu ateliê.

"Raquel, você estava em La Maestranza há vinte anos?", perguntou sem olhar para ela.

Antes que virasse a cabeça, ela começou a responder.

"Estava", disse.

"E o que aconteceu?"

Olharam-se.

Michael Leidson teve a certeza, fugaz mas aguda, de que ela também estava perturbada. Por sua presença masculina ou por ter reparado que ele estava? Era ele que a perturbava ou ter reparado que ela o perturbava? Fosse como fosse, sentiu circular entre os dois, impalpável e densa, a corrente soterrada de um desejo. Não costumava enganar-se nesses momentos críticos. Também não costumava se iludir, embora naquele exato momento essa certeza inconseqüente o iludisse.

"Eram três da tarde", dizia Raquel. "Eu estava enchendo os copos de água, na sala de jantar. Os rapazes iam começar a almoçar. Ouviu-se lá fora a voz de Mayoral, frenética, chamando *seu* José María. Ele saiu para o alpendre, pediu o binóculo para observar os camponeses que vinham em tropel, pela estrada. Da sala de jantar, com as portas abertas, vê-se tudo deste lado da casa. Dona Mercedes e eu vimos..."

"Que idade você tinha, Raquel?"

"Dezessete", disse ela.

A voz de Mayoral, lá fora, transtornada.

Pois é, eram três da tarde e acabavam de se sentar à mesa para o almoço. Mercedes acariciava com o dorso da mão a toalha engomada. Sem a menor dúvida algo se remexeu em sua memória, pois sorriu olhando para o marido.

Raquel estava enchendo de água fresquinha os copos, e os olhares de ambos coincidiram ali, nas mãos da moça. O vidro se embaçava com aquele frescor de cavidade subterrânea.

Raquel notou o duplo olhar.

Ergueu os olhos, ruborizada mas desafiante. Os três estariam se lembrando da mesma coisa? Imaginou que sim. Imaginou que os três se lembravam da estranha felicidade, brutal, a nascente de prazer obscuro descoberto naquele amanhecer. Dois dias depois da volta de Biarritz, quando terminou a viagem de lua-de-mel.

Raquel tinha ficado em Madri para esperá-los. Na casa de Madri, cujo portão suntuoso, pomposo dava para a esquina formada pelas ruas Juan de Mena e Alfonso XII, defronte do Retiro.

Os rapazes Avendaño continuavam chamando a rua por seu antigo nome de Alfonso XII, não por motivos políticos, e sim por mero hábito. Quem teria a idéia de chamá-la por seu novo nome de Niceto Alcalá Zamora? "Esse negócio de Niceto parece gozação ou sacanagem", dizia com displicente deboche José Manuel, o primogênito. Mas ele, sim, podia dizer isso por motivos políticos: sem dúvida, por isso dizia.

Seja como for, meio caçoando gentilmente de seu irmão mais velho, José María lembrava-se de uma piada que na época estava na moda. Depois da vitória da CEDA nas eleições gerais de 1933, Alfonso XIII tinha enviado um telegrama a *don* Niceto

Alcalá Zamora, presidente da República: "*Ante la CEDA cede. Te cito en Biarritz. Alfonso*". Telegrama que o presidente respondeu com outro, tão irreal como o primeiro, mas engraçado: "*Ni CEDA, ni cedo, no cita. Niceto*".*

Mas naquele dia de julho de vinte anos atrás Raquel olhava para Mercedes, via o sorriso terno e ambíguo de Mercedes.

José María olhava para as duas.

Entre eles a brancura crepitante da toalha engomada, que lembrava outra brancura, como de sonho nevado: a dos sofás e poltronas forrados para o verão, no salão penumbroso da casa da Alfonso XII naquela madrugada.

Ela teve a impressão de que *seu* José María ia dizer alguma coisa, quando lá fora se ouviu a voz de Mayoral, estrondosa.

Vinte anos antes, exatamente no mesmo dia, e sob o mesmo sol de verão, José María Avendaño saíra para o alpendre de La Maestranza e os camponeses chegaram num tropel armado pela estrada de Quismondo.

"É, dezessete anos", Raquel prosseguiu. "Nasci aqui, na fazenda. E minha mãe também. E minha avó, a Satur. Ela já estava aqui quando chegou o Indiano e ficou com a fazenda... O avô dos rapazes de hoje... Mas, bem, o senhor não está entendendo nada: é uma história longa para contar..."

* O rei Alfonso XIII (1886-1941), filho póstumo de Alfonso XII, é avô do rei Juan Carlos I. Com a proclamação da República, em 1931, seguiu para o exílio. Em seu telegrama ele diz: "Diante da CEDA ceda. Encontro marcado em Biarritz. Alfonso". Niceto Alcalá Zamora (1877-1949) foi nomeado presidente da República em 1931, e deposto em 1936, quando a coligação de esquerda Frente Popular ganhou as eleições. Em 1942, emigrou para a Argentina, onde faleceu. Em sua resposta a Alfonso XIII ele diz: "Nem CEDA, nem cedo, nem encontro marcado. Niceto". A CEDA (Confederação Espanhola das Direitas Autônomas) apoiou a República, distanciando-se dos grupos monárquicos ligados a Alfonso XIII; sua participação no governo causou, em 1934, violentos protestos na Catalunha e nas Astúrias. (N. T.)

“Estrada me contou alguma coisa”, disse Leidson.

Ela deu de ombros, furiosa.

“Eloy? Contou-lhe a história do Indiano? E a de vinte anos atrás? Contou onde estava há vinte anos?”

“Não se lembra”, disse Leidson.

Raquel fez uma expressão de desprezo. Tornou a encolher os ombros.

“Dona Mercedes e eu vimos tudo. Primeiro, da sala de jantar. Depois fomos nos aproximando, assustadas, de mãos dadas, pelo salão de música, pelo quarto do Indiano, quer dizer, a biblioteca, aproximando-nos, bem até o limite do alpendre, aqui mesmo... *Seu* José María tinha se apoiado no parapeito e mandou Mayoral trazer o binóculo. Para lá da fileira de choupos, na estrada de Quismondo, avistava-se uma multidão de gente. E de cavalgaduras também. Brilhavam as foices erguidas ao sol. E os canos das escopetas. Quando Mayoral chegou com o binóculo, *seu* José María se virou para pegá-lo e nos viu. Estávamos no salão de música. Sorriu para nós. ‘Trago as armas?’, perguntava Mayoral, frenético. E ele gritou que não, que nem pensar, que os acabariam matando do mesmo jeito. ‘Pegue o Oldsmobile’, disse ele, ‘a maleta de couro que está na sala de jantar. E leve as mulheres, depressa...’ Mas Mayoral resistia, queria ficar com o patrão, claro, para o que desse e viesse. *Seu* José María se enfureceu. ‘Quem manda aqui, Mayoral? Leve-as, ora essa!’ E Mayoral se conformou. Deu um grito, como um berro de dor ou de raiva. Saiu correndo, tropeçou numa cadeira, nos puxou lá para fora, para os fundos da casa...”

Raquel interrompe, seu olhar se perde na longínqua visão de um céu de antigamente, de uma angústia ressurgida.

“Quando Mayoral virou o automóvel para o caminho de Quismondo, o único por onde era possível fugir, voltamos a passar por aqui, defronte do alpendre. Os camponeses já estavam entrando... E era fácil reconhecer os que marchavam à frente da tropa. Havia Chesma, el Refilón... E Eloy Estrada..."

Leidson não se surpreendeu que Estrada ali estivesse, naquele dia de vinte anos antes.

Raquel fez cara de resignação. Ou de indiferença.

"Já vinte anos", disse. "Passar a esponja e vida nova. Mas que não diga que não se lembra..."

Fez-se um silêncio. Do campo crestado não chegava um ruído. Cheiros, sim, intensos.

"Se quiser", disse Raquel, "acompanho-o até o seu quarto. Poderá se refrescar. Dona Mercedes o espera para almoçar daqui a uma hora e meia."

Leidson seguiu Raquel pelos corredores e escadas da casa.

"Estrada também diz", Leidson acrescentou, "que amanhã será a última vez que os mortos vão mudar de sepultura... E que há dois mortos..."

Na ampla galeria interna do primeiro andar, que rodeava um pátio refrescado pelo murmúrio de algumas fontes, Raquel abriu uma porta. Afastou-se, olhou para ele.

"A última vez, sim... Dois mortos, é verdade... O Eloy está bem informado, como sempre..."

Mas Michael Leidson queria saber mais, notava-se.

"Amanhã enterram solenemente", Raquel acrescentou, "numa cripta especial, aqui mesmo, na fazenda, *seu* José María e Chema, El Refilón..."

Leidson a contemplava, imóvel na soleira da porta.

"Mas não sou eu quem conta as histórias... Dona Mercedes contará, depois... Tenha um pouco de paciência..."

Entrou no quarto, mostrou a Leidson onde estavam as coisas: os armários, os cabides, os travesseiros, a moringa de água fresca, o banheiro, as campainhas. Todo o necessário.

Extasiado, ele a via mexer-se pelo quarto.

2.

Da pasta escapou um cartão-postal, e ela pegou-o no chão. Uma imagem em preto-e-branco gasta pelo tempo, pelo uso, pelo manuseio. Mas Mercedes se lembrava das cores do quadro reproduzido. "Parece que as estou vendo", tinha comentado uma vez com Raquel. Uma das vezes, ao longo dos anos, em que comentou com ela — com quem, senão? — as peripécias da viagem de lua-de-mel daquele verão, vinte anos antes.

Lembrava-se, é verdade.

A primeira coisa que chamou sua atenção em Nápoles, no Museu de Capodimonte, foi a brancura de neve dos ombros de Judite, seus seios quase nus cuja beleza salientava a sombra que, na tela, isolava e realçava sua redondez mútua.

Naquele quadro Judite luzia dentro de um vestido azul, muito decotado. Mas será que luzia realmente? Na verdade, o vestido era de um azul pouco luzente, pouco reluzente, meio apagado, como que recluso em sua própria densidade. Não era um azul que reluzisse na tela, iluminando-a, mas a impregnava, encharcava, esfumando pela superfície do quadro uma noturnidade diáfana que se harmonizava com o vermelho surdo do vestido da criada de Judite, decente, sem decote nem ombros nus, nem seios sugeridos, no caso de sua patroa mostrados até o limite dos mamilos.

A criada segurava Holofernes enquanto sua senhora o degolava limpamente, ou seja, com um corte de sua espada curta e larga, e esse corte podia ser qualificado de limpo por ser firme, cortante, justamente, mesmo que produzisse borbotões de sangue que sujavam os lençóis da cama instalada na barraca de campanha do general inimigo dos judeus.

"Capodimonte, 1936, junho", estava escrito no verso do cartão-postal que acabava de escapulir da pasta, no espaço habitualmente reservado ao texto da correspondência, com letra pontiaguda e vagarosa, a dela, de colégio de freiras, que se usava nos anos 30, hoje meio desbotada, quase apagada, porque tinha sido escrita a lápis.

Um pouco antes, pensando que o americano não tardaria a chegar, Mercedes pegara na escrivaninha de seu quarto a pasta onde se amontoavam as lembranças da viagem: cartões-postais, fotografias, notas de hotel, de restaurante, catálogos de exposições e guias de museus, programas de teatro e de concertos; marcas diminutas mas verazes de sua viagem de lua-de-mel.

Mercedes não sabia por que a excitava a visita daquele desconhecido: chamava-se Leidson. Talvez porque graças a ele restaria pelo menos uma testemunha da cerimônia que amanhã iria se celebrar pela última vez, graças a Deus. E também porque o americano era historiador, estava trabalhando sobre as origens e razões da guerra civil, ou algo assim: foi o que lhe dissera Domingo ao sugerir que o convidasse.

"Um sujeito simpático, inteligente e até bonitão", dissera Domingo. "Você poderia aproveitar a ocasião para matar o seu cunhado José Manuel e fugir com o gringo, já que nunca desejou fugir comigo."

Mercedes riu. Sempre ria com Domingo Dominguín, sentia-se bem com ele, embora só se vissem de vez em quando, algumas vezes justamente nas touradas, em Vista Alegre de Carabanchel ou na praça de touros de Toledo, nas vezes em que vinha um daqueles matadores que atuavam no lugar de Domingo. Talvez em Quismondo, numa das duas fazendas, La Companza, que era dos Dominguín, ou La Maestranza, que era dela. Ou melhor, dela e de seus cunhados, bem indiviso.

Duas semanas antes, no começo de julho, Domingo tinha lhe telefonado convidando-a para almoçar numa taberna da rua Juan de Mena, de aspecto miserável mas onde o cozido era de primeira, ele garantia.

"Por favor, Domingo, pois se eu jamais como cozido", ela lhe dissera, "você é espanhol demais para o meu gosto."

E ele, morrendo de rir:

"Que espanhol que nada... Eu a levaria ao Horcher, tão gostoso... Mas estou ferrado, na pindaíba, pelo menos até as sete da noite, dependendo de qual será o faturamento de Vista Alegre..."

Portanto, comeram naquela taberninha. Muito bem, é claro. Ele, cozido, como manda o figurino. Ela, um presunto montanhês e um ensopado delicioso. Para Mercedes o lugar era muito à mão, a dois passos de sua casa da rua Alfonso XII, embora para falar a verdade o Horcher também não ficasse muito longe.

Durante o almoço Dominguito lhe falou de um historiador americano, Michael Leidson, de seu interesse pela cerimônia expiatória de La Maestranza. Falou-lhe do encontro com Hemingway, dois anos antes. Mercedes disse que seria a última vez, que já era hora de acabar com aquilo, que finalmente tinha imposto sua vontade a José Manuel, e ao fio da conversa e da lembrança ambos se viram mergulhados na experiência daquele verão da guerra, na sangrenta memória de um verão tão remoto.

Parece que foi ontem, ambos diziam.

Ele tinha dezesseis, dezessete anos no máximo. Estava meio jogado no assento traseiro do carro, um Graham Page americano, grande, solene, provavelmente expropriado ou requisitado pelos milicianos. Estava manietado entre dois rapazes à paisana, mais ou menos da mesma idade dele. Ainda não se tinha imposto o uniforme do macacão azul. Estavam em mangas de camisa, mas com correame, cartucheiras, pistolas de calibre nove e cano longo. Levavam-no preso para alguma das chekas do Partido Comunista — não, isso não, ele pensara naquele dia na taberna da Juan de Mena, contemplando a beleza melancólica de Mercedes Pombo, ainda não se dizia "cheka", digo isso hoje, é um anacronismo, foi mais tarde que surgiu essa denominação —, um dos cárceres privados do Partido Comunista. E o carro ia a toda velocidade pela Alcalá em direção da Independencia, abrindo caminho a buzinadas sonoras, e depois entrou na rua Serrano. Ele se perguntava onde iriam matá-lo, mas sem dúvida não aconteceu o que estava previsto para acontecer. Fácil deduzir, pois ele está rememorando o episódio vinte anos depois. E foi porque Mije ou Delicado, um dos caciques andaluzes do Partido Comunista, o tirou daquela cheka e mandou que o pusessem em liberdade. Ele achava que tinha sido Antonio Mije. Por causa das touradas, é claro, porque ele era filho de Dominguín. Assim conseguiu se salvar, e passar para o outro lado. Mas naquele dia, enquanto o carro americano voava pela rua Serrano buzinando sem parar, Domingo levantou a cabeça para olhar os garotões da sua idade, que faziam cara de duros, de heróis, de justiceiros do Oeste, e então se fixou no nome de uma loja da Serrano, por onde o automóvel desfilava veloz, um armarinho no lado direito de quem vai para a rua Goya, e que se chamava A Glória das Meias, e ao vê-lo Domingo caiu num riso incontrolável, e pensar, pensou, que o último vislumbre de realidade, seu último toque — porque sem dúvida ele ia morrer, sem dúvida aquele era seu último passeio, o Passeio maiúsculo, e, por antonomásia, a passagem para o outro mundo —, a última visão de uma realidade que perduraria depois que ele morresse, pensar que ia ser aquele nome tão caipira, tão pomposo, que chegava a ser enternecedor, A Glória das Meias, e imaginou o letreiro ou o reclame que gostaria de ter visto na vitrine: anjinhos de Murillo, eunucos gorduchos, sustentando em equilíbrio belíssimas pernas de mulher com meias pretas e ligas, o que mais o excitava naquele verão tão remoto, pernas com meias e ligas, e a conhecida entrepernas, claro, mais acima da liga, e caiu num riso frenético, interminável: isso é o *sursum pene*, pensou Domingo, mas sem pena nem glória, nem mesmo a das meias, e os mocinhos militantes e militarizados se viraram para olhá-lo, um deles lhe deu um empurrão de desprezo e o outro comentou, irado, "mas esse cara aí é um debilóide, um babaca, lelé da cabeça, pra ficar rindo assim, sem mais nem menos, numa hora dessas...".

"E o que vocês faziam em Quismondo num 18 de julho?", ele perguntava a Mercedes Pombo. "Belo lugar para um veraneio!"

Estavam acabando de almoçar na taberna da rua Juan de Mena.

Mercedes lhe respondeu que, de meados de junho a início de julho, tinham percorrido a Itália em viagem de lua-de-mel. Depois, uns dias em Paris e, em seguida, instalaram-se em Biarritz para passar o verão numa casa que os Avendaño tinham ali desde sempre. Bem, desde essa eternidade relativa das heranças e dos patrimônios, sendo estes, com freqüência, fruto de matrimônios anteriores.

Saturnina, a Satur, já velhota mas incomparável na cozinha, tinha ido de Madri com duas copeiras. O motorista, por sua vez, tinha levado o Oldsmobile conversível e depois tinha retornado. José María não precisava dele, gostava de dirigir.

Mas as notícias de Madri eram preocupantes.

É verdade que haviam sido durante toda a viagem. José María passava o dia tentando conseguir informações no rádio. Ao entardecer, descia até a banca de jornais, perto do Cassino, para comprar jornais espanhóis. Via de longe Fal Conte, confabulando nos bares dos arredores com emissários carlistas, era de imaginar.

Por volta de 10 de julho José Manuel, o irmão mais velho, lhe telefonou de Madri. Estava nervosíssimo, entendia-se mal o que dizia. Seja como for, vaticinou acontecimentos iminentes. Então resolveram voltar. Foi um pressentimento, fizeram as malas às pressas e seguiram de carro para Madri. Dias mais tarde, estavam jantando na casa de um amigo médico, Eusebio Oliver. Houve discussões acaloradas, alguém gritou que já era hora de o Exército se pronunciar, impor mão de ferro e acabar com tantos desmandos de um e outro lados. Depois, na hora da sobremesa, sossegaram um pouco. Federico García Lorca leu para eles uma peça que acabava de terminar, *A casa de Bernarda Alba*. Naquela noite Lorca falou em ir para Granada, onde estaria mais tranqüilo, dizia, mais seguro do que numa cidade tão áspera como Madri, caso acontecesse alguma coisa.

Essa opinião de García Lorca fez José María refletir; voltando para casa, de madrugada, disse a Mercedes: "Por que não vamos para a fazenda por alguns dias, até ver o que vai se passar? De qualquer maneira, estaremos melhor do que em Madri".

"E fomos embora no dia seguinte, imagine só, por causa do que Lorca tinha dito naquela noite."

E haviam saído da taberna e estavam na rua, na esquina de

Juan de Mena com Alfonso XII, em pé, despedindo-se, quando Domingo perguntou a Mercedes:

"O que foi exatamente que aconteceu naquele dia? Você nunca me contou."

Nunca tinha contado?

"Eram três da tarde do dia 18 de julho, e acabávamos de nos sentar à mesa do almoço, em La Maestranza... Raquel estava nos servindo um copo d'água..."

Mas parou. Não sabia como continuar o relato.

Ou melhor: sabia, muitíssimo bem. Sabia tão de antemão, tão de cor, tão rotineiramente, que não valia a pena continuar, tinha perdido o interesse. De fato, era um conto mil vezes contado, com o tédio do repetitivo, do codificado. Impossível esperar uma surpresa, uma descoberta, de um relato que começava dessa maneira, com tanto lastro memorioso. Talvez, Mercedes pensou no momento, toda aquela história pudesse ser contada de outro modo. Começando em Capodimonte, por exemplo, com a contemplação do quadro de Judite. Ou pela outra manhã, na praia de Biarritz. Mil maneiras, quem sabe, mas todas acabariam igualmente: no momento em que apareceram os camponeses armados de escopetas e foices na estrada de Quismondo.

Fosse como fosse, os acontecimentos daquela tarde de julho pareciam ter se esvaziado de sua substância, como se só fossem isso, um conto, e ao começar a contá-lo mais uma vez Mercedes sentiu-se entediadamente submersa na realidade de um relato e não no relato de uma realidade. Como se o importante já não fosse a verdade da tarde do dia 18 de julho, vinte anos antes, mas a do relato: em si mesma, num desenrolar autônomo do "era uma vez". E, como se sabe, a verdade de um relato é enganosa, seu objeto pode até mesmo ser a mentira, ou quando nada a irrealidade.

Entretanto, no tédio de um contar que havia começado como sempre, conforme mandava o figurino das narrações familiares — "eram três da tarde e acabávamos de nos sentar à mesa do almoço..." —, inevitavelmente fiéis a um código insidioso, Mercedes sentiu de repente uma emoção nova. Renovada, mais que inédita. Lembrou-se daquele frescor anunciado ou denunciado pelo embaciado que turvava a transparência do vidro. Lembrou-se da sede, da ânsia de água gelada, das mãos de Raquel. Lembrou-se do que o frescor, a água, as mãos de Raquel evocavam.

"Para que continuar, Domingo? Você sabe o que é a morte."

"Por isso mesmo, porque eu sei, acho estranho que você continue organizando uma cerimônia fúnebre tão funesta", ele disse.

Mercedes fez uma expressão negativa, taxativa.

"Nunca fui eu. É coisa de José Manuel, como você sabe..."

É verdade que sabia, admitiu.

"É verdade que este ano vai ser a última vez", ela prosseguiu. "Portanto, diga ao seu gringo bonitão que venha, para que reste um testemunho de tanto horror hispânico... Que ele o escreva num livro..."

Isso foi mais ou menos quinze dias antes.

"Capodimonte, 1936, junho."

Mercedes Pombo tinha virado o postal que reproduzia em preto-e-branco um quadro do museu de Nápoles. Contemplava, pensativa, as palavras que ela mesma escrevera vinte anos antes.

Sempre pretendera voltar um dia a Nápoles. A Nápoles e a Florença: há uma Judite parecida nos Uffizi. Mas não tinha sido possível. De Nápoles conservava uma lembrança mais viva, mais angustiante também. Não conseguia gostar das grandes cidades do Mediterrâneo. "Bem, gostar talvez sim, mas me inquietam por esse bafo que têm de umidade humana, de selva urbana, de promiscuidade... Gritaria demais, linguagem apaixonada demais, vulgar, desbocada... Prefiro a luz nórdica, de arestas e demarcações mais precisas, mas ao mesmo tempo mais suave em seus interiores, no cerne de sua luminosidade, mais calada."

Naquela primavera, as copeiras e as babás da casa da Alfonso XII cantavam, antes que eles partissem para a viagem de lua-de-mel, "*Soldado de Nápoles, que vas a la guerra...*". E em Nápoles foi Mercedes sozinha ao Museu de Capodimonte. Nesse dia, José María tinha uma entrevista, agora não recordava com quem: um professor ou um filósofo. Algo assim como um Ortega y Gasset italiano, mas ainda melhor, Mercedes se lembrava de ter escutado seu marido dizer. O fato é que foi sozinha ao Museu de Capodimonte. Não havia quase ninguém, um ou outro vigia velhinho e cochilando num canto. Acompanhava-a o ruído de seus saltos sobre as placas de mármore dos andares e das escadas, "um ruído que parecia me preceder e me seguir, e de repente me vi diante daquele quadro... Parei, impressionada, não decerto pelo tema: Judite e Holofernes são um lugar-comum da pintura, pelo menos desde que a pintura tem lugares-comuns, temas impostos pela tradição... Por exemplo, em Roma, dois dias antes, já tínhamos visto, José María e eu, dessa vez juntos, um quadro homônimo de Caravaggio... Portanto, não era o tema, mas a violência do tratamento pictórico, a serenidade dessa violência, a frieza desse frenesi, a indecência provocante do decote de Judite, a formosura juvenil de sua criada e ajudante na degolação feroz de Holofernes... As duas estavam concentradas em decapitar o general assírio com uma precisão meio distanciada, com um ar estranho, assustador, de complacência, quase de prazer... E me aproximei para ver o nome do pintor e era uma pintora, uma mulher, Artemisia Gentileschi. Fiquei absorta diante do quadro, imóvel, como que fulminada, até que se aproximaram, aflitos e solícitos, dois velhos vigias decerto preocupados com esse imobilismo prolongado, talvez temerosos de que eu tivesse me transformado em estátua de sal, e não estariam totalmente errados: naquele instante minha alma era um deserto de sal e desejo...".

Na manhã de junho de 1936 ela tinha voltado do Museu de Capodimonte desconcertada com a impressão produzida pelo quadro de Artemisia Gentileschi. Desconcertada por essa impressão ser tão marcante e tão túrbida.

Desconcertada por seu desconcerto, em suma.

José María esperava por ela no restaurante do hotel, um antigo palácio de corredores escuros e labirínticos, imensos salões de mogno e jacarandá, onde, ao entardecer, frágeis damas vestidas de organdi e bigodudos cavalheiros de fraque tocavam piano e entoavam algumas das árias mais famosas do repertório.

Sentado a uma mesa redonda, solitária no meio do restaurante, José María Avendaño era o alvo de todos os olhares femininos. Franca e até descaradamente dirigidos a ele, no caso de senhoras não acompanhadas por um cavalheiro. Olhares dissimulados, e por isso, por seu fulgor encoberto, ainda mais audaciosos, impertinentes ou provocantes, no caso de damas acompanhadas por um marido, pai, namorado ou irmão: em suma, um homem com direito de pernada,* filiação, usufruto, ou de mera proteção, sobre as fêmeas visivelmente fascinadas com a insolente beleza de José María.

E, além do mais, estava esperando uma mulher, logo se notava. Em sua impaciência destituída de apreensão, transbordante de desembaraço e até de altivez; no modo, displicente para seus vizinhos, com que sorvia aos golinhos um martíini seco e gelado; na soberba rosa vermelha que ele colocara sobre a brancura ima-

* Direito do chefe familiar de um clã, ou de certos senhores feudais, de passar a noite de núpcias com a mulher que se casasse com um de seus vassalos. (N. T.)

culada da toalha, para ser oferecida, sem dúvida, a quem já não demoraria a chegar: em todo o seu jeito e em sua aura viril notava-se que estava esperando uma mulher.

Isso lhe atribuía encanto ainda maior, e os olhares femininos se tornavam, pela curiosidade que os consumia até o fundo das pupilas, ainda mais invejosos.

Da soleira da porta de vidro do restauraute, meio escondida atrás de uma palmeira anã que havia dentro de um vaso de cerâmica, Mercedes contemplou um instante seu marido.

A rosa vermelha sobre a toalha nívea a fez pensar no leito ensangüentado de Holofernes. Também em algo muito mais íntimo. Enrubesceu, sentiu que era invadida por alguma coisa até então desconhecida, pelo menos com tamanha contundência, com tanta crueza brutal e inocente: seu desejo por aquele homem, difícil de nomear devido à sua insólita e sufocante precisão.

Vou entrar como uma noiva, pensou Mercedes, para entregar-me a José María — e que todos vejam, senhoras e senhores, e até *monsignori*, que sempre estão presentes no restaurante —, para entregar-lhe a flor vermelha de minha inocência...

Mas estas últimas palavras lhe pareceram indecentes, não tanto por serem atrevidas, mas por serem de mau gosto.

Seu rubor acentuou-se.

Nesse momento, a pequena orquestra que, num estrado no fundo da sala, costumava entreter os almoços e jantares com peças musicais, começou a tocar os primeiros compassos de um tango.

Mercedes achou que era de bom augúrio, pois se tratava de "Caminito". Então, entrou no restaurante ao ritmo dilacerante daquela música. A mesma que se ouvia no Clube de Tênis de La Magdalena, em Santander, no dia do verão de 1934 em que conheceu José María.

Y entonces viniste tú
de lo oscuro, iluminada
de joven paciencia honda...

Não se engana, é claro. Não se confunde, apesar das aparências.

Hoje, terça-feira, 17 de julho de 1956, sabe perfeitamente que não é esta a letra do tango "Caminito". Sabe que a letra daquele tango, daquele dia do verão de 1934, é muito diferente.

Caminito que el tiempo ha borrado
y que juntos un día nos viste pasar...

Mas é que as lembranças se superpõem, as letras dos tangos e as palavras dos poemas. Não que sejam comparáveis, mas foram contemporâneas.

Hoje, em seu quarto de La Maestranza, lembra-se de tudo ao mesmo tempo. Do Clube de Tênis, do tango, da aparição de José María Avendaño, da brusca pulsão de seu sangue — que ele me tire para dançar, meu Deus, que ele me tire para dançar! — e também dos versos de Pedro Salinas.

Cuando te miré a los besos
vírgenes que tú me diste,
los tiempos y las espumas,
las nubes y los amores
*que perdí estaban salvados...**

Na verdade, dois dias depois do encontro deles, José María lhe deu de presente um livro de Salinas publicado no ano ante-

* "Quando te olhei, os beijos/ virgens que me deste, os tempos e as espumas,/ as nuvens e os amores/ que perdi estavam salvos..." (N. T.)

rior, *La voz a ti debida*. Desde então, desde aquele primeiro presente, os versos de Pedro Salinas acompanharam a sua história: a de seu amor. Bem, deve-se dizer tudo: os versos de Salinas e a prosa de santo Agostinho. Mas desta se falará quando chegar a hora, que ainda não é esta: nunca se deve atrapalhar a ordem enigmática dos relatos.

Assim, naquela manhã de junho Mercedes entrou no restaurante do hotel napolitano, alegre e decidida, deslizando pelo piso axadrezado, subitamente despojada de qualquer sentimento de culpa, certa de atrair o olhar enciumado das mulheres, o olhar deliciado dos homens.

Seu marido se levantou, ofereceu-lhe a rosa vermelha, incandescente, puxou uma cadeira para que sentasse. O tango prosseguia, sua letra melancólica prosseguia: "*Desde que se fue/, nunca más volvió...*". Prosseguiam os olhares concentrados no belíssimo casal que os dois formavam.

Ambos pensaram na mesma coisa, no mesmo momento, como perceberiam mais tarde. "Se soubessem que esta mulher não me pertence de verdade", pensou ele. "Se pudessem imaginar que ainda não sou dele", pensou ela.

Mas riram em uníssono, sem saber muito bem por quê. Sabendo, ao menos, que adoravam se reencontrar, embora só tivessem ficado separados umas poucas horas.

Mercedes tinha se sentado, olhava para ele, ria de novo.

"Estou com um apetite feroz", murmurou.

José María captou a luz agoureira daqueles olhos, mas não adivinhou por que refulgiam assim, promissores, não entendeu de quê. Obviamente, não conseguiu imaginar que a *Judite* de Capodimonte tivesse algo a ver com a alegria sensual perceptível na expressão de Mercedes.

"Apetite?", disse ele. "Apetitosa está você... Feroz, talvez. Perguntaremos a santo Agostinho..."

Mercedes pensou numa barbaridade, mas se conteve. Um garçom acabava de se aproximar da mesa para anotar o pedido.

Mal fizeram o pedido, José María começou a lhe contar sua entrevista com Benedetto Croce. Mas Mercedes não o escutava. E é uma pena, porque a falta de atenção de Mercedes Pombo vai nos impedir de conhecer o conteúdo da conversa, da qual um dos temas essenciais foi o papel dos filósofos — e mais geralmente, mais genericamente também, dos intelectuais — nos tempos sombrios das ditaduras. *Finstere Zeiten*, "tempos obscuros", dizia José María.

Nessa altura, e com os elementos que temos à mão, de fato não é possível suprir com um artifício narrativo a falta de atenção de Mercedes: temos de nos submeter ao contexto arriscado mas imperativo da situação.

É que estamos nos referindo às peripécias daquele dia napolitano a partir da lembrança de Mercedes, privilegiada, sem dúvida, porque sua memória é única, insubstituível, já que José María Avendaño morreu. Nessas circunstâncias, ele desaparecido e ela amnésica — por sua distração culpada durante o almoço napolitano —, temos de desistir do conteúdo da discussão entre Avendaño e Croce, e deixar que ela mergulhe no esquecimento, por mais interessante que fosse. A não ser que, ulteriormente, outro documento ou testemunho nos permita voltar a esse episódio e resgatar seu significado.

O fato é que naquele dia, em Nápoles, Mercedes não escutou seu marido. Saindo do ensimesmamento, fez um gesto para interromper o que tinha todo o jeito de virar uma longa divagação político-filosófica.

"O que você sabe de Artemisia Gentileschi?", perguntou de chofre.

José María, em plena reflexão sobre o pensamento liberal, recebeu com um sobressalto a interrupção abrupta. Assumiu também a pergunta concreta, tentando localizar aquele nome de mulher num dos cantos da memória, de seu vasto saber.

"É uma amiga sua?", indagou enfim.

Mercedes lhe explicou.

Falou do Museu de Capodimonte, do quadro da Gentileschi. Lembrou-lhe que tinham visto em Roma uma tela de Caravaggio sobre o mesmo tema. Comentou as diferenças de tratamento pictórico. Mencionou o decote de Judite, a beleza juvenil de sua criada. Referiu-se à impressão que a obra havia lhe produzido.

Mas escondeu o essencial: o ardor sensual que a contemplação de uma cena tão bárbara provocara em seu íntimo. Escondeu o estranho gozo, a ânsia venturosa, à primeira vista inexplicáveis, e até reprováveis, que a descoberta lhe despertou.

José María não soube lhe dizer nada sobre Artemisia Gentileschi, mas prometeu se informar.

"De Judite, em compensação, sei tudo. Ou quase tudo. Conto?"

"Conte", disse Mercedes.

Nesse momento dois garçons diligentes e espevitados começaram a servir-lhes o primeiro prato do almoço. O perfume dos *tortellini* com lagostins era tão suculento que Mercedes teve um ímpeto de alegria: algo físico, uma sensação acalorada, uma emoção de dar nó na garganta, de fazer ninho em seu peito: como se aquilo lhe desse água na boca.

Mas é que realmente estava com água na boca.

"Isto deve estar uma delícia!", exclamou.

Esteve prestes a dizer a José María a barbaridade que lhe passara na cabeça. Esteve prestes a propor-lhe que abandonassem logo o restaurante, sem sequer começar o almoço, para subirem ao quarto e se enclausurarem, fechando as cortinas, trancando a porta, pedindo para não ser incomodados, acendendo uma lâmpada tutelar em um canto do quarto, abrindo de par em par o leito matrimonial cujos lençóis ostentariam a imaculada brancura de uma inocência prestes a sucumbir, gostosamente, "e me despirei diante de teu olhar, me abrirei enfim ao teu vigor, bem, já sabes, não tenho palavras para semelhantes coisas, teu sexo, não tenho fala, não sei nomeá-las, mas quero ser totalmente tua, pertencer-te de verdade, enfim, que afundes em mim, me penetres, me crucifiques...".

"Perguntaremos a santo Agostinho", José María tinha dito pouco antes.

De fato, santo Agostinho os acompanhou durante a viagem de lua-de-mel. Na verdade, durante todo o namoro, ao longo de quase dois anos.

É que o confessor de Mercedes Pombo, o padre Jacinto Rupérez, era um fervoroso leitor, devoto comentarista também, dos textos do santo bispo de Hipona. Por isso, quando ela lhe anunciou seu casamento com o caçula dos irmãos Avendaño, viu-se submetida a uma intensa preparação moral e teológica, fundada essencialmente no estudo dos tratados agostinianos mais diretamente ligados às questões do matrimônio cristão: *De bono conjugali* e *De conjugiis adulterinis*. Sem esquecer, é claro, os textos antipelagianos de santo Agostinho, que voltam a esses temas com prolixidade.

Para o padre Rupérez, e assim ele repetiu milhares de vezes a Mercedes, o casamento era apenas um bem relativo. Ou um mal menor, caso se prefira. O ideal cristão máximo era, evidentemente, o da castidade. Pois bem, se admitimos as exigências torpes da sociedade e da carne — isto é, da sujeira humana da vida —, se procuramos um arranjo e um freio à propensão pecadora do ser humano, o casamento podia ser considerado positivamente.

Com a condição expressa de que seu fundamento fosse a intenção de procriar, e não aquela, bestial, da paixão: a concupiscência.

O confessor utilizava os textos latinos de santo Agostinho, "*copulatio itaque maris et feminæ generandi causa bonum est naturale nuptiarum, sed isto male utitur qui bestialiter utitur, ut sit eius intentio in voluntate libidinis, non in voluntate propaginis...*". E para Mercedes, que não se atrevia a pedir ao padre Rupérez explicações complementares, o "uso bestial" do casamento, ou o "desejo voluptuoso" oposto à "vontade de procriação" a mergulhavam em infinitas inquietudes e meditações, tendo em vista sua escassa sabedoria em matéria de sexo.

Inquietudes que se somavam ao fato de não ter ninguém, salvo seu confessor — mas com ele era obviamente impossível —, com quem conversar sobre assunto tão escabroso quanto excitante. Mercedes não tinha amigas nem primas de sua idade com quem trocar idéias sobre tudo aquilo, em cochichos entrecortados por risinhos nervosos. E de sua mãe era melhor nem falar. Pois dona Constancia tinha passado por nove gestações e partos como o raio de sol passa pelo vidro, quer dizer, sem que sua ignorância quase virginal se quebrasse ou se conspurcasse. Quando falava da progenitura, era como se seu corpo tivesse sido mero instrumento ou receptáculo carnal escolhido pela Providência, com incomparável suavidade. Portanto, inútil tentar esclarecer com sua mãe os "usos bestiais" do casamento em que o confessor tanto insistia, e com tão grande receio e pavor, para afastar a vontade e a imaginação da noiva de práticas tão abomináveis.

José María não teve outro jeito senão enfrentar essa ação de rearmamento moral empreendida pelo confessor de Mercedes diante dos perigos de um casamento incapaz de suprimir, ou pelo menos reprimir, os apetites libidinais, e portanto libidinosos.

Mas o fez com tato, com extrema habilidade, como aliás costumava fazer tudo. Não se opôs de cara aos argumentos do padre

Jacinto, e menos ainda aos de santo Agostinho. Muito pelo contrário, amparou-se dialeticamente nestes últimos para semear a dúvida no arrebatado espírito de Mercedes, e, de passagem, conseguir algum favor erótico.

Começou por demonstrar-lhe que o casamento não era coisa tão pequena ou insignificante como parecia afirmar seu confessor. Depois, e estando Mercedes convencida de que devia levá-lo a sério, José María argumentou com base na *quæstio particularis* da primeira seção do tratado agostiniano *De bono conjugali*, e foi tamanho o seu poder de convicção que conseguiu de sua jovem pretendente favores que, sem jamais porem em risco sua virgindade, prejudicavam perigosamente sua honestidade e candura.

O santo varão de Hipona não dizia "*cum masculus et femina, nec ille maritus nel illa uxor alterius, sibimet non filiorum procreandorum, sed propter incontinentiam solius concibutus causa copulantur...*"? Ou seja: "Tenho aqui um homem e uma mulher; nem ele é o marido de outra, nem ela mulher de outro; têm relações carnais não com vistas a procriar filhos mas apenas para satisfazer sua concupiscência; contudo, comprometeram-se mutuamente a não ter relações, nem ele com outra mulher, nem ela com outro homem; pode-se chamar essa união de casamento? Sim, certamente, pode-se, com rigor e sem que seja absurdo...".

Este é exatamente o nosso caso, José María argumentava. Nem eu tenho mulher nenhuma, nem você tem marido. Nem, em nenhum dos dois casos, temos amantes. Portanto não é absurdo, segundo o próprio santo Agostinho, que tenhamos relações carnais para satisfazer nossa concupiscência. Sobretudo se levamos em conta nossa decisão de nos casarmos, de nos esposarmos pelos leves e santos laços do matrimônio, que de antemão santifica e absolve o que poderia haver de pecaminoso em nossa relação, a qual por enquanto não se propõe, obviamente, a nenhuma intenção procriadora.

Mas Mercedes queria saber o que era concupiscência.

Saber de verdade, o que se chama saber, só saberia praticando-a, José María lhe explicava. Há um provérbio inglês que diz: "*The proof of the pudding is in the eating*...". Quer dizer, vamos comer o pudim da concupiscência!

E de fato comeram, uma vez ou outra, ao longo dos longos meses de namoro, quando houve uma ocasião propícia. O que não houve com tanta freqüência, infelizmente, pois dona Constancia, mãe de Mercedes, tratou de impor as modalidades de um namoro à antiga, com horas fixas, testemunhas respeitáveis, talvez senescentes, e outras limitações de todo tipo.

Entretanto, sempre que houve uma ocasião de ficarem a sós, por curta que fosse, comeram, devorando-o, e com a ilusão de um dia poder saboreá-lo, o glorioso pudim da concupiscência. Assim, a referência ao provérbio inglês ("a prova do pudim está em comê-lo") tornou-se entre os dois uma linguagem cifrada, código irreverente que lhes permitia comentar, até em público, e ainda que fosse por metáfora, os prazeres do gosto, da vista e do tato que alimentavam a relação erótica, embora nada procriadora.

No entanto, e por mais agradável que fosse para Mercedes sucumbir aos convites e combates da concupiscência — que deixou de ser palavra indecifrável para tornar-se realidade concreta e palpável, vivência fervorosa, território infinito onde aventurar-se com a paixão da curiosidade e da invenção —, nem por isso ela deixava de assumir seu semblante e compostura de virginal decência.

Nesses momentos de redobrada consciência cristã, Mercedes também esgrimia argumentos de santo Agostinho, com os quais tentava refrear os apetites de José María. Lembrava a ele, por exemplo, que segundo o santo, o pacto matrimonial se baseia na decisão de procriar, por eles recusada, pecaminosamente. "*Cum vero vir membro mulieris non ad hoc concesso uti voluerit, turpior est uxor...*"

"Mais infame é a mulher, pense nisso, José María", dizia Mercedes com palavras de santo Agostinho, "mais infame ao permitir que o marido use algum de seus órgãos inapto para a procriação, com o único fim da concupiscência..." Pois é, meu amor, é exatamente o que você faz!

Mas não tínhamos chegado a um acordo, meu bem, ele respondia, não tínhamos chegado a um acordo de que, segundo santo Agostinho, nossa relação pode ser considerada matrimonial? Que não é absurdo considerá-la assim? Pois então, prossigamos, dizia José María, usando o mesmo estilo de raciocínio do jesuíta padre Rupérez, prossigamos com os textos do próprio santo...

"*Ut et quod non filiorum procreandorum, sed infirmitatis et incontinentiæ causa expedit...*" Ou seja, Mercedes de minh'alma, "o que a fraqueza e a incontinência exigem, ainda que não tenham como fim a procriação de filhos, os esposos não devem se negar mutuamente, nem o marido à sua mulher, nem a mulher ao marido; isso os impedirá cair em corrupções ignóbeis, seduzidos por Satanás... Na verdade, quando tem por objeto a procriação, o ato conjugal não é pecado; e é apenas venial quando cometido entre esposos para satisfazer a concupiscência...".

Portanto, meu amor, José María prosseguia, ao me entregar seu corpo e cada um de seus orifícios, salvo o da procriação, você não só cumpre com uma das obrigações do pacto matrimonial, que não passa de um pecado venial — e que para completar nos agrada —, mas também, como diz categoricamente o tratado de santo Agostinho, permite que eu fuja do pecado mortal da fornicação ou do adultério, ao evitar que eu tenha de buscar o prazer com outras mulheres, sejam elas casadas infiéis ou meras meretrizes.

De modo que, no frigir dos ovos — se nos permitem expressão tão equivocadamente frívola para assunto tão sério —, Mercedes chegou virgem ao dia do casamento mas instruída nas maneiras muito diversas de conseguir o prazer. E de procurá-lo. Assim continuou na viagem de lua-de-mel, cada vez mais instruída e talvez mais instrutiva, até o dia de Judite e Holofernes, em Nápoles.

A primeira noite da viagem foi no vagão-leito. E entre a enxaqueca de Mercedes, devido às aflições do dia (cerimônia solene na igreja dos Jerónimos; recepção em grande estilo na casa dos Avendaño, na rua Alfonso XII, até bem tarde da noite; saída apressada para a estação, entre os soluços de dona Constancia e de outras senhoras da família), o nervosismo de José María, amante tarimbado mas marido estreante, ou seja, desconhecedor da tarefa concreta e delicada do defloramento, e a leve embriaguez dos dois, arrematada pela garrafa de champanhe que os esperava no vagão-leito e que logo beberam, enquanto se despiam mutuamente, descobrindo enfim a nudez ignota entre risos e leves obscenidades ditas no tom da ternura confidente e confiada; em suma, no meio de tudo isso, sem falar do leito inadequado, tão estreito, e do balanço no expresso noturno, não foi possível realizar-se na primeira noite o sacrifício da virgindade de Mercedes. O que não provocou nos noivos, que juntos já tinham conhecido o gozo carnal, nem excessivo desgosto, nem ferida narcisista de vaidade no macho, nem frustração sensual nos dois. Embora não se produzisse a posse procriativa, a penetração arrogante, durante a noite inteira Mercedes ofereceu seu corpo agradecido para que nele José María se introduzisse bestialmente, segundo a definição de santo Agostinho.

E assim foi se postergando a cerimônia propriamente nupcial, até aquele dia de Nápoles, o dia do Museu de Capodimonte.

Mal havia provado os *tortellini* com gambas e comprovado

seu delicioso sabor, Mercedes resolveu dizer o que andava rondando em sua imaginação.

"José Mari", disse em voz baixa, rouca.

Ele adivinhou o que ia dizer. Pelo menos, soube do que ia falar; leu em seus olhos.

"Peça uma garrafa de champanhe... Subamos com ela para o quarto... Estou com desejo..."

Corou, não soube dizer mais. Era suficiente.

Todos olharam para eles quando cruzaram o restaurante, quase abraçados, com a garrafa de champanhe, depois de terem se levantado abruptamente da mesa do almoço. Até a orquestra parou de tocar o foxtrote que estava interpretando. Todos pensaram, ardorosos ou nostálgicos, nos gestos do amor, ao vê-los deslizar suavemente para o quarto. Houve até um, talvez uma, que fechou os olhos com o coração disparado.

"Capodimonte, 1936, junho."

Assim está escrito no cartão-postal desgastado pelo tempo.

No vagão-leito, na primeira noite da viagem de lua-de-mel não havia apenas uma garrafa de champanhe. Havia também um livro. Um pequeno volume de poesias, primorosamente editado: *Razón de amor*, de Pedro Salinas.

Mercedes Pombo fecha os olhos, vinte anos depois.

Serás, amor,
un largo adiós que no se acaba?
Vivir, desde el principio, es separarse...

Fechou os olhos, mas se lembra. Com uma espécie de soluço alegremente desesperado. Alegria da lembrança, da beleza do que foi. Desespero da lembrança, da tristeza do que deixou de ser.

Ouve um ruído lá fora. De uma porta de automóvel. Depois, vozes. A de Mayoral, reconhecível.

Recoloca o cartão-postal na pasta, e esta na escrivaninha.

Aproxima-se de uma janela, afasta levemente o cortinado.

Mayoral está falando com o americano, Michael Leidson.

É o que se pode deduzir, embora o recém-chegado esteja de costas: não pode ser outro. Só ele é esperado a essa hora.

O suposto Leidson está fechando o porta-malas do carro e Mayoral carrega uma sacola. Depois diz alguma coisa ao americano, fazendo com a mão livre um gesto que indica o alpendre da casa.

Leidson vai andando, e se vira.

"O gringo bonitão", murmura Mercedes.

Domingo estava certo: não seria mau fugir com um cara assim. Lembrou-se de Raquel. Mas Raquel também podia fugir com eles, por que não?

Michael Leidson acaba de desaparecer debaixo do alpendre de La Maestranza.

Mercedes sorri, sozinha.

3.

DILIGÊNCIA:

Para fazer constar, pois não é possível aprofundar, já que se trata de assunto tão delicado como tudo o que se refere à Universidade, há bastante tempo esta Primeira Brigada Regional acompanhava e vinha se preocupando com a evolução política seguida por um grupo de universitários, principalmente da Faculdade de Filosofia e Letras, evolução em que se via uma orientação definida, tendendo a um "liberalismo" cuja base era o transbordamento do Sindicato Espanhol Universitário. Expoente dessa atividade é o Congresso de Jovens Escritores, ao que se seguem conversas e preleções na citada faculdade, fazendo-se uso da "Tribuna do Estudante", em que se disserta sobre poetas e escritores comunistas.

O falecimento do filósofo ORTEGA Y GASSET dá lugar a que, com tal pretexto, em diversos atos esse grupo de estudantes demonstre maior atividade e menor recato em suas manifestações, tais como: a confecção de um anúncio fúnebre sem o crucifixo, e a organização de um ato para transportar uma coroa com a dedicatória "Da juventude universitária, a seu mestre". E quando no cemitério alguém sugeriu que se rezasse um pai-nosso, ENRIQUE MÚGICA se opôs categoricamente, dando o ato por encerrado com a leitura de uma elegia ao Mestre por JESÚS LÓPEZ PACHECO.

O que se acaba de expor justifica que as gestões de informação e vigilância se concentrem nesses dois personagens supracitados, permitindo determinar que o tal MÚGICA é um dos principais promotores do congresso de escritores referido e que é secundado de forma ativíssima por JULIO DIAMANTE STIHL, LÓPEZ PACHECO e JULIÁN MARCOS. Assinala-se igualmente que foram eles que pretenderam organizar um ato na aula magna da Faculdade de Filosofia, com a leitura de obras de RAFAEL ALBERTI e PABLO NERUDA, ambos notórios comunistas. Tem-se igualmente conhecimento por esta Primeira Brigada de que havia chegado a ditos meios universitários propaganda do Partido Comunista, consistindo em *Mundo Obrero*, *Cuadernos de Cultura*, propaganda específica do Partido Comunista; como indicava o fato de alguns universitários terem sido vistos lendo a citada propaganda.

Tudo isso demonstra a existência de uma cabeça dirigente que orientava para seus próprios fins as atividades do dito grupo estudantil...

Roberto Sabuesa deixou sobre a mesa o relatório que estava lendo. De fato, uma cabeça dirigente, tratava-se disso.

Na verdade, conhecia quase como a palma da mão os documentos da diligência policial realizada nos meios estudantis de Madri durante os acontecimentos e tumultos do mês de fevereiro. Seu bom amigo Digno Fuertes Galindo, delegado principal e chefe da Primeira Brigada Regional de Investigação Social, havia solicitado sua assessoria, e para isso colocara à sua disposição as cópias de todos os relatórios, atas de interrogatórios e documentos anexos relativos à citada investigação ou diligência.

A cabeça dirigente, isso era o essencial. O que tinha de descobrir. A verdadeira cabeça, é claro. Não só a aparente. Esta, por mais eficaz que fosse, e havia demonstrado que sabia ser, não criava maiores problemas. É que, embora se tratasse de "assunto tão delicado quanto tudo o que se refere à Universidade", como o delegado Fuertes Galindo dizia oportuna e eufemisticamente na introdução de seu relatório, a cabeça visível sempre podia ser controlada. Por mais hábil que fosse, sempre seria possível impor a Enrique Múgica Herzog — de mãe estrangeira e judia, como se observará — freio, limite e controle.

O mesmo diria de outro dos cabecinhas realmente perigosos, por seu sobrenome e sua posição social, pelo prestígio de que parecia gozar entre os colegas universitários.

Subiu pelo esôfago de *don* Roberto uma queimação que encheu sua boca de acidez. Podia ser o *orujo* tomado pouco antes, oferecido por Eloy Estrada. Podia ser também a raiva que o invadia, surda mas irreprimível, toda vez que mencionava ou lhe vinha ao espírito aquele sobrenome. Quando se lembrava do sangue que essa família derramara pela Espanha — pai e avô fuzilados pelos comunas; o tio que sempre se havia destacado nas missões de vanguarda da Falange —, tinha um acesso de fúria ao pensar naquele merdinha irresponsável, palhaço, traidor.

Dias antes, mais exatamente no sábado, 14 de julho, tinha se prestado uma homenagem ao mencionado tio, Juan José Pradera, recém-nomeado pelo Generalíssimo embaixador da Espanha em Damasco. No *Arriba* de domingo *don* Roberto lera uma reportagem sobre a tal homenagem.

> As palavras de Juan José Pradera [dizia o jornal] foram marcadas por aplausos ininterruptos assim que ele as concluiu com o com-

promisso de dedicar-se à sua missão lembrando-se do título exigido por seu nome e sua militância, o de leal ao Caudilho e à Espanha.

Pois bem, desse tronco tão saudável racial e espiritualmente tinha saído um rebento cheio de rancor, de ódio por tudo o que havia de nobre, tudo o que havia de autêntico na tradição cristã e civilizadora da Espanha.

Para *don* Roberto e todos os seus colegas da Brigada de Investigação Social constava que o neto de *don* Víctor e sobrinho de Juan José Pradera era um dos maiores, talvez o maior responsável pelo movimento universitário de oposição e de desagregação. Mas por seu sobrenome e pela situação de sua família no Regime, pelo fato de ter acabado de ingressar no corpo jurídico da Aeronáutica, a investigação policial em torno dele teve de ser feita com cautela, em detrimento da eficácia.

De modo que, por exemplo, ele não pôde ser mandado para Carabanchel como um preso qualquer. Foi preciso confiná-lo, sob um compromisso de honra, na base do aeroporto militar de Getafe, onde podia receber visitas da família e até dos amigos. Mesmo assim, os inspetores da Brigada tinham conseguido descobrir suas conexões com os outros revoltosos, ligando os fios de uma trama muito opaca.

Em suma, a informação e a vigilância não representavam maiores problemas no caso do cabeça visível, e de certo modo legal, da revolta. Em compensação, faltava descobrir o verdadeiro cérebro dirigente. Aquele que, nos bastidores, dava ordens, consultas ou conselhos a uns e outros.

Don Roberto jogou num copo d'água uma boa dose de bicarbonato. Mexeu muito tempo com uma colherzinha, pensativo.

Um dos inspetores do grupo da Primeira Brigada, responsável pela investigação, achava que o verdadeiro artífice de toda a agitação, o homem que servia de contato entre os veteranos chefes comunistas do exílio e os novatos do interior, era um tal de Antonio López Campillo.

Natural de Algeciras, bem mais velho do que os outros estudantes implicados na conjuração — tinha nascido em agosto de 1925 —, López Campillo reunia, é verdade, certas condições que podiam torná-lo suspeito de exercer um papel dirigente. Em primeiro lugar, nos últimos anos tinha viajado a Paris com relativa freqüência. Em segundo lugar, não podia ser favorável aos ideais do Regime, já que era um destacado elemento protestante da Igreja Evangélica espanhola e do grupo Esfuerzo Cristiano, do templo situado no número 25 da madrilenha rua de Calatrava.

Em 15 de dezembro de 1955, Campillo escrevera de Paris uma carta a um de seus amigos madrilenhos, carta que foi interceptada numa inspeção domiciliar e na qual havia diversas referências à "Sagrada Família", aos "padres da Sagrada Família", linguagem abertamente críptica, codificada. Consultado sobre esse detalhe, Manuel Carlavilla, da Direção Geral de Segurança e renomado especialista de temas ligados ao comunismo, tinha opinado — sua opinião constava da pasta de cópias e da documentação de *don* Roberto, sob o número 6121 do registro de saída de tal Direção, com data de 28 de abril de 1956 — "que as denominações 'Sagrada Família', 'padre da Sagrada Família, 'os Padres', 'Sua Santidade', 'Santo Padre' e outras contêm indiscutivelmente uma alusão simbólica a elementos que devem ser considerados dirigentes ou orientadores de atividades políticas. Já antes de 1932, quando o Comitê Central do Partido Comunista da Espanha era formado por José Bullejos, Gabriel León Trilla e outros, eles receberam, por parte dos próprios militantes desse partido, o qualificativo de 'Sagrada Família'...".

Mas essa carta de Paris do vulgo Campillo, para alguns inspetores prova fidedigna de que o supracitado participava das altas esferas do comunismo no exílio, ou que, pelo menos, tinha contato com elas, pouco significava para *don* Roberto. Atendo-se à sua longa experiência, estava convencido de que um verdadeiro responsável pelo trabalho clandestino jamais teria enviado, por correio normal, uma carta tão imprudente, utilizando essas expressões. Só podia tê-la escrito um neófito, um companheiro de viagem, um pombo-correio da organização.

Era preciso buscar em outro lugar a maldita cabeça dirigente.

O delegado Sabuesa deu um só gole no copo d'água com bicarbonato. Sentiu um alívio quase imediato e arrotou satisfeito, duas vezes.

Tinha uma opinião pessoal sobre esse assunto. Tão pessoal que ainda não a havia comentado com ninguém.

Tinha um candidato para o papel de dirigente da conjuração. Estava certo de conhecer seu nome e sobrenome. Mas não adiantava muito conhecê-los. Pois era o nome, ou melhor, pseudônimo, de um mero fantasma. De um ser inexistente, não identificável, difícil de identificar, além do mais. Nenhum de seus confidentes de praxe, nem os informantes ocasionais ligados aos sobreviventes, escassos, do naufrágio da organização comunista de Madri, no final dos anos 40, possuíam informações sobre aqueles nome e sobrenome. Nem tinham a menor idéia de onde teria surgido o personagem que usava aquele pseudônimo, novo nos anais da clandestinidade.

Volta e meia, quando pensava com raiva ou tristeza nesse assunto, o delegado tinha a impressão de ser espectador de um filme de mistério: uma figura suspeita já apareceu em algumas seqüências, já estremecemos ao vê-la se esgueirar secretamente nas cenas mais inocentes, talvez bucólicas, mas ainda não sabemos seu nome verdadeiro, nem por que parece disposta a assassinar a loura gostosa do hotelzinho ao lado. E, sobretudo, não sabemos o que fazer para avisar à dita loura que ela corre perigo.

Assim, *don* Roberto tinha certeza de conhecer o nome, infelizmente suposto, do dirigente, contato ou instrutor da cúpula externa do Partido Comunista junto aos universitários madrilenhos. Poderia demonstrá-lo *more geometrico*, com o rigor exigido para se desenvolver qualquer argumentação matemática. Mas esse saber era inútil: de nada lhe servia.

Suas ruminações foram interrompidas, alguém batia à porta. Ouvia-se a voz de Eloy Estrada.

"Posso entrar, *don* Roberto? Tenho uma informação para lhe dar..."

Disse que sim, que podia, que entrasse, que vejamos.

Estava vendo: era um cartão-postal representando, em cores espalhafatosas, uma cena de degolação, desagradável, quase repugnante.

"Acaba de chegar", dizia Eloy Estrada. "Da Itália..."

O olhar do delegado o envolveu em sua frieza.

"Eu recebo aqui o correio da aldeia", Estrada explicava. "Antes que o distribuam. E como o senhor parecia se interessar pelo jovem Lorenzo..."

Don Roberto não disse por que se interessava por Lorenzo Avendaño. Olhou o cartão-postal, confirmou que vinha da Itália, de fato. De Florença, segundo o carimbo do selo. Uma notinha em italiano dava o nome do pintor, A. Gentileschi, o tema da obra. Tratava-se da degolação de Holofernes por Judite e sua serva.

Mórbido, pensou o delegado. Logo leu o texto escrito com letra miúda, mas perfeitamente legível:

> Mercedes de minh'alma: o quadro de que você tanto me falou não está em Nápoles, mas nos Uffizi de Florença, como poderá verificar. E o vestido de Judite não é azul, como você guardara na memória, mas amarelo. Até nesta reprodução ordinária é possível ver. Ou

seja, faltam à sua memória da viagem de núpcias contraste e precisão. Em Roma, Piazza del Popolo, tarde fantástica com María Z. e alguns amigos dela. Vou lhe contar no dia 18, durante a horrível cerimônia cavernícola de vocês... Tomara que seja a última: você prometeu. Pegarei Isabel em Madri, chegaremos juntos. Lorenzo.

"Acha importante?", Eloy perguntava, solícito.

Em primeiro lugar, o delegado achava uma indignidade que um filho chamasse a própria mãe de "Mercedes de minh'alma". Mas não disse nada. Não eram questões para comentar com Estrada, claro que não. Por via das dúvidas, registrou o nome que Lorenzo mencionava no postal: María Z. Averiguar quem podia ser. Felicitou-se pelo fato de que o jovem Avendaño confirmava presença na cerimônia do dia seguinte. Não o espantou muito o modo como a adjetivava: "horrível" e "cavernícola". Mas esta última palavra, atualmente pouco usual entre rapazes de vinte anos, chamou sua atenção. Seria uma linguagem de tradição familiar, pensou.

Devolveu o postal a Eloy Estrada.

"Não", disse, "não tem importância."

O dono de La Prosperidad ficou olhando para ele, como se esperasse instruções.

"Vou comer aqui", disse o delegado. "Irei à fazenda mais tarde."

Eloy se mexeu, anunciou que ia mandar que pusessem a mesa para ele ali mesmo, para que ficasse tranqüilo, enumerou pratos, ensopados, vinhos, queijos e sobremesas. O delegado fazia gestos displiscentes, despachando-o. Disse que trouxesse o que fosse mais conveniente, ao seu juízo. Saberia melhor do que ninguém. Assim, Estrada foi embora com o postal que representava a degolação de Holofernes e que Lorenzo tinha mandado de Florença para a mãe.

Horas mais tarde, Roberto Sabuesa viu reaparecer o malfadado cartão-postal. Foi quando estavam no salão de música de La Maestranza, antes do jantar, e Raquel o trazia numa bandeja de prata.

Mercedes Pombo se afastou do grupo em que estava conversando e foi lê-lo.

José Ignacio, o jesuíta, o segundo dos irmãos Avendaño, estava metido numa discussão com o americano. Falavam de Ortega, da teoria das gerações, da Espanha com e sem problema e do problema da Espanha: vertebrada ou, quem sabe, não. A presença de Leidson irritava o delegado Roberto Sabuesa. Achou-o antipático desde que o entreviu no armazém de Eloy Estrada, de manhã. Observava-o de soslaio, espreitando a primeira ocasião para lhe fazer um ataque dialético. Em contrapartida, o jesuíta parecia estar maravilhado com seu interlocutor.

"Virgem santa, que começo!", exclamou de repente Mercedes Pombo.

Todos se viraram para ela.

Então Roberto Sabuesa compreendeu por que achara vagamente familiares as primeiras palavras da carta de Lorenzo à mãe. A exclamação dela deixava tudo patente. Era tal qual no *Tenorio* de Zorrilla, quando a madre superiora lê a carta de *don* Juan a Inés: "Dona Inés de minh'alma...". E a superiora clama aos céus: "Virgem santa, que começo!".

"Isto está no *Tenorio*", disse o delegado. "No entanto, a senhora não se chama Inés..."

Mercedes Pombo olhou para ele, surpresa.

Mas isso seria mais tarde, em La Maestranza, antes do jantar. Agora ele ainda está no armazém de Eloy Estrada. Para que os clientes não o incomodassem, Eloy o instalou na sala reservada onde os feirantes costumam jogar suas partidas de cartas. Ali puseram a mesa para ele e serviram-lhe tira-gostos caseiros, variados e cheirosos.

Esta era a segunda vez que *don* Roberto assistia em Quismondo à cerimônia expiatória do assassinato de 1936, agora que se completava o vigésimo aniversário do acontecimento lutuoso. Neste exato momento, ao transcrever o adjetivo "lutuoso", o Narrador — ou apenas o escriba, escrevinhador ou escrivão? — desta história não conseguiu evitar o susto. É que esse adjetivo é um osso duro de roer. Duro de aceitar e portanto de escrever. Um adjetivo de abecedário, isto é, próprio do léxico do jornal *ABC*, que, como se sabe, inscreve-se em determinada tradição retórica. Adjetivos como esse produziam no Narrador, na época em que se desenrola esta história — e, aliás, continuam produzindo, segundo informações fidedignas —, certo calafrio. Pois bem, como o dito Narrador ainda não se identificou, como ainda não sabemos de uma vez por todas quem ele é, nem por que o é, teremos de nos contentar com essa alusão fugaz: ele não incorpora nem aprova literariamente o uso do adjetivo "lutuoso", mas também não quer censurá-lo, já que, e é a única coisa que se pode adiantar a seu respeito neste momento, não se trata de um narrador totalitário: sabe que é o deus destes relatos, como não! Mas um deus tolerante, nem maiúsculo nem majestoso, passado pelas águas batismais da modernidade narrativa, que o obrigam a permitir que de vez em quando seus personagens se expressem por sua conta e risco, com sua própria linguagem, aconteça, depois, o que acontecer.

Seja como for, no ano anterior, em 1955, o delegado Sabuesa tinha ido a Quismondo por total acaso. Em Chicote, durante uma rodada de vinho espanhol que festejava a promoção de um amigo ou conhecido, o delegado encontrara José Manuel Avendaño, homem de negócios muito bem relacionado com certas esferas do Regime e que até aquele dia ele não tivera o prazer de encontrar. Na conversa entre os dois surgiu o assunto da comemoração familiar do episódio lutuoso (quem usou esse adjetivo foi o delegado, certamente: deixemos o registro desse fato). Avendaño lhe explicou em que consistia a cerimônia, que *don* Roberto achou exemplar. Prouvera a Deus que se pudesse fazer algo parecido em escala nacional! Um ato multitudinário e religioso, no Cerro de los Ángeles, quem sabe, para lembrar aos comunas que eles tinham sido vencidos pelos *nacionales*, e que os obrigasse periodicamente a assumir sua condição maligna, não só de vencidos mas também de condenados pela História e pela divindade.

Mas nesse ano não tinha ido a Quismondo só por curiosidade ou simpatia. Ali estava, sobretudo, por motivos profissionais.

Pois, como uma frase de Eloy Estrada já deu a entender, o delegado Sabuesa da Brigada Social se interessa pelo jovem Avendaño. Não que este tenha tido um papel de primeiro plano na revolta de fevereiro nem nos movimentos estudantis universitários que a precederam ou continuaram se produzindo depois. Lorenzo Avendaño foi mais um, um entre tantos. O delegado não se interessava pelo papel que ele teve mas por suas relações com alguns dos protagonistas do movimento desagregador. Era amigo de Múgica Herzog, por exemplo. Mas, sobretudo, parecia ser muito bem relacionado com o Grande Manipulador, o Traidor Máximo, cujo nome ele resistia a pronunciar, mesmo em seu foro íntimo. Esta era uma das pistas que desejava investigar mais a fundo, o que ainda não tinha sido possível fazer porque a família Avendaño, a conselho de José Manuel, o mais velho, o homem dos negócios, tinha dado um jeito para que Lorenzo desaparecesse de Madri durante certo tempo: foi mandado para a Itália, em viagem de estudos, diziam.

Aproveitando a circunstância da cerimônia comemorativa, *don* Roberto propunha-se recomeçar a investigação. Se sua intuição se revelasse certa, Lorenzo Avendaño talvez lhe permitisse —

involuntariamente, muito a contragosto — seguir os fios da trama até a verdadeira "cabeça dirigente" da subversão.

Na verdade, a eficácia da ação policial, depois dos tumultos e das manifestações de fevereiro, tinha sido duvidosa. *Don* Roberto Sabuesa havia chegado a essa conclusão. Tinham recolhido alguma propaganda, localizado alguns ativistas da subversão liberal — já que esta era a pele de cordeiro com que agora se disfarçavam os instrutores do Partido Comunista: o liberalismo —, alguns cerebrozinhos virtuais haviam sido presos e processados. Mas todos os presos tiveram de ser postos em liberdade. Portanto, faltava exemplaridade à repressão. Se não corre algum sangue, ou pelo menos muito medo, um baita temor, nada se consegue: a experiência já demonstrou. Além do mais, a prisão, quando é por pouco tempo e um tanto benévola, não só não infunde medo na sociedade mas, muito pelo contrário, pode conferir prestígio e popularidade aos encarcerados, transformando-os por dois tostões em mártires.

Por outro lado, e isso era o mais negativo, a investigação policial não tinha conseguido revelar os contatos do grupo de universitários madrilenhos com o aparelho clandestino do Partido Comunista. Que tais contatos existissem, só mesmo sendo muito ingênuo, como o traidor Ridruejo, para negá-lo ou pretender ignorá-lo. Com efeito, ao expor as razões do mal-estar estudantil, num relatório enviado às autoridades depois de sua saída da prisão, Ridruejo pretendia ocultar ou descartar toda influência dos comunistas, todo contato com eles.

É bem verdade que em nenhum interrogatório dos mais destacados universitários presos aparecera uma ligação com a organização comunista clandestina. À primeira vista, confirmava-se a opinião de Dionisio Ridruejo sobre a espontaneidade, a autonomia do movimento subversivo. Mas só à primeira vista. Pois os interrogatórios tinham sido feitos, digamos, com luva branca.

Não se havia pressionado o suficiente os presos. Provavelmente os inspetores se impressionaram com o fato de a maioria ser de boa família: não se atreveram a tocar sequer num fiapo de suas roupas. Pois bem, sem um mínimo de pressão física jamais se obtém alguma coisa. Com umas bofetadas bem dadas, no momento oportuno, ganham-se semanas no conhecimento das tramas subversivas.

Mas não se tinha apenas respeitado demais esses filhinhos-de-papai de merda. Para completar, os inspetores não tinham entendido que o objetivo principal da investigação consistia em descobrir os contatos com a rede clandestina do Partido Comunista. A "cabeça dirigente", como dizia Digno Fuertes Galindo em seu relatório, era o essencial. Nesse sentido era preciso escarafunchar e apertar. Era isso o que ele mesmo, tomando a frente da investigação, se propunha descobrir com base nos dados reunidos por seus subordinados.

Um curto calafrio de prazer antecipado percorreu sua pele, um nó de calores pressionou sua virilha, ao pensar na possibilidade de que sua intuição se confirmasse: com uma pitada de sorte, Lorenzo Avendaño ia levá-lo, sem saber, ao "cabeça dirigente".

Satisfeito, arrotou de novo.

Escolheu uns documentos que estavam em cima da mesa. Três, mais exatamente. O primeiro era a cópia de uma nota oficial que o Ministério da Informação tinha enviado a todos os jornais, durante os tumultos estudantis do mês de fevereiro.

Intitulava-se "Uma manobra comunista a descoberto", e dizia o seguinte:

> Antecipando-se em mais de 24 horas aos propósitos estudantis que ontem paralisaram em Madri o funcionamento normal de certos

serviços docentes, o órgão oficial do Partido Comunista da Espanha, *Mundo Obrero*, publicou no dia 7 um artigo de Federico Sánchez contendo palavras de ordem para a juventude comunista espanhola. Tais palavras de ordem demonstram onde está a mão instigadora de certas atitudes suspeitas e a motivação possível dos que tentam transformar nossa juventude universitária no objetivo primeiro de uma ampla manobra política.

Nesse artigo, que revela a forma como uma força que pretendia se manter sigilosa continua querendo perturbar a vida normal dos espanhóis, o citado editorialista de *Mundo Obrero* diz, em texto que ontem mesmo foi transmitido como palavra de ordem pela Rádio España Independiente: "O estudante comunista deve combinar as formas de ação legais e ilegais, prestando especial atenção às formas de organização e de luta que surjam espontaneamente na massa estudantil, para apoiar-se nelas sem dogmatismos preconcebidos".

Bem, não ia continuar a ler esses despropósitos.

Conhecia de cor o jargão retórico dos agitadores comunistas: havia quinze anos que lutava contra eles. O importante não era o conteúdo do artigo, cheio de lugares-comuns e frases de efeito. O importante era sua assinatura, Federico Sánchez. Pois o delegado havia feito uma pesquisa sobre esses nome e sobrenome que apareceram durante as manifestações estudantis de fevereiro.

Cabia dizer o seguinte: em primeiro lugar, era um nome de guerra relativamente recente. Até poderia se afirmar que era muito recente. De fato, dois anos antes esse Federico Sánchez não existia. Pelo menos não aparecia nas publicações do Partido Comunista. A primeira vez que *don* Roberto conseguiu localizá-lo foi em um número — o 18, para sermos mais exatos — da publicação *Cuadernos de Cultura*, número dedicado integralmente à reunião do V Congresso do partido.

Segundo os dados que o delegado conseguiu coletar pacientemente, uns fidedignos, outros aleatórios, o congresso tinha se realizado no final de 1954. E no estrangeiro, é óbvio. Provavelmente em Praga. Seja como for, este é o momento em que o fantasma de Federico Sánchez aparece pela primeira vez: dizem os comunicados da propaganda comunista que ele foi nomeado membro do Comitê Central. No mencionado número de *Cuadernos de Cultura* publica-se seu discurso durante uma sessão do congresso.

Nesse caso tampouco interessa ao delegado o conteúdo político da intervenção de Sánchez, em que, aliás, só são citadas e desenvolvidas as linhas táticas do partido desses últimos anos, orientadas para se apresentar como uma corrente política democrática, tolerante. Até patriótica, Deus nos livre e guarde! Ele se interessa muito mais por certos detalhes da formulação usada. Pois por seu léxico e seu enfoque concreto, a intervenção de Sánchez se diferencia bastante dos textos dos velhos líderes. Ele deve ser um homem de outra geração, e provavelmente não participou da guerra civil. Além disso, por certos detalhes sobre a vida madrilenha fornecidos por Sánchez em seu relatório, pode-se deduzir que não é um homem do exílio. Que conhece a Espanha de hoje, onde talvez resida. Ou, no mínimo, onde passa temporadas mais ou menos longas. Em suma, que se trata de um dirigente de novo tipo, de uma nova geração de quadros comunistas, sem dúvida diferentes dos velhos caciques formados na época da Cruzada, e essa novidade extrapolava o perigo que representava.

Don Roberto acende um cigarrinho e pega o terceiro documento que queria consultar mais uma vez.

Trata-se de um exemplar de *Nuestra Bandera*, "revista de educação ideológica do Partido Comunista da Espanha", como reza o subtítulo. Revista ilegal, em papel de seda de boa qualidade, com colofão indicando que foi impressa em Madri — falso: os comunistas imprimem tudo no estrangeiro — e datada de 1956, sem maiores detalhes. Mas circulou pela universidade no mês de abril ou de maio. Além disso, no curto artigo de Federico Sánchez, que figura no sumário da publicação — junto com trabalhos de personagens muito mais conhecidos: Santiago Carrillo, Manuel Delicado, Pedro Ardíaca e Manuel Azcárate —, faz-se referência à morte de Ortega y Gasset, o que também ajuda a definir a data de impressão. O mencionado artigo de Sánchez se intitula: "Ortega y Gasset ou a filosofia de uma época de crise".

O delegado da Brigada Social guarda os três documentos na pasta correspondente. Anota algumas conclusões em sua agenda pessoal.

> 17 julho 1956/ Cabeça dirigente: FS, provavelmente novo/ Não é conhecido entre os veteranos mais ou menos controlados/ Nem entre os confidentes/ Pseudônimo, com certeza/ Sem dúvida passa temporadas em Madri/ Encarregado principalmente de intelectuais e estudantes/ Caça e captura/ Procurá-lo por seus contatos com os cabeças visíveis: Múgica H., J. P., Campillo.

Fecha os olhos, pensa em Lorenzo Avendaño, tenta imaginar como será. "Bem, amanhã saberei."

Mas isso foi antes, umas horas antes, na taberna e armazém de Eloy Estrada. Agora ele está no salão de música de La Maestranza, tomando um drinque com os convidados do jantar. Se bem que, para falar a verdade, os únicos que tomam drinques sejam ele e José Manuel Avendaño. O americano bebe suco de laranja e os outros, água de Solares.

"Mas claro, a coordenação de princípio de Avenarius!"

Ouve essa exclamação às suas costas. Reconhece a voz de quem fala, recém-chegado à reunião, um tal de Perales. Tinha entrado nesse salão de música pouco antes de Raquel apresentar a Mercedes Pombo o cartão-postal de Lorenzo, numa bandeja de prata. Ela havia se afastado para ler o postal de seu filho. Depois diria em tom declamatório o "Virgem santa, que começo!", que o levou a pensar no *Tenorio*, de Zorrilla.

O recém-chegado era um sujeito mal-apessoado, bem rechonchudo, mas ágil no andar, e cujos óculos grossos de madrepérola não escondiam um olhar espreitador, talvez atravessado. José Ignacio, o jesuíta, tinha se abraçado ao desconhecido, mais tarde apresentado como Perales, Benigno Perales. Um e outro felicíssimos de se encontrarem.

"Trouxe para você dois presentes da Alemanha", disse-lhe o jesuíta. "Você vai ver..."

Os olhos do outro brilharam. As lentes chegaram a embaçar de emoção.

"Livros, imagino", disse.

O jesuíta cochichou alguma coisa em seu ouvido e Perales bateu palmas de satisfação.

"Já vou lhe dar", replicou José Ignacio. "Temos muito que conversar."

Em seguida recomeçou a discussão sobre Ortega y Gasset que José Ignacio Avendaño havia entabulado com o americano. Nela se interpunha Perales, peremptório.

O delegado virou as costas para eles, mal-humorado.

A figura de Perales não era desconhecida: tinha certeza de que já havia cruzado com ele algum tempo atrás. Muito tempo, sem dúvida. Não era uma recordação recente. Mas Sabuesa gozava de uma memória prodigiosa, quase fotográfica: anos depois era capaz de identificar uma fisionomia, mesmo que só a tivesse visto uma vez. Pois bem, essa memória era seletiva: só funcionava sem erros e errâncias no contexto de sua atividade profissional. Assim, por exemplo, e para grande tristeza de sua esposa, nunca reconhecia as amigas dela que iam toda semana jogar cartas em sua casa. Em compensação, as feições de qualquer suspeito — e foram centenas — que houvesse passado por seu escritório, mesmo que só uns minutos, ao longo dos muitos anos de sua atividade policial, ficavam gravadas em sua memória.

Onde e quando teria visto esse Perales?

Como se não bastasse, o delegado tinha não só a impressão, poderia quase dizer a convicção, de já ter encontrado o sujeito em circunstâncias que o tornavam obrigatoriamente suspeito, mas também a certeza de conhecer o estranho nome que o intruso evocava: Avenarius. O nome lhe dizia alguma coisa, sem a menor dúvida. E dizia alguma coisa em relação a uma investigação policial. Por ora, não sabia qual, mas já, já tudo se esclareceria. Em todo caso, alguma coisa recente. Tinha um cérebro bem organizado e sempre acabava esclarecendo as intuições ou iluminações que faiscavam dentro dele, ao acaso de uma associação de idéias ou vocábulos. Perales e Avenarius: acabaria por identificar os dois se tivessem algo a ver com a subversão comunista.

Enquanto isso, prosseguia às suas costas a discussão sobre Ortega y Gasset. Mais que uma discussão, era, na verdade, uma peroração do tal Perales, que os outros dois escutavam atentos, o que era evidente por alguma pergunta que lhe faziam, sem dúvida pertinente, já que provocava novas e mais detalhadas explicações dele, encantado de exibir seu saber: notava-se isso em sua voz retumbante.

Pelo que se deduzia do relato de Benigno Perales, fazia poucos meses que ele se encarregara de pôr em ordem e catalogar a biblioteca da casa — assim se explicava que *don* Roberto não o tivesse conhecido um ano antes, na primeira vez em que assistiu à cerimônia expiatória de La Maestranza.

Biblioteca impressionante — foi este o adjetivo que Perales usou várias vezes —, cheia de tesouros bibliográficos, e até de bibliófilo, e ao que parece reunida pelo avô fundador, e depois ampliada por seus sucessores. Seja como for, um deles, ou talvez o próprio avô — na linguagem doméstica dos donos e dos empregados, a biblioteca se chamava, significativamente, "salão do Indiano" —, tinha colecionado numerosíssimos volumes de literatura e de filosofia alemã do século XIX e começo do XX. Perales enumerava títulos e nomes que para o delegado eram desconhecidos, dos quais ele não tinha a menor idéia, mas que provocavam o assombro e a admiração de seus dois interlocutores. Nessa lista voltou a surgir o nome de Avenarius, que já tinha chamado a atenção de Roberto Sabuesa, desde a primeira interjeição de Perales. Pela segunda vez convenceu-se de que o tal Avenarius tinha a ver com algum caso policial que passara recentemente por suas mãos.

Então se virou para o trio da discussão orteguiana a fim de acompanhar mais de perto o que ia se dizer sobre o maldito Avenarius. E ao se virar percebeu que Mayoral, o intendente da fazenda, tinha entrado no salão de música e, muito excitado, mas em voz baixa, estava contando alguma coisa a dona Mercedes e a José Manuel Avendaño.

"Mas não diga", espantava-se José Ignacio, o jesuíta, "Avenarius, é verdade? O próprio?"

"O próprio, é claro", Benigno Perales respondia, maravilhado. "O mesmíssimo: aquele que figura tão mal no livro de Vladimir..."

"Mais que livro, um libelo", o jesuíta elucidava. "Acho que já lhe demonstrei isso há anos..."

O outro mexia a cabeça num gesto que podia ser tanto afirmativo como dubitativo.

O que estava fora de dúvida é que o Avendaño jesuíta e o tal

Perales, agora bibliotecário de La Maestranza, se conheciam muito bem, embora este último não estivesse vivendo na fazenda no ano anterior.

Mas o americano intervinha.

"Quando vocês falam de Vladimir nós podemos escrever Illitch, não é isso?"

Os dois confirmaram categoricamente, com gestos e monossílabos explícitos, que era isso mesmo, de fato. Mas que o mencionado Vladimir se transformasse inopinadamente em Illitch não permitia que o delegado o identificasse.

Em compensação, ficou claro que esse maldito Avenarius tinha escrito ensaios de filosofia e que num deles — por certo, o jesuíta corrigiu suavemente a pronúncia alemã do título, enunciado por Perales —, justamente nesse, o fulano havia formulado a tese, que depois Ortega faria sua, sem anunciar a fonte, do "eu e sua circunstância". A partir daí, a discussão ultrapassou amplamente as possibilidades de entendimento de *don* Roberto.

Mas ele estava pouco se lixando de não entender quase nada do que se dizia sobre a relação entre Avenarius e Ortega, sobre a antelação das teses do primeiro. O que o preocupava, por não ser lógico — e a lógica é uma das ciências-mestras de toda investigação séria, e também da policial — era que o tal Avenarius tivesse escrito no começo do século um ensaio em que Ortega y Gasset teria se inspirado — pelo menos segundo Perales — e que o mesmo sujeito pudesse, contudo, ter algo a ver (sua infalível memória permitia afirmá-lo, até mesmo antes de poder documentá-lo) com uma recente pesquisa ou inquérito da Brigada Social.

As datas não batiam, é claro.

Mas isso se esclarecerá: tudo se esclarecerá. Não há mistérios que me resistam, pensa o delegado num momento de eufórica arrogância que o leva a erguer os olhos e olhar fixamente para o rosto de Benigno Perales.

* * *

Este sustenta o olhar, pensando consigo mesmo que Sabuesa acabará por reconhecê-lo. Desde o primeiro instante percebeu que o delegado o observa de cenho franzido. Com uma curiosidade disfarçada, mas constante. Como se na nebulosa de sua memória estivessem se depurando uma imagem, uma cena, talvez um cenário, que custassem a se recompor com nitidez, a se cristalizar com clareza.

Desde o primeiro instante, desde que entrou no salão de música, Perales teve a certeza de que o delegado se lembrava dele, embora não conseguisse identificar perfeitamente a lembrança.

Ele, de seu lado, não duvidou nem um segundo. Reconheceu Roberto Sabuesa assim que o viu. Claro que era mais fácil ele se lembrar do delegado do que este se lembrar dele. Dez anos tinham se passado desde o encontro dos dois, numa sala da Direção Geral de Segurança. Mas por aquela sala, sem dúvida, teriam passado dezenas ou centenas de presos. Ele, entre tantos: Perales, Benigno. Um dos tantos: anônimo, de certo modo. Em contrapartida, Sabuesa era único. Na memória dos detidos, impossível confundi-lo com outra pessoa.

Quando entrou naquela sala da Puerta del Sol, dez anos antes, Benigno Perales já tinha levado muita paulada nas sedes da Brigada Social. Dia e noite, durante dias e noites. Seu corpo debilitado já era uma só bolsa de dor, um saco de angústias viscerais. Mas dele não conseguiram arrancar uma só informação, um só nome, nem mesmo a confirmação de dados ou nomes que já conheciam. Só falou para revelar seus sinais de identidade. Contudo, uma vez permitiu-se a fanfarronice de lhes contar um episódio de sua infância em Quismondo. Escutaram-no um instante, talvez por estupefação. Ou por cansaço de tanto surrá-lo. Seja como for, quando subiram com ele até a sala do andar nobre da Direção Geral de Segurança, Benigno estava quebrado fisicamente mas moralmente inteiro. Talvez porque já estivesse mais além da dor. Mais além também da esperança. Num deserto de solidão: ou melhor, de solidariedade solitária. Já nada podia lhe acontecer, em todo caso, nada de determinante. Entrou na sala e soube que era o delegado Sabuesa. Ele estava mexendo com uma colherzinha um copo d'água com bicarbonato. Aspecto de cansaço cinzento, displicente. Soube que era Sabuesa por causa do bicarbonato. Por aquele olhar cinza e sordidamente odioso. Isto é: coalhado de ódio.

É que, desde que havia organizado, em 1939, a captura e o fuzilamento de um grupo de moças das Juventudes Comunistas de Madri — as "treze rosas", na memória mítica da resistência —, o delegado Sabuesa era famoso, triste, abominavelmente famoso, entre os militantes. Praticamente todos, até que por volta de 1949 fossem varridas as últimas organizações clandestinas, teriam algo a ver com Sabuesa. Teriam que se haver com ele: ver-se cara a cara com ele. E ali estava, na sua sala da Direção Geral de Segurança, mexendo uma colherzinha num copo d'água com bicarbonato.

Tantos anos antes, o delegado tinha erguido os olhos, observado sua chegada. Um olhar cinza, coalhado de ódio desalmado, desesperado. Como esquecer aquele olhar? Benigno Perales não esquecera.

Benigno entrou no salão de música quando ali já estavam reunidos todos os convivas do jantar. Lá estava Leidson, o historiador norte-americano. Pouco antes o encontrara na biblioteca, lendo o que diz o dicionário de Madoz a respeito de Quismondo. Benigno voltava com um livro curioso que tinha descoberto ao estabelecer o novo catálogo: um dos muitos livros curiosos que iam aparecendo naquela biblioteca milagreira, à medida que ele avançava em seu trabalho de catalogação.

Tratava-se de um livro in-oitavo, primorosamente impresso e encadernado em couro, embora sem referência ao editor. No lugar habitual do colofão só figurava a data de publicação, 1773, em algarismos romanos, é claro. Escrito em francês, idioma das idéias universalistas da época, o livro também não trazia nome de autor. Mais exatamente: apresentava-se como obra póstuma, *ouvrage posthume*, de M.B.I.D.P.E.C. Uma acumulação de iniciais inverossímil que equivalia a um anonimato desejado. Esse dado, assim como a falta de colofão, certas características da tipografia e do papel utilizado levaram Benigno Perales a conjecturar que o volume, por seu conteúdo subversivo — sob o título *Recherches sur l'origine du despotisme oriental* desenvolvia-se um arrazoado violentíssimo contra os governos teocráticos, uma defesa e ilustração das idéias ilustradas, com o perdão da repetição —, tinha sido impresso em Amsterdã, como costumava ocorrer naqueles anos de gestação dos primórdios do pensamento crítico moderno. Essa suposição de Perales era reforçada pelo ex-libris na página de rosto, atribuindo a propriedade do precioso volume a um certo Agostinho de Mendonça Falcão, presumivelmente membro da ilustre e erudita comunidade judaica portuguesa daquela capital nórdica do comércio e das belas-letras.

Seja como for, Perales se interessara sobremodo pela supracitada pesquisa a respeito do despotismo oriental, tendo-a lido com fruição.

Portanto, duas horas antes, ao entrar na biblioteca para devolver o livro à estante recém-arrumada e catalogada, encontrou Michael Leidson, absorto na leitura de um tomo do *Diccionario geográfico-estadístico de España y sus posesiones de ultramar*, de Pascual Madoz. Imaginou, e na verdade adivinhou, que o americano — de cuja vinda a La Maestranza já estava informado — estaria lendo o verbete relativo a Quismondo. Também o tinha lido, meses atrás, quando lhe coubera fichar e colocar o bendito dicionário na prateleira que lhe correspondia após a nova arrumação. Seguindo a ordem alfabética, Quismondo aparecia entre Quisicedo e Quitapesares. O verbete seguinte deixara Benigno maravilhado: Quitasueños. Tratava-se de uma granja da província de Sevilha, no distrito de Alcalá de Guadaira: até as granjas e fazendas estão citadas no Madoz! "Pois é", dizia Leidson, sorridente, "eu me divirto com o estilo descritivo de *don* Pascual. Lembra-se do que escreve aqui?" Leu em voz alta umas linhas do dicionário: "'é de clima temperado, com boa ventilação, e sofre-se de catarros...'. Fantástico, não é? Os catarros de Quismondo, parece um título de comédia de costumes rural...".

Em suma, Leidson e ele logo simpatizaram um com o outro. Em meia hora já estavam fazendo confidências sobre suas respectivas ilusões vitais.

Assim, o americano estava conversando com José Ignacio quando Benigno entrou no salão de música, antes do jantar. Aproximou-se deles, abraçou o Avendaño jesuíta. Este vestia um impecável terno de verão, de seda preta, em que só o colarinho de clérigo impunha um sinal distintivo. José Ignacio lhe anunciou que trazia para ele dois presentes. Livros? Isso mesmo, livros, como Deus quer. Bem, nesse caso, não sei se Deus quer, cochichou em seu ouvido: trata-se de um livro de Marx até agora inédito, os *Grundrisse*, que talvez possa ser considerado o rascunho de *O capital*, e de uma edição alemã do relatório secreto de Kruschev. Por pouco não pediu a José Ignacio que lhe desse imediatamente os dois textos, mas era impossível: não podia deixar de comparecer ao jantar para ficar lendo, trancado. Deixaria para depois, tinha a noite pela frente.

Leidson e Avendaño estavam falando de Ortega y Gasset e Benigno se meteu na discussão.

Acabava de fazer uma descoberta filosófica que considerava importante e que queria comunicar sem demora: terminava de descobrir as fontes da formulação orteguiana sobre o "Eu sou eu e minha circunstância".

Com efeito, ao tirar a poeira, arrumar e catalogar os milhares de livros da biblioteca do Indiano, Benigno tinha encontrado uma pilha de livros alemães do final do século XIX e começo do XX. Três particularmente chamaram a sua atenção. Pelo nome do autor: Richard Avenarius. É verdade que só conhecia a obra desse filósofo por referências, já que ele tinha sido o alvo privilegiado das iras de Lênin ("Vladimir", conforme dissera; "Illitch", Leidson tinha esclarecido) em seu livrinho *Materialismo e empirocriticismo*.

Pois bem, prosseguiu Benigno, entusiasmado com seu achado, daquele famoso Avenarius havia três livros na biblioteca do Indiano, vá saber por quê. Os volumes da *Kritik der reinen Erfahrung* e um terceiro intitulado *Der menschliche Weltbegriff*, no qual, justamente, estava a tese da coordenação de princípio entre o Eu e o Mundo, cuja formulação por Avenarius era exatamente a de Ortega, *Ich und meine Umgebung*: "Eu e minha circunstância". Mas a dele era anterior de vários anos à orteguiana, e portanto já era conhecida nos meios universitários alemães em que o jovem filósofo espanhol foi aperfeiçoar seus estudos.

Na verdade, se Benigno Perales expunha sua tese com tanta paixão e exatidão — pode-se dizer que até mesmo com excessiva volubilidade —, e se arrastava os dois outros para divagações tão eruditas, era sobretudo para evitar, ou pelo menos postergar, o momento de seu enfrentamento com o delegado Sabuesa. O momento, sem dúvida inevitável, em que este, cujo olhar não parava de persegui-lo e avaliá-lo, se lembrasse de onde, por que e quando o tinha visto pela primeira vez. Não é que Perales temesse a irrupção dessa lembrança policialesca, nem de longe. Na verdade pouco se lhe dava que o sacana do Sabuesa o acabasse reconhecendo. Mas o incomodava a idéia de que esse reconhecimento provocasse um incidente desagradável na casa dos Avendaño. Por Mercedes, é claro, pela tranqüilidade de Mercedes.

No entanto, nada aconteceu. Melhor dizendo, aconteceu alguma coisa, mas que não tinha nada a ver com esse assunto, com aquele encontro longínquo numa sala da Direção Geral de Segurança. Na verdade, o delegado Sabuesa não se lembrou das circunstâncias exatas em que, pela primeira vez, tinha cruzado com Perales; só se lembrou mais tarde, e de uma forma que não convém nem há tempo para antecipar, aqui e agora, porque Raquel, com seu andar leve e harmonioso, acaba de entrar no salão de música.

"Cavalheiros!", disse Raquel, para chamar a atenção dos presentes.

Viraram-se para ela.

Só o delegado tinha percebido a aparição de Mayoral pouco antes. Só ele tinha se fixado na acalorada discussão — pelos gestos podia se adivinhar que era — que o intendente de La Maestranza estava tendo com o primogênito dos Avendaño, José Manuel, e com a cunhada dele, Mercedes Pombo. Mais que discussão, pensou *don* Roberto, parecia que Mayoral trazia uma notícia importante, provavelmente má, desagradável sem dúvida, a julgar pelos gestos e expressões que, ao escutá-lo, os outros dois faziam. Em seguida escapuliram do salão e agora, dez minutos depois, Raquel voltava e solicitava a atenção de todos, com voz alta e peremptória.

"Dona Mercedes me encarregou de pedir mil desculpas, cavalheiros. Haverá certo atraso no serviço do jantar... *Seu* José Manuel e ela estão resolvendo um assunto urgente..."

"Tem a ver com a festa de amanhã?", perguntou o delegado, inquisitivo.

Raquel deu um pulo.

"Festa? Nós não a chamamos assim..."

O delegado deu de ombros.

"Bem, você me entendeu. Tem a ver com a coisa de amanhã, pouco importa como se chama?"

Tinha a ver, é óbvio. Mas Raquel não respondeu à pergunta imperativa do delegado Sabuesa. Não era ela quem contava as histórias, como dissera ao gringo bonitão — assim dona Mercedes o havia chamado, sorridente — naquela mesma manhã. Ela as vivia, talvez, isso sim, mas sem contá-las.

Virou os olhos para Leidson, que estava se aproximando, enquanto Benigno e José Ignacio continuavam afastados, em silêncio, na expectativa. Raquel captou o olhar de Leidson, sustentou-o no fulgor transtornado do seu, por um instante: quase uma eternidade.

"Quanto de atraso?", perguntou José Ignacio. "Pouco importa, de toda maneira, ainda é cedo..."

Virou-se para Benigno.

"Você pode nos contar mais alguma coisa desse Avenarius..."

Então ouviu-se um grito, quase um clamor, se bem que logo sufocado, reprimido. "Avenarius!", uivava o delegado. "É isso: Federico Sánchez!"

Todos olharam para ele, surpresos com aquele súbito berro.

Mais tarde, quando tiveram ocasião de se lembrar do incidente e comentá-lo, perceberam que nenhum dos três tinha entendido a mesma coisa. Melhor dizendo: o nome de Avenarius, sim, todos ouviram e entenderam. Compreende-se: o estavam citando a todo instante, enquanto escutavam as explicações de Perales sobre a origem da fórmula orteguiana do "eu sou eu e minha circunstância". Foi a segunda parte do confuso uivo que não entenderam da mesma forma. José Ignacio Avendaño, sem dúvida por sua formação ou deformação profissional, que era de escolástica e de clericato, entendeu Tomás e não Federico Sánchez. Na verdade, o que tinha ouvido e gravado na memória era o sobrenome Sánchez, ao qual antepôs de imediato o nome de Tomás num tortuoso, embora fácil de explicar, processo mental de associações: Tomás Sánchez foi, na verdade, um teólogo andaluz do final do século XVI, jesuíta e reputado casuísta, cujo tratado mais conhecido, *De sancto matrimonii sacramento*, José Ignacio tinha folheado em algum momento de sua estudiosa juventude.

Pois bem, o que não entendeu foi o porquê da conexão ou concatenação dos dois nomes, tão díspares, Avenarius e Sánchez, no súbito grito do delegado.

De seu lado, Benigno Perales não percebeu claramente o sentido da exclamação de *don* Roberto. Ouviu-o gritar, notou que seu rosto expressava uma surpresa extática, talvez uma satisfação meio histérica, mas não soube a que atribuí-las. Primeiro pensou que Sabuesa o teria finalmente identificado, e que acabara se lembrando, de repente, do distante encontro em sua sala da Puerta del Sol. Mas logo compreendeu que não era isso. Além do mais, tanto Avenarius como Federico Sánchez não tinham nada a ver com o distante encontro na sala do delegado Sabuesa.

O único que ouviu os dois nomes, tal como pronunciados, foi Michael Leidson, o americano. Ouviu "Avenarius" e ouviu "Federico Sánchez", efetivamente. De Richard Avenarius e da influência provável dele na filosofia de Ortega y Gasset acabava de se inteirar pelas minuciosas explicações de Perales a respeito do livro descoberto na biblioteca de La Maestranza, *Der menschliche Weltbegriff*. De Federico Sánchez também sabia alguma coisa. Isso porque, assim como o delegado Sabuesa, mas por motivos radicalmente opostos — por interesse e simpatia, em suma —, Leidson havia se ocupado intensamente da revolta universitária de fevereiro. Tinha perguntado, indagado, bisbilhotado, acumulado documentação de todo tipo, escrita e oral, sobre o episódio.

Como Sabuesa, Leidson tinha se dado conta da recente aparição desse nome de guerra na história da clandestinidade comunista. Sem dúvida sabia um pouco mais do que Roberto Sabuesa a respeito daquele fantasma, pois circulava nos meios estudantis e intelectuais de Madri com mais desenvoltura do que o policial.

Ainda assim, o que o historiador americano também não entendeu no primeiro momento foi a ilação ou relação que o grito do delegado parecia estabelecer entre ambos. "Avenarius! É isso: Federico Sánchez!"

Não fazia o menor sentido.

O mistério só se esclareceu dois dias depois, com a chegada de Lorenzo Avendaño a La Maestranza. Dias antes, ele tinha voltado para Madri, após uma longa viagem pela Itália, e tentara retomar contato com um dos responsáveis da organização universitária comunista.

Múgica estava em San Sebastián, sua terra natal, para onde tinha se mudado ao sair da prisão. Fernandito Sánchez Dragó, foi impossível localizá-lo. Mas Lorenzo conseguiu falar com Pradera. Almoçaram juntos numa taberna da rua Alcalá, La Taurina, e depois ficaram conversando no Retiro, sentados num banco à sombra, perto do laguinho do Palácio de Cristal.

Pradera lhe contou o que tinha acontecido em Madri desde que ele fora para a Itália. E Lorenzo, ainda maravilhado com as descobertas de sua viagem, lhe falou dos museus, dos livros que tinha comprado, dos comícios do PCI aos quais tinha assistido. E de uma festa na casa de María Zambrano, em Roma. "Imagine só a coincidência", dizia Lorenzo, "estava lá um tal de Semprún Gurrea, que é algo assim como um embaixador ou representante do governo republicano no exílio. E que foi amigo de meu pai. Ele me falou do último encontro deles, praticamente há vinte anos, horas antes de eclodir a guerra civil. Aqui em Madri, na casa de um amigo comum, um médico, um tal de Eusebio Oliver. E naquela noite Lorca leu para eles *A casa de Bernarda Alba*, que acabava de escrever. Incrível, não é?"

"Quando nada, novelesco...", Pradera comentou.

Mas a este, o que lhe interessava, mais do que as rememorações de García Lorca, eram os livros que Lorenzo tinha trazido da Itália. Tanto assim que passaram um instantinho pela casa dos Avendaño, na rua Alfonso XII, para que Pradera pegasse um volume de Gramsci.

Depois, ao cair da tarde, estiveram no apartamento de Domingo Dominguín.

(Que o leitor não estranhe nem se regozije, caso seja maldoso — há leitores para todos os gostos e desgostos —, pensando que o Narrador perdeu o fio e se esqueceu de que estava esclarecendo o significado da exclamação extemporânea do delegado Roberto Sabuesa. De fato, nem se perdeu o fio nem se chegou ao fim do relato: caminhamos rumo ao anunciado esclarecimento, com passo seguro embora desenvolto. E foi Dominguín que proporcionou a Lorenzo, decerto sem saber, a oportunidade para que, dois dias depois, fosse possível entender o que passava pela cabeça do policial quando juntou num só uivo, surpreendentemente, os nomes de Avenarius e Federico Sánchez.)

Não se pode dizer que naquela tarde reinasse um clima de paz e sossego reflexivo no apartamento da rua Ferraz. Portas eram abertas e fechadas estrepitosamente, crianças e adultos corriam pelos corredores. Tudo indica que a "Patata" (assim era o apelido, estranho, já que se tratava de uma menina bonita, da filha mais velha de Domingo, ao passo que a segunda — na verdade, terceira, mas o primogênito era um menino, Domingo, como o pai —, a segunda, de nome Marta, recém-nascida, tinha o apelido de "Yuri", certamente em homenagem ao primeiro cosmonauta russo), que a Patata, portanto, tivera um acidente a caminho do colégio e esperava-se com angústia a chegada de um médico que prognosticasse as conseqüências da queda, colossal, segundo proclamava o coro choroso e barulhento das governantas. Como se não bastasse, na ante-sala daquele oitavo andar um sujeito robusto e furibundo exigia aos gritos, sendo a duras penas contido pelos dois empregados da praça de touros de Vista Alegre, o pagamento imediato de uma fatura ou dívida de cem mil pesetas, supostamente um compromisso de Domingo Dominguín.

Este, sem sequer se alterar, estava num dos quartos do fundo. Tinha colocado uma compressa fria na testa da Patata e falava com ela a meia voz, meigo ("Patatita, meu amor, filhinha adorada..."), esperando a chegada do médico. O que não o impedia de manter com Padrera e Avendaño, que haviam se introduzido no quarto driblando obstáculos e gritarias de todo tipo, uma conversa animada.

"Vou lhe dar uma coisa para Perales", Domingo dizia a Lorenzo. "Prometi a ele."

Virou-se para Pradera.

"Sabe quem é Benigno Perales? Deveria conhecê-lo. Um cara de Quismondo, genial... Esteve na prisão, conhece todas... Comunista autônomo, agora não tem contato regular com a organização..."

Assumiu um tom de voz brincalhão.

"Deveria ser nosso principal teórico. Nosso mestre!... Imaginem como seria cômodo: em vez de termos de consultar Paris sobre os problemas teóricos que surjam, iríamos a Quismondo... Logo ali na esquina... Em vez de marxismo-leninismo, que soa bastante exótico, teríamos marxismo-peralismo... Muito mais castiço, não é?"

Riram, Domingo se afastou um momento, remexeu dentro de um armário e do meio de uma montanha sedosa de lingerie feminina tirou um exemplar do último *Mundo Obrero* e outro de uma revista de tamanho reduzido, *Nuestra Bandera*, publicações clandestinas do Partido Comunista.

Lorenzo guardou no bolso aqueles papeluchos a fim de levá-los para Benigno Perales dois dias depois.

E foi assim que Benigno e ele descobriram juntos, em *Nuestra Bandera*, um artigo do tal Federico Sánchez sobre a filosofia de Ortega y Gasset em que se podia ler a seguinte frase: "Já em 1894 o senhor Avenarius pretendia revolucionar a ciência, superando a oposição entre materialismo e idealismo com sua famosa 'coordenação de princípio' — desmascarada por Lênin em *Materialismo e empirocriticismo* —, ao escrever que o eu e o meio ambiente (o que Ortega chama circunstância) sempre se dão conjuntamente".

Mas ainda não chegamos a essa altura da narrativa. É que o Narrador, seja ele quem for, antecipou um pouco os dados objetivos que foram se alinhavando cronologicamente diante do atento e amável leitor (sempre convém supor que ele é atento e amável, do contrário seria excessivamente árdua a tarefa do narrador, escriba, escrivão ou escrevinhador).

Na verdade, ainda estamos no salão de La Maestranza, antes de um jantar que está demorando por motivos desconhecidos, no dia 17 de julho de 1956.

Lorenzo só chegará à fazenda amanhã, com Isabel, sua irmã gêmea.

E o delegado Sabuesa acaba de dar um grito descontrolado, quase histérico, porque de repente se lembra de onde e quando viu aquele estranho nome mencionado por certos convidados: Avenarius. Ele o viu num artigo recente de Federico Sánchez, no exemplar de *Nuestra Bandera* que tornou a folhear hoje mesmo.

Por isso grita, exagerado, excitadíssimo.

"Avenarius! É isso: Federico Sánchez!"

4.

Que apesar dos envios feitos a ele de propaganda comunista, ninguém lhe fez, porém, propostas para sua incorporação, caso funcionasse o Partido Comunista, e ignora se certas atitudes que tanto ele como seus amigos tomaram se devem a instruções do dito partido, e se em algum caso isso aconteceu, ele e seus amigos, como acredita, agiram por conta própria, e não orientados por alguém...

São as últimas palavras do depoimento de um dos detidos do mês de fevereiro em Madri.

De Fernando Sánchez Dragó, concretamente, "dezenove anos, estudante de filosofia e letras, filho de Fernando e Elena, natural de Madri, domiciliado na rua Lope de Rueda, número 21, terceiro andar à direita, nesta capital", segundo reza o documento que Roberto Sabuesa acaba de consultar, pela enésima vez, à meia-noite.

O delegado volta a colocar esta folha — a décima sétima do processo, para sermos absolutamente exatos e fidedignos — no seu maço de cópias.

Conhece-a como a palma da mão, quase a sabe de cor, mas acaba de examiná-la novamente para verificar se não lhe escapou nenhum detalhe, por mínimo que fosse, a respeito do "cabeça dirigente". Isto é, qualquer detalhe que pudesse levá-lo à pista da ligação — indiscutível, a seu ver, inevitável, por mais oculta que os detidos a mantenham até hoje — entre os cabeças visíveis do movimento estudantil e um instrutor (Federico Sánchez, qual é a dúvida?) do Partido Comunista.

Agora o delegado extrai outras páginas do maço, por ele assinaladas: da 50 à 53.

Contêm as declarações de Pedro Laín Entralgo, catedrático da universidade, "estado civil casado, 48 anos, morador de Madri, domiciliado à rua de Lista, número 11, quarto andar".

Volta a ler um parágrafo do dito depoimento:

> Que nunca desconfiou que o tão falado Congresso de Jovens Escritores Universitários tivesse um conteúdo oculto e simulado de tipo político e muitíssimo menos que fosse um meio ou instrumento de propaganda comunista clandestina ou algo parecido dentro da Espanha. Que é claro que se tivesse a mais remota desconfiança de que isso podia acontecer, tomaria, rigorosa e automaticamente, as medidas necessárias para obstar tal finalidade sub-reptícia e ilícita. Que, mais que isso, a primeira notícia que teve sobre esse assunto foi dada há dois dias [o comparecimento de Pedro Laín perante o juiz está datado de 27 de fevereiro de 1956] pela imprensa de Madri, que publicou ou transcreveu de alguma agência de informação certa nota da Direção Geral de Segurança. Que portanto está sabendo pela primeira vez, como conseqüência das perguntas que o juiz acaba de lhe formular, que os participantes e organizadores do congresso receberam em seus respectivos domicílios, para depois propagá-la e difundi-la, propaganda de caráter comunista proveniente da França e enviada desse país ou do interior do nosso,

assim como que essa propaganda era formada por números clandestinos do jornal *Mundo Obrero*, exemplares do que se intitulava *Cuadernos de Cultura*, conclusões de um congresso comunista espanhol no exílio etc., desconhecendo também totalmente que se utilizassem os arquivos daquele congresso [uma nota de Sabuesa, na margem, esclarecia que nesse caso se tratava do Congresso de Jovens Escritores preparado pelos revoltosos madrilenhos, e não do congresso comunista] para encaminhar e direcionar tal propaganda. Que embora também não o saiba, tem certeza de que as desavenças ou falta de entendimento ou colaboração do SEU com o congresso ["repito o mesmo", o delegado tinha anotado de próprio punho] não seriam por causa dessas atividades clandestinas, as quais foram desenvolvidas pelos elementos mais autorizados daquele, porque a seu ver é indubitável que se esse tivesse sido o motivo, o SEU teria tomado medidas e teriam dito a ele. Que a única coisa de que se lembra sobre esse assunto e que pode dizer em juízo é que o chefe nacional Jordana lhe disse em termos vagos e sem lhe conferir caráter de gravidade que tinha certa desconfiança de alguns elementos do congresso, dando a entender, como agora se costuma dizer, que eram um tanto incontroláveis e que dessa circunstância específica decorria a separação ou cessação da colaboração do sindicato espanhol universitário com eles [...]

Sabuesa guarda de novo essas folhas no maço de cópias.

É compreensível, pensa, que Laín Entralgo mantenha perante o juiz essa atitude de ignorância quanto a um trabalho subversivo clandestino. Provavelmente diz a verdade quando explica suas relações com os cabecinhas visíveis do movimento revoltoso. (Não esquecer, porém, que um irmão do reitor, um certo José Laín, está exilado na Rússia e foi do Comitê Central comunista, embora seu nome já não figure da última lista conhecida de membros do dito órgão dirigente.) Em todo caso, é óbvio que o aparelho comunista clandestino não teve contato direto com o reitor Laín Entralgo: é mais que suficiente o contato com os agentes legais que têm infiltrados ao redor dele. Embora sejam, e sem dúvida são, sinceras e verídicas, as afirmações de Laín não são probatórias. Não têm relevância do ponto de vista de uma investigação policial rigorosa.

À meia-noite Roberto Sabuesa volta a colocar na pasta correspondente os documentos que andou consultando mais uma vez.

Fecha os olhos, meditabundo.

Horas antes, na taberna e armazém de Eloy Estrada, antes de ir à fazenda dos Avendaño, tinha anotado umas reflexões em sua agenda pessoal.

Está com a caderneta aberta em cima da mesa, volta a ler suas anotações.

> 17 julho 1956 / Cabeça dirigente: FS, provavelmente novo / Não é conhecido entre os veteranos mais ou menos controlados / Nem entre os confidentes / Pseudônimo, com certeza / Sem dúvida passa temporadas em Madri / Encarregado principalmente de intelectuais e estudantes / Caça e captura / Procurá-lo por seus contatos com os cabeças visíveis: Múgica H., J.P., Campillo.

Quanto a estes três últimos, o melhor seria prendê-los de novo, com um pretexto qualquer, ocorre-lhe de repente, e pressioná-los de verdade. Chega de interrogatórios de luva branca! Alguma coisa se ganharia caso se consiga que eles percam as últimas forças, e esses merdinhas costumam se desmilingüir. Mas é impossível, melhor esquecer. Como convencer os chefes de que se impõe encanar Padrera, imaginemos, com autorização para lhe dar umas boas surras, quantas forem necessárias? Nem pensar, seria um deus-nos-acuda! O neto de *don* Víctor! O sobrinho de nosso embaixador em Damasco!

Ia se armar um belo fuzuê.

Com os outros dois, mais ou menos a mesma coisa. Embora talvez com Múgica Herzog se possa tentar algo. Não é de tão boa família, e, além disso, é meio judeu, nem sequer cristão-novo, marrano ou *chueta*. Sua mãe, estrangeira; haveria menos queixas e queixumes: pensar nisso.

Está de boca seca, levanta-se, serve-se de um copo grande de água da moringa, fresquíssima.

Depois, tendo matado a sede, rememora: quer se lembrar com o máximo possível de detalhes de sua conversa com Castillo, semanas antes.

Tinha se apresentado em sua residência sem avisar, de surpresa, como costumava fazer, na hora do almoço. Castillo andava por volta dos quarenta anos, embora aparentasse mais. Tinha sido membro de um comitê local do Partido Comunista: um dos últimos comitês de Madri antes do desmantelamento das organizações comunistas no final dos anos 40.

O delegado adorava bater na porta daquela casa, verificar como ficava transtornado o rosto de Pilar, esposa de José Juan Castillo, militante também, em outros tempos de guerra e de pós-guerra, mas de longe, sem responsabilidades. Pagara por isso com uns meses na prisão de Las Ventas.

Castillo, em compensação, foi importante quando o Partido Comunista se reorganizou em Madri.

Enfim, sem entrar em detalhes supérfluos neste momento da narração, quando outrora Castillo chegou à sala de Sabuesa, depois de várias semanas de interrogatórios, ainda se mantinha inteiro, tendo resistido às incontáveis porradas dos caras da Brigada Político-Social.

O delegado conhecia Castillo; sabia que à força, multiplicando as surras a qualquer hora do dia e da noite, interrompendo um sono precário, transido de dor, não era fácil conseguir alguma coisa dele. Castillo era capaz de morrer nas mãos dos voluntariosos e incansáveis rapazes da brigada, sem dizer um ai.

Sabuesa mudou radicalmente de método.

Deu tempo e fôlego ao militante comunista para que se recuperasse do sofrimento que o martirizava; tirou-lhe as algemas, permitiu que fumasse enquanto conversava calmamente com ele, contando-lhe os resultados das recentes operações policiais, plenamente coroadas de êxito. De passagem, como quem não quer nada, leu para ele trechos das atas dos interrogatórios que demonstravam como outros responsáveis clandestinos, destruídos pela tortura, tinham delatado. Assim, sem violências, sem tocar em um fio de seu cabelo nem lhe fazer nenhuma pergunta direta, o delegado foi minando o moral de José Juan Castillo.

Mas a estocada final Sabuesa lhe deu uns dias depois, numa tarde em que novamente tirou suas algemas e mandou que lhe trouxessem uma xícara de café de verdade.

"Não entendo por que você resiste tanto", disse-lhe suavemente. "Em primeiro lugar, é inútil: já sabemos tudo da organização atual do seu partido em Madri e na província. Seus aliados, os que estão em liberdade, nós os mantemos sob controle; servirão de isca quando chegar do estrangeiro uma nova turma de instrutores do Comitê Central para reorganizar tudo mais uma vez..."

Esperou um momento até que Castillo interiorizasse uma evidência tão terrível.

"Em segundo lugar", acrescentou em tom de confidência e compaixão, "quem lhe garante que o partido vai levar em conta o seu silêncio? Depende de tantas coisas..."

Em seu olhar de súbita angústia, Sabuesa decifrou que Castillo tinha adivinhado a alusão que ele fazia.

"Não sei quais foram as suas relações com as sucessivas direções clandestinas aqui dentro...", Sabuesa repisou. "Até lhe direi que atualmente isso não me interessa nem me importa... Mas, veja bem, lembre-se: Trilla volta da França em 1943, pelo que sabemos enviado por Monzón... Restabelece os laços entre as diferentes organizações provinciais, cria uma espécie de órgão central... Ele e Monzón, que também voltou ao país, fracassam na operação do vale de Arán... Mas ali estão, existem, editam propaganda, ajudam os presos, organizam protestos... Pois bem, Trilla é assassinado por um grupo de guerrilheiros comunistas vindos da França, em 1945, por ordem do bureau político... Foi em Madri, no campo de Las Calaveras, a punhaladas... Mas não sei por que lhe conto isso, se você sabe tão bem..."

Castillo sabia, de fato.

Pelo menos, tinha ouvido contarem alguma coisa. Alguma coisa confusa, mas angustiante.

Em 1945, Castillo se reincorporou ao trabalho político clandestino, depois de alguns anos perambulando voluntariamente pela Espanha, para apagar pistas e evitar as represálias da vitória franquista. Na época tinha 29 anos, vivia maritalmente com Pilar, já tinham uma filha. Nesse ano, ao acabar a Segunda Guerra Mundial, na euforia de então, estabeleceu-se em Madri, encontrou um trabalho fixo numa gráfica, de revisor de provas, regularizou sua situação matrimonial com Pilar. E depois, em aparente contradição com tal acomodamento na vida, procurou com prudência, mas sem trégua, um contato com a organização comunista clandestina. Encontrou, foi acolhido com entusiasmo, já que tinha um fantástico histórico dos tempos da guerra civil.

Sim, na época tinha ouvido falar pela primeira vez do caso Trilla.

"Você sabe, nao é mesmo? Quer que eu recorde?", o delegado insistia.

José Juan Castillo sentiu uma pontada de desesperança. Todo seu corpo doía de novo, subitamente. Teve a certeza, angustiante, de que não agüentaria novos interrogatórios se Sabuesa mandasse recomeçá-los. Teve a certeza, abominável, de que não havia jeito, nem salvação, de que estava derrrotado.

À espreita, como sempre, Sabuesa percebeu o momento de fraqueza, de abandono, de nascente resignação.

Resolveu aproveitá-lo.

"A sua vida", disse a Castillo, "mesmo a sua vida de militante, o seu futuro no partido, está em minhas mãos. Será como eu decidir. Se espalho o boato de que você abriu o jogo, entregou tudo o que sabia, e até mais alguma coisa, acabo com o que você mais aprecia, com o que é a substância da sua vida: o seu ideal comunista, a amizade e o respeito dos militantes... E ninguém poderá pôr em dúvida o fato de que você traiu: sei o suficiente da atual organização de vocês para lhe atribuir a responsabilidade desta ou daquela queda... Posso dar a entender que aquilo que formos descobrindo nos próximos meses será por culpa sua... Você estará vivo, mas será um homem morto... Estará livre, na rua, mas será prisioneiro do desprezo, do temor horrorizado dos seus, e se sentirá sozinho, isolado, moralmente encurralado. Pode ser até que amanheça numa vala, assassinado como Trilla... Não quer mesmo que eu lhe conte a história de Trilla?"

José Juan Castillo acreditava saber por que os dirigentes do bureau político, os de fora, como costumava qualificá-los, ou seja, Dolores Ibárruri, Santiago Carrillo, Vicente Uribe — os que mandavam de verdade —, por que tinham resolvido assassinar Trilla. Diriam "justiçar", provavelmente. Dá no mesmo, ele acreditava saber. Mas odiava a idéia de que o delegado lhe dissesse. Odiava a idéia de que o filho-da-puta do Sabuesa dissesse em voz alta esse segredo de família. Segredo horripilante, sem dúvida, vergonhoso, certamente, mas de família. A ser esclarecido em casa, quando chegasse a hora, dizia-se.

Castillo esfregou os pulsos, livres das algemas mas ainda inchados, doloridos. Olhou para o delegado. Fazia algum tempo que estavam a sós, na sala da Puerta del Sol. Teria tempo de jogar-se sobre Sabuesa, de estrangulá-lo, antes que algum funcionário voltasse? Teria, sobretudo, força para fazê-lo? Castillo concentrou nessa idéia o pouco que lhe restava de coragem espiritual. Levantar-se de repente, atirar-se no pescoço do delegado, esmagar a carótida com os polegares: estrangulá-lo.

Nesse instante, seu olhar foi estremecedor. Seja como for, Sabuesa intuiu que alguma coisa podia acontecer, que Castillo, desesperado, estava prestes a cometer um ato de loucura.

Com um gesto decidido, aceitando em seu olhar o ímpeto assassino que faiscava nos olhos do militante comunista, Sabuesa sacou da cartucheira uma pistola calibre nove de cano longo.

Depois de armá-la — ouviu-se o ruído da bala passando do carregador para o cano da arma —, Sabuesa colocou a pistola na mesa de trabalho, bem perto de sua mão direita.

"Não seja louco, Castillo", disse em voz baixa.

Continuavam se observando fixamente, desafiando-se.

"Castillo", continuou dizendo o delegado, suavemente, "olhe o que vou fazer. Por prisões e delegacias correrá o boato de que você se comportou como um valentão. Castillo, o macho! O que, aliás, é verdade, você merece... Não vou interrogá-lo mais, porque é inútil, ou quase inútil... A única coisa importante que você sabe e eu ainda não sei é onde fica a gráfica do comitê provincial... Bem, dou-lhe a gráfica de presente... Em contrapartida, quando você sair da prisão, porque da prisão ninguém o salva — você compreende, não é? —, quando sair, daqui a alguns anos, e tentaremos que não sejam muitos, sairá com uma contra-senha... Onde quer que esteja, na penitenciária de Burgos, na El Dueso, para os militantes como você, eu sei muito bem, o partido dá uma contra-senha clandestina a fim de que a organização possa retomar contato com vocês, quando estiverem em liberdade... Bem, pois irei vê-lo de vez em quando, conversaremos..."

Não disse mais nada. Tudo ficou resumido a esse "conversaremos", nebuloso mas arrepiante.

"Não o vejo muito otimista, delegado", disse então Castillo, irônico.

Sabuesa levou um susto.

"Quer dizer", Castillo prosseguiu, "que daqui a uns anos, pelo menos cinco, calculo, porque me cabe a tabela dos dirigentes: vinte anos e um dia, mas se eu der sorte morrerá um papa, haverá um indulto especial, e depois tem a remissão de pena pelo trabalho... Ou seja, no frigir dos ovos eu fico com cinco anos..., quer dizer que, daqui a cinco anos, o senhor imagina que ainda estará sempre pronto para o que der e vier, perseguindo-nos... Ainda não terá se acabado o que vocês chamam de 'subversão comunista'?"

Sabuesa preferiu pensar que a insolência de Castillo era uma cortina de fumaça, um gesto último para agüentar a barra no instante em que, tacitamente, aceitava sua proposta.

Pôs a mão direita na pistola e falou devagar.

"Isso, camarada Castillo (na Falange também dizíamos 'camarada', não é?), isso não termina nunca... Ou melhor, isso, o nosso negócio, essa luta de morte pela sobrevivência só termina, de uma forma ou de outra, se a Rússia desmoronar, a União Soviética, quero dizer... Enquanto existir a Rússia de Lenin e de Stalin, vocês continuarão pensando que a revolução é possível, que vale a pena continuar sofrendo... Pois bem, por mais otimista que eu seja, não creio que em cinco anos a União Soviética terá desaparecido... Em suma, ainda nos veremos cara a cara, você e eu..."

* * *

Mas isso foi há tempos, anos atrás, numa sala da Direção Geral de Segurança.

Agora estamos em La Maestranza, uma fazenda da província de Toledo, na noite de 17 para 18 de julho de 1956.

O delegado Sabuesa, depois de consultar mais uma vez os documentos relativos à revolta estudantil do último mês de fevereiro, está rememorando, morosa e sistematicamente, sua visita a José Juan Castillo semanas antes. Está recompondo o quebra-cabeça de todos os detalhes do encontro, por mais excessivos ou insignificantes que pareçam à primeira vista.

Como sempre, tinha se apresentado sem avisar, na hora do almoço. Tinha observado mais uma vez, e com o regozijo de sempre, quando Pilar abriu a porta, a temerosa e tênue labareda tremeluzente nos olhos da mulher.

"Seu marido está?", perguntou.

E sem esperar resposta, sem se importar com o gesto de Pilar que pretendia barrar sua entrada, enfiou-se no corredor que ia até a sala de jantar da casa.

Lá estava Castillo, que já tinha adivinhado quem se apresentava desse jeito, inoportuno, com tamanha desfaçatez. Só podia ser o veado do Sabuesa, é óbvio.

Além do mais — e isso Castillo contará anos mais tarde ao Narrador desta história; e contará com visível satisfação, quase orgulho —, além do mais Castillo não só adivinhou que era Sabuesa que entrava em sua casa com tanta grosseria, como também soube, de imediato, a que vinha o delegado, o que ia lhe perguntar.

Anos mais tarde, muitos anos mais tarde, Castillo diria ao Narrador desta história como imaginou, acertadamente, e em virtude de um raciocínio-relâmpago, qual ia ser naquele dia a principal curiosidade do delegado Sabuesa.

Ia perguntar-lhe o que sabia de Federico Sánchez, é claro. Pensando melhor, acertar isso não era nada do outro mundo, mas, tudo bem, não era nada mau: acertar era prova de agilidade mental, sem a menor dúvida.

José Juan Castillo ainda ria satisfeito ao contar ao Narrador como adivinhou o motivo da aparição imprevista — como sempre — do delegado Sabuesa.

"Eu tinha saído da penitenciária de Burgos dois anos antes, em 1954", Castillo contava. "Com uma contra-senha do partido, de fato, como aquele filho-da-puta sabia. Pilar tinha progredido em seu trabalho, era algo assim como a principal secretária do diretor da empresa, e a menina tinha crescido: uma adolescente lindíssima e extraordinária nos estudos; de nota dez em nota dez, tanto em ciências como em letras, e até em línguas estrangeiras: me lia versos em latim e em inglês, para você ver. Bem, em casa as coisas não iam mal. Voltei para a gráfica, mas seis meses depois me trocaram de posto: me puseram como diretor comercial. É que em Burgos eu tinha aprendido muito: contabilidade, administração de pessoal, economia, o diabo... Às vezes nós, os velhos presidiários, dizemos de brincadeira, tomando umas bebidas, quando nos encontramos por ocasião de um nascimento, em um falecimento também: a penitenciária de Burgos foi uma escola superior de formação de quadros, mas não para a Revolução, assim, com maiúscula, como alguns de nós pensávamos, e sim para o desenvolvimento dessa porra do capitalismo... Sério, Federico, a família prosperava... Seja como for, mais ou menos um ano depois, em 1955, Simón aparece em casa... Ou seja, Sánchez Montero, sei que você o conheceu muito bem e trabalhou com ele... Eu o havia encontrado em El Dueso: um cara sem muita formação teórica, mas corajoso, solidário, indestrutível, apreciado por todos os companheiros... Um homem em quem confiar: eu poria a mão no fogo por ele... Bem, para que lhe contar: você pôs a mão no fogo por ele... Bem, eu, com Simón, abro-lhe a porta e o escuto em qualquer circunstância... Mas ele vinha com a desgraçada contra-senha, ou seja, estava de novo na ativa... Eu morria de vontade de lhe dizer que sim, que voltaria para a organização... Stalin tinha morrido e parece que as coisas começavam a se mexer na União Soviética... A gente notava os novos ares: tinha se acabado a luta fratricida com os comunistas iugoslavos, aquilo depois se chamou 'degelo', não foi? Mas eu não podia aceitar um vínculo orgânico com o partido, já que Sabuesa continuava à espreita, esperando a hora de retomar contato comigo... Imagine o paradoxo: por espírito de partido eu tinha que evitar um contato orgânico com o partido, para burlar a vigilância de Sabuesa... Portanto, disse a Sánchez Montero que ainda era cedo para voltar à organização, que dessem um jeito de me mandar, com as senhas da empresa, e não com as minhas pessoais, algum material de propaganda, de preferência coisas de tipo cultural ou teórico, porque *Mundo Obrero*, o jornal, era uma merda... Bem, não disse assim, tão categórico, dei a entender... Mas que não mandassem para a minha casa propaganda nem nenhum militante novo, desconhecido, apenas com a contra-senha, que só viessem, caso ele mesmo não pudesse, camaradas como ele, que eu conhecesse da guerra ou da prisão, desde sempre, pois é, que pudessem justificar suas visitas perante a polícia por motivos pessoais de uma velha amizade... Ou seja, para proteger o partido eu tinha de me proteger do partido... E o delegado aparecia de vez em quando, não muito amiúde, e eu lhe dizia que nada, que não tinha vindo ninguém propor a minha repescagem, que eu não tinha nada para lhe dizer... E conversávamos, eu precisava conversar um pouquinho com ele para que não desconfiasse... Até 1956, até o mês de junho desse ano, e posso lhe dizer com certeza, pois naquele mês um jornal de Paris que a gente encontrava em certas bancas e livrarias de Madri, *Le Monde*, e que Nieves me traduzia, eu já lhe disse que minha filha se chama Nieves, ou não?, esse jornal publicava um relatório secreto de Kruschev no XX Congresso do partido russo sobre o culto à personalidade e os crimes de Stalin... Bem, não vou contar a você, homem... Por esses dias, eu tinha estado com Simón numa cafeteria da Alcalá, perto da praça Manuel Becerra, e perguntado a ele se era verdade a história do tal relatório secreto ou se, como alguns pretendiam, não passava de uma merda de invenção dos anticomunistas ianques... Que nada, me disse Simón, era absoluta verdade, e ele estava preocupado porque os camaradas de Madri, sobretudo os operários, não queriam acreditar, diziam que era tudo invenção da propaganda fascista... Que se era verdade que existia esse relatório, pois então que Kruschev era um filho-da-puta por tê-lo feito. Nessa semana, mais ou menos, Sabuesa aparece na hora do almoço, sem avisar, como de costume, e eu soube o que ia me perguntar, imaginei que ia me interrogar sobre Federico Sánchez... Não era tão difícil adivinhar... Desde as manifestações estudantis de fevereiro, esse nome saía em La Pirenaica, e até na imprensa do Regime... Além disso, Nieves tinha trazido para casa uns folhetos clandestinos que haviam circulado na universidade — você nem pode imaginar a emoção: minha própria filha me entregando, a mim, toda orgulhosa, aquela coisa, material do partido! —, bem, pois é, uns *Cuadernos de Cultura* com um relatório de Federico Sánchez para o V Congresso clandestino do partido e um exemplar de *Nuestra Bandera* com um artigo dele sobre a filosofia de Ortega y Gasset... Bem, naquela tarde, perto da praça Manuel Becerra, pedi a Simón, de supetão, que me dissesse alguma coisa sobre Federico Sánchez... E Simón fez a cara de júbilo, de orgulho recatado, que fazem os pais quando alguém elogia a inteligência ou a beleza de um rebento, e me disse em voz baixa uma coisa incrível, 'se quiser', me disse, 'quando quiser, eu o apresento, qualquer dia desses que você me disser: este, sim, é capaz de convencê-lo a voltar para a organização'... Em voz baixa mas, repito, com o tom alegre dos pais diante de um filho que saiu inteligente... Então, Sabuesa entrou, notei que fez um olhar estranhíssimo, um gesto de violência contida, esquisitíssimo, quando viu Nieves, mas em seguida saímos da sala de jantar, para o escritório ao lado, e logo de cara ele me lança à queima-roupa: me diga o que você sabe de Federico Sánchez..."

Don Roberto Sabuesa, naquela noite de julho, em La Maestranza, também se lembra, assim.

Tinha entrado na sala sem prestar atenção ao gesto de Pilar, a mulher de Castillo, que pretendeu barrar o seu caminho, mas não teve a suficiente autoridade.

Na sala de jantar, Castillo não estava só.

Diante dele, terminando de comer uma fruta, havia uma moça de prováveis dezessete anos. Imaginou que fosse filha de Castillo — quem podia ser? Mas invadiu-o uma sensação estranha, violenta, irreprimível. De repente, tudo assumiu um sabor amargo, mistura biliosa de ódio, rancor, pulsão assassina. Desalento, também. Como se a aparição de uma moça tão bonita, tão desembaraçada e de rosto e andar tão harmoniosos — logo ela se levantou, se afastou da mesa, para um canto da sala, com olhar distante e uma careta de descontentamento —, como se aquela aparição de Nieves, graciosa, jovem, dona inequívoca do futuro, fosse o sinal, não menos estimulante ainda que sibilino, de seu fracasso. Do fracasso histórico do delegado-chefe Roberto Sabuesa, da Primeira Brigada Regional de Investigação Social, em sua luta contra os resíduos, ressaibos e rescaldos do comunismo, sem cessar renascentes ou reativados.

Na explosão da súbita sensação de frustração, de desalento, sem dúvida jogou um papel — mais tarde, rememorando-o friamente, o delegado conseguiu tomar consciência disso — o fato de que Nieves Castillo se parecesse tanto, incrível semelhança, milagrosa!, com uma das moças da Juventude Comunista que ele tinha prendido em Madri, em 1939, e mandado para o pelotão de fuzilamento. Uma das "treze rosas", como eram chamadas na legenda oral da organização comunista.

De repente, tudo voltou à sua memória, quando viu Nieves Castillo se levantando da mesa da sala de jantar, largando a fruta semidescascada, afastando-se, com o olhar opaco, o cenho franzido. Tudo, de repente. Como se estivesse, quinze anos antes, na delegacia de Carabanchel diante das treze moças que iam ser fuziladas, quando aquela — a que parecia Nieves, como um diamante parece outro diamante — se adiantou uns passos, saiu da fila, e cuspiu nele seu ódio, sua certeza da imortalidade do comunismo, sua ilusão de porvir.

Na sala de jantar da casa de Castillo, quinze anos depois, tudo se remexeu em sua memória.

Subiu de sua virilha uma golfada de sangue: um ódio mortífero que foi se transformando em desejo. Mas sem dúvida a palavra era fraca para qualificar o furor que o invadia, quase o cegava.

Furor de possessão, de destruição. Teve vontade de despir brutalmente a garota, saquear aquele corpo que ele antevia como delicioso, delicado, imaculado.

Conteve-se, e aliás Castillo já o estava levando para o escritório ao lado.

"Diga-me o que sabe de Federico Sánchez", espetou-lhe o delegado.

Mas eu, dizia Castillo ao Narrador desta história, muitos anos depois daquele verão de 1956, eu já esperava essa pergunta, e sabia como responder.

Fez cara de espanto e custou a responder; como se não entendesse bem do que se tratava, como se a pergunta o surpreendesse.

"Federico Sánchez? Isso é o senhor quem tem que me dizer, delegado, os senhores é que divulgaram esse nome e sobrenome, desde a nota oficial de fevereiro..."

"Não lhe falo daquilo que eu sei", disse Sabuesa, taxativo. "Pergunto pelo que você sabe."

Castillo o enfrentou, pondo em seu olhar toda a sinceridade que era capaz de aparentar.

"Sei o que os senhores andaram dizendo, mais nada..."

Continuamos conversando um instante e dei um jeito, Federico — contava Castillo ao Narrador deste relato, anos mais tarde —, de arrancar do delegado mais algum dado sobre o fantasma de Sánchez.

Pois bem, pelo que contou naquele dia, Castillo começou a se preocupar quando percebeu que o delegado tinha uma idéia fixa: o tal Federico, fosse qual fosse a sua identidade real, era um instrutor ou uma conexão com o Comitê Central comunista em Madri; quando, do mesmo modo, teve a convicção de que Sabuesa havia se proposto, a qualquer preço, a caça e captura — assim formulou, exatamente com essas palavras — do enigmático personagem, cabeça dirigente, segundo ele, da conspiração universitária.

Tinha de comunicar isso a Simón Sánchez Montero o quanto antes.

Mas em La Maestranza, naquela noite de julho, Sabuesa teve a impressão de ouvir um ruído pelos corredores da casa. Dirige-se à porta do quarto e a entreabre. Lá no fundo, numa curva, parece vislumbrar Raquel na semi-escuridão. Não está só, vai sendo seguida pelo corredor por uma silhueta masculina.

Pelo menos, essa é sua impressão.

"Você sabe alguma coisa de santo Agostinho?", pergunta Mercedes Pombo, quase à queima-roupa.

Michael Leidson leva um susto. Não porque ela o chame de "você", claro que não: já está acostumado com a cortesia igualitária do "você" hispânico.

"Já tive notícia dele", responde, logo recuperando a aparente impassibilidade.

Estão no salãozinho para onde Raquel acaba de levá-lo pelos corredores penumbrosos. "Se não estiver cansado, a senhora o espera", ela dissera um pouco antes, na porta de seu quarto. Não, nada cansado, e até mesmo cheio de curiosidade. E seguiu Raquel, que ia acendendo e apagando luzes pelos corredores e galerias da casa.

O salãozinho está aberto de par em par para o quarto contíguo. Vislumbra-se uma cama de casal arrumada para o descanso noturno. Sobre a nívea brancura de lençóis e travesseiros, ele destaca — corpo fantasmagórico de mulher ideal — uma camisola comprida desdobrada, rosada, quase ruborizada por revelar tanta intimidade.

Raquel se move por ali, silenciosa. Sigilosa, talvez.

O olhar de Leidson volta a se fixar em Mercedes.

"Mas não é notícia recente", acrescenta, impávido. "Minha leitura das *Confissões* é bem antiga..."

Mercedes o convida a se sentar no sofá, ao seu lado.

"Não estava pensando nas *Confissões*", diz.

Capta e sustenta em seu olhar o do "gringo bonitão". Depois fala, num tom delicadamente brincalhão.

"*... cum vero vir membro mulieris non ad hoc concesso uti voluerit, turpior est uxor...*"

Agora, sim, é que Leidson não consegue disfarçar a surpresa.

É bem verdade que não entendeu, palavra por palavra, a conhecida frasezinha latina sobre o uso pelo marido dos orifícios de sua esposa não aptos para a procriação, só para a concupiscência. E também porque Mercedes não pronuncia os vocábulos latinos como lhe ensinaram nos colégios da Califórnia. Ainda assim, entendeu o suficiente para decifrar do que trata a sentença agostiniana.

Assusta-se. Tenta adivinhar a que Mercedes se refere, com que estará jogando.

“Não é das *Confissões*”, ela esclarece. “É uma passagem do tratado sobre o casamento cristão, *De bono conjugali*...”

Leidson continua sem entender a que vem essa reminiscência de santo Agostinho, nem por que provoca nela esse sorriso tão estranho, tão ambíguo.

Mas o leitor entende.

A essa altura do relato o atento leitor leva uma indiscutível vantagem sobre Leidson. Pode se lembrar do que este ainda ignora: os tratados de santo Agostinho tiveram certa importância durante o namoro de Mercedes, vinte anos antes. Já leu alguma coisa a esse respeito. Lembra-se, por conseguinte, caso se proponha a isso — foi uma informação factual, incluída no corpo do relato —, da interesseira casuística empregada pelo namorado para obter de sua pretendente atrevidos favores eróticos: bestiais, teria opinado o santo bispo de Hipona, já que não favoráveis ao santificado fim da procriação.

Em suma, com um mínimo esforço, o atento leitor poderá adivinhar por que, nesse exato momento de uma noite de julho de 1956, Mercedes Pombo se lembra de uma frase de santo Agostinho. Adivinhará que aquilo que desencadeou em sua mente o processo de rememoração terá sido a exclamação grosseira e grotesca do delegado Sabuesa a respeito da virgindade.

O leitor pode imaginar.

Vinte anos antes, em Nápoles, mal começado um almoço que se anunciava delicioso, Mercedes resolveu designar o desejo que subjugava seu sangue. "Peça uma garrafa de champanhe, José María... Subamos com ela para o quarto... Estou com desejo..."

Não conseguiu dizer mais nada, foi o suficiente.

Cruzaram o restaurante quase abraçados. Houve como um silêncio espavorido, pânico. Até a orquestra parou de tocar o foxtrote que estava interpretando. Todos pensaram, ardorosos ou nostálgicos, nos gestos do amor, ao vê-los deslizar suavemente para o quarto. Talvez um homem ou uma mulher tenha fechado os olhos diante de uma visão interior, arrebatada, crua, concreta demais em seu indecente mas terno fulgor.

No quarto, Mercedes fechou as cortinas das muitas janelas. Acendeu e apagou lâmpadas procurando uma iluminação adequada, enquanto José María se isolava no banheiro.

Ela estava desfazendo o leito, até então pouco matrimonial — ou seja, nada procriador, mas concupiscente, isto sim —, quando notou um leve movimento às suas costas. Virou-se, surpresa. Uma arrumadeira moreninha, de cintura e andar graciosos, tentava escapulir, fugir de seu olhar e do quarto. Deteve-a com voz de comando, foi até ela. A garota, sem dúvida surpreendida pelo regresso imprevisto do casal, estava levando para a lavanderia umas camisas e um pouco de roupa de baixo, provavelmente recolhidas no cesto apropriado do closet.

Mercedes se lembrou do quadro da Gentileschi, horas antes, em Capodimonte.

Lembrou-se da jovem e bela criada de Judite, lembrou-se do ferimento de Holofernes, que ensangüentava a cama. Lembrou-se do encanto de Judite, lembrou-se do turvo bem-estar sensual que lhe havia provocado, insensatamente, a violenta cena de castração simbólica.

Mas não soube por que se lembrou de tudo isso ao contemplar a graça juvenil da arrumadeira napolitana.

Uma idéia — pode-se chamar "idéia" uma iluminação tão súbita, um arrebatamento tão repentino? —, uma idéia, para dizer de algum modo, embora o termo não reflita a violência visceral do sentimento, floresceu em sua mente.

"Não vá embora, fique aqui", disse à garota.

Esta talvez não tenha entendido cabalmente as palavras castelhanas. Seja como for, entendeu os gestos de Mercedes. Entendeu que ela a empurrava suavemente, levando-a pela mão e a colocando atrás de uma cortina.

"*Aspetta e guarda*", Mercedes repetiu.

Aguarde e olhe.

Mercedes não soube nem quis saber de onde lhe vinha um impulso desses, obscuro, excitante, irresistível: uma pulsão imaginativa e perversa que a levava a oferecer à desconhecida arrumadeira napolitana a visão de sua entrega a José María. Mas também não se preocupava muito com o fato de ignorá-lo. Deixava-se guiar por um desejo fervoroso, deslumbrante, que demolia todos os preceitos de sua boa educação, toda norma moral aprendida ou intuída.

Nesse momento seu marido entrou no quarto, nu sob o roupão de seda azul debruada de tafetá carmesim.

Mas Michael Leidson, diferentemente do amável e atento leitor, não pode imaginar nada disso. Ainda não ouviu falar do papel de santo Agostinho no namoro de Mercedes. Até agora, só lhe interessaram os aspectos históricos e políticos da cerimônia expiatória de La Maestranza. Aliás, só a estes a viúva tinha se referido durante a conversa que tiveram naquele mesmo dia, na hora do almoço, da sobremesa.

Agora que chegou o momento da intimidade, será preciso contar.

E Mercedes conta, vagarosamente, com detalhes e minudências, num idioma de pasmosa precisão, embora destituído de qualquer vulgaridade, de qualquer impudência: um idioma de amor, de sonho e carne.

Nessa primeira vez, quando José María voltou para o quarto, nervoso mas decidido a realizar o exercício cristão, e portanto procriador, do casamento, não percebeu a presença de Luciana (embora ninguém ainda a conheça, nem Leidson, nem os esposos Avendaño, que só ficarão sabendo daqui a pouco, na hora da cumplicidade erótica entre os três protagonistas do episódio, nem o atento leitor, podemos antecipar esse nome visando a maior legibilidade do relato, já que, de um jeito ou de outro, o Narrador não pode ignorar que a arrumadeira se chama Luciana — pronuncie-se, por favor, à italiana, soa melhor! —, já que ele é como Deus, conhecedor do conhecido e do ignorado, do existente e do inexistente), seja como for, José María não percebeu o leve movimento de uma cortina, atrás da qual Luciana se escondia por ordem de Mercedes.

Foi depois, no exato momento em que, uma vez satisfeita a concupiscência com as carícias habituais e prolongadas, agostinianamente bestiais, se iniciava o exercício da penetração matrimonial, donde procriadora, foi nesse momento preciso — precioso? — que José María viu Luciana. Isto é, uma arrumadeira mocinha, anônima, surgida de repente de trás das cortinas, andando pelo quarto, contemplando, visivelmente fascinada, a cena primitiva da possessão amorosa.

Naturalmente, José María não adivinhou que a moça estava ali por ordem expressa de Mercedes. Num lampejo mental, pensou que a mocinha tinha sido surpreendida pela chegada imprevista dos dois ao quarto. Mas isso foi o de menos: o importante foi que a aparição de Luciana — será mais simples continuar a chamá-la por seu nome, embora nenhum dos protagonistas ainda o conheça — excitou prodigiosamente sua imaginação, aumentando portanto sua presença palpável no receptáculo virginal da procriação.

Foi no instante do prazer, do lamento amoroso, do gozo inédito — por ser idealmente compartilhado, pela fusão de corpo e alma, pela certeza de tão incerto alvor —, foi nesse instante que Mercedes notou que José María tinha se dado conta da presença de Luciana, e que isso multiplicava sua alegria.

Murmurou em seu ouvido que tinha sido ela que pediu à arrumadeira para ficar no quarto, o que — independentemente do feliz resultado da iniciativa — o levou a conjeturar onde Mercedes teria descoberto tantas e tão eficazes, se bem que perversas, artes de amar.

Em todo caso, ainda nus, ofegantes, mandaram que Luciana se aproximasse do leito matrimonial. Ali, a menina, obediente mas trêmula, deixou-se despir por Mercedes, que só permitiu, ou resolveu, que ela guardasse as meias pretas de algodão grosso, com uma liga no meio da coxa. Registre-se, porém, que nos jogos eróticos subseqüentes, por mais prazerosos que tenham sido, nada se produziu que prejudicasse a virgindade da arrumadeira, ao menos do ponto de vista do receptáculo da procriação.

Quinze dias mais tarde, prestes a abandonar a Itália — depois de Roma e Nápoles, estiveram em Florença, e percorreram a região toscana —, num lindo hotel à beira do lago de Orta, na hora do jantar, Mercedes flagrou o olhar de seu marido fixo na garçonete que servia um vinho branco, seco e perfumado.

"Até agora", disse quando a garçonete se afastou, "até agora foi só você quem escolheu..."

"Escolher é dizer muito", José María respondeu suavemente. "Limitei-me a organizar um pouco o inevitável..., melhor dizendo, o que parecia ser possível..."

É verdade que desde aquela tarde em Nápoles foi sempre

José María quem tomou a iniciativa — ainda que nunca tivesse sido algo rotineiro, nem mesmo um ritual, apenas uma espécie de arrebatamento improvisado — de convidar uma terceira pessoa do sexo frágil para ser testemunha e parte das batalhas do amor — no campo de plumas das longas sestas libidinosas — do casal. Mercedes o deixava ser o primeiro a distinguir o gesto, o encanto, o olhar — escuro mas relampejante —, o sorriso provocativo, submisso também, de uma das garçonetes ou arrumadeiras que lhes atendiam nos sucessivos albergues italianos da viagem de núpcias, e tornavam previsível a aceitação do convite que ele formulava.

Mas em Siena, ao retornarem da maravilhosa excursão a San Geminiano, não foi uma moça do serviço — serviçal, sem dúvida, como todas as outras, embora seus favores venéreos nunca fossem venais — que participou com eles de uma daquelas longas sestas. Foi uma belíssima turista escandinava, sentada à mesa ao lado com um cavalheiro idoso e digno — na verdade era um marido de muito mais idade, aparentemente fora de jogo —, que de repente largou seu almoço para se aproximar deles, falando em francês, língua universal naquela época para qualquer iniciativa diplomática ou cultural, e o erotismo tem a ver com os dois campos, diplomacia e cultura.

"*Vous êtes fascinants de beauté, tous les deux*", disse a loura desconhecida. "*Vous m'invitez?*"

"*À quoi?*", perguntou José María, sucinto.

"*À partager vos plaisirs*", disse a nórdica beleza, com inequívoca precisão.*

É claro que foi convidada.

"O que quero dizer, Josemari", Mercedes dizia naquela noite

* "Vocês são de uma beleza fascinante, os dois" [...] "Vocês me convidam?" "Para quê?" [...] "Para participar de seus prazeres". (N. T.)

no hotel do lago de Orta, é que até agora, desde a arrumadeirazinha de Nápoles, que foi tão divertida, você só escolheu, ou só escolhemos, se prefere, garotas. Por que não procuramos um dia um olhar masculino?"

José María Avendaño derramou o vinho que estava saboreando, quando o copo escapuliu de sua mão, tão grande foi sua surpresa.

Nesse exato momento — isto é, no momento em que Mercedes, em seu minucioso mas estranhamente distanciado relato da viagem de núpcias, vinte anos antes, estava contando aquela conversa nas paragens do lago de Orta, poucas horas antes de saírem da Itália, rumo a Biarritz, onde pensavam terminar o verão —, nesse exato momento Michael Leidson se deu conta do que estava acontecendo. Do que ia acontecer, melhor dizendo. Talvez do que se esperasse dele.

Com efeito, Raquel acabava de entrar no salãozinho, vinda do quarto ao lado. Tinha se imobilizado na frente dos dois, de Mercedes e dele, sentados no sofá, e começava a se despir. Desfazia os laços que apertavam sua blusa nos punhos e no pescoço, desnudava os ombros e aparecia diante deles, altaneira e distante, mas se oferecendo. Quando começou a tirar o cinto de sua saia preta comprida, Leidson fechou os olhos, inerme diante de tanta beleza revelada.

Mercedes pegou sua mão, murmurando:

"Dominguito estava certo: gringo bonitão!"

À meia-noite Benigno Perales ouve um ruído de passos na galeria. Um murmúrio indecifrável. Dirige-se à porta de seu quarto, abre-a com cautela. Ali, a poucos metros de distância, Raquel está levando o americano, sem dúvida para o quarto de Mercedes.

Uma dor lancinante cruza seu peito, o crucifica.

Sempre foi apaixonado por Mercedes, sem jamais se declarar, é claro, nem mesmo fazer qualquer referência, ainda que ligeira, irônica, a essa paixão absoluta que ele manteve absolutamente secreta ao longo dos anos.

Benigno tinha nascido e se criado em Quismondo. Em criança foi amigo de brincadeiras dos irmãos Avendaño: juntos iam descobrir os ninhos nas árvores, caçar cobras — levavam algumas vivas até a fazenda, para dar um grande susto em Satur e no mulherio da cozinha —, montar em pêlo os potros selvagens do curral, desafiar as outras turmas de moleques de Quismondo e das aldeias vizinhas.

Depois, na adolescência, no início dos anos 30, Benigno foi para Madri em busca de trabalho. Fez de tudo: foi ajudante de pedreiro, ofício por onde se costuma começar quando não se tem por onde começar; maquinista num teatro, e depois — ou antes, não consta com exatidão — no circo Price; motorista de praça. O essencial, contudo, foi sua descoberta do movimento operário, da militância, que o levou a se integrar num grupo da Confederação Nacional do Trabalho.

Quando houve o pronunciamento militar contra a República, Benigno Perales já militava no Partido Comunista. Foi um dos primeiros voluntários das milícias do partido que, depois, se agruparam no 5º Regimento.

Nos primeiros dias de agosto de 1936, Benigno, que já tinha ascendido a postos de responsabilidade por sua inteligência vivíssima e seu espírito combativo, requisitou um carro em Toledo, onde fazia parte das colunas milicianas que cercavam — um cerco desordenado, ineficaz — o Alcázar de Moscardó, e foi para Quismondo com um grupo de companheiros armados, para se informar do que poderia ter acontecido na fazenda de La Maestranza.

Assim soube da morte de José María, o caçula dos irmãos Avendaño. Seu preferido, aliás. E não só porque graças a ele tinha conhecido Mercedes, seu amor impossível. (Assim se costuma dizer nos tangos e nas coplas, que se há de fazer! Em letras de tangos também se dizem grandes verdades.)

De fato, em abril, poucas semanas depois de seu casamento com José María, Mercedes passou uns dias em La Maestranza, para onde não foi sozinha — qual é a dúvida? —, mas com a mamãe, dona Constancia, em seu papel de pau-de-cabeleira, precaução aumentada e reforçada pela presença do padre Rupérez, confessor da noiva, e ativíssimo, durante aquelas últimas semanas de vida de solteira, nos exercícios espirituais aptos a preparar Mercedes para o penoso embora necessário sacrifício da virgindade.

Foi então que Benigno viu a senhorita Pombo pela primeira vez. Foi então que o venábulo do amor desesperado o cravou contra a parede opaca do tempo vindouro.

La dulce boca que a gustar convida
un humor entre perlas destilado,
y a no invidiar aquel licor sagrado
que a Júpiter ministra el garzón de Ida,

amantes, no toquéis, si queréis vida;
porque entre un labio y otro colorado
Amor está, de su veneno armado,
*cual entre flor y flor sierpe escondida...**

* "A doce boca que convida a provar/ um humor destilado entre pérolas,/ e a não invejar aquele licor sagrado/ que a Júpiter ministra o mancebo de Ida,/ amantes, não toqueis, se quereis vida; porque entre os lábios vermelhos/ Amor está armado de seu veneno,/ qual serpente escondida entre flores..." (N. T.)

Nos sonetos de Luis de Góngora, como se vê, Benigno Perales, genial autodidata, encontrou na época as palavras adequadas para expressar seu desespero amargo e apaixonado.

Mas já antes da gloriosa aparição de Mercedes, José María era o irmão Avendaño preferido de Benigno. Porque era o mais aberto à discussão, o que emprestava livros e discutia com ele poemas de Alberti e de Miguel Hernández — "Sobre los ángeles" e "El rayo que no cesa" —, porque falava até mesmo de Keynes e de suas teorias, por ocasião da visita do economista inglês a Madri, convidado em 1930 pela *Revista de Occidente* para proferir uma conferência. Em suma, porque o tratava de igual para igual, sem desdém nem arrogância.

Por tudo isso, a morte do caçula dos Avendaño foi para Benigno algo absurdo e injusto. Algo que o enfureceu, além de entristecê-lo.

Foi a La Prosperidad, à loja dos Estrada — o pai de Eloy, que cuidava do negócio, ainda estava vivo —, para falar com ele e com Chema, el Refilón. Encontrou-os ali, jogando cartas e bebendo.

Sua ira explodiu.

"Estão aqui os faroleiros!", gritou, "os valentes da retaguarda! Por que não são vistos na frente, porra, dando tiros nos fascistas?"

Tanto Eloy Estrada como El Refilón tiveram vontade de responder com violência, ainda que se arriscando a armar um escarcéu. Mas Benigno entrara na loja trajando um macacão azul, o uniforme miliciano daqueles primeiros tempos de guerra civil. Macacão azul com correame e insígnias de sargento, a estrela vermelha do 5º Regimento ("*Con el Quinto, quinto, quinto,/ con el quinto Regimiento,/ con Líster y con Modesto,/ con el comandante Carlos,/ no hay milicianos con miedo...*") e na cinta um pistolaço de calibre nove e cano longo. Como se não bastasse, os três milicianos que acompanhavam Benigno estavam fortemente armados com seus respectivos trabucos *naranjeros*.

Assim sendo, Eloy e El Refilón tiveram de engolir as críticas e os vitupérios de Benigno:

"Estão contentes, não é?... Isso é o que vocês chamam de luta de classes: assassinar o único liberal da família Avendaño, indefeso para completar... Pois já que vocês têm tantos colhões, vou mobilizá-los, seus machões... Vou incorporá-los a uma das companhias de choque do 5º Regimento, que vocês mostrem o seu valor."

Eloy Estrada, trêmulo mas astuto, conseguiu pular fora do desafio. Com a desculpa de se despedir da mãe, que estava no andar de cima da casa, escapou por uma janela que dava para o descampado. Benigno não se deu ao trabalho de organizar a perseguição: que fosse tomar no cu, aquele panaca! Em compensação, Chema, El Refilón, não só se deixou incorporar às fileiras do 5º Regimento, como bem depressa se destacou por seus dotes de combatente, a tal ponto que foi recrutado, um ano depois, para as unidades de elite do XIV Corpo do Exército da República, sob o comando de Ungría, o famoso corpo de guerrilheiros adestrados para agir no interior da zona franquista, em terreno inimigo: exercício arriscado que causava inúmeras baixas.

Pois bem, se Benigno conseguiu se informar detalhadamente das peripécias daquele 18 de julho em La Maestranza; se soube como tinha sido a morte de José María Avendaño, não conseguiu, por outro lado, saber com absoluta certeza o que havia acontecido com Mercedes e Raquel. Pois tudo indica que as duas mulheres tinham desaparecido.

Obedecendo a um impulso, a uma intuição imperiosa que se manifestou clarividente, Benigno foi com sua patrulha de incondicionais à fazenda de La Maestranza.

A mansão não tinha sofrido muitos estragos.

A ira dos trabalhadores rurais contra toda aquela riqueza não durou muito: um curto momento de desafogo destruidor antes que o tropel de camponeses pobres fosse embora do local. Desde então, a casa ficou abandonada. Só a Satur, apesar de sua idade, e a mulher de Mayoral, o intendente ou capataz que tinha se escondido em Madri, vinham dois dias por semana para uma faxina sumária, para consertar possíveis estragos, naturais ou mal-intencionados.

Benigno tinha certeza de que Mercedes e Raquel se haviam escondido na própria casa. Na verdade, ninguém, nenhuma das testemunhas que ele conseguiu interrogar, poucas semanas depois do episódio, tinha visto sair da fazenda o Oldsmobile conversível em que Mayoral devia ter levado as duas mulheres.

Em nenhum lugar, nem em Quismondo nem nos arredores, apareceu aquele automóvel, vistoso aliás, difícil de esconder por sua cor chamativa: vermelho-fogo.

Além disso, Benigno sabia, por ter ouvido dos irmãos Avendaño, colegas de brincadeiras de sua infância, de sua pré-adolescência, que havia na casa passagens ocultas — os moleques tinham descoberto algumas em seus jogos de correr e de esconde-esconde —, assim como um aposento secreto onde, segundo a lenda doméstica, Indiano, o avô fundador, escondia as amantes que às vezes instalava em casa, a fim de poder desfrutá-las sem chamar a atenção nem provocar a ira ou o choro da esposa legítima, muito tranqüila e segura de sua primazia no quarto conjugal.

Benigno tinha certeza de que Raquel e Mercedes, provavelmente com alguma cumplicidade exterior — a da Satur e a de Josefina, mulher de Mayoral, pareciam evidentes —, continuavam escondidas em um canto de La Maestranza.

E assim foi.

Benigno não demorou a descobri-las — descobrindo, de passagem, o famoso aposento secreto, onde elas haviam se refugiado —, atemorizadas, debilitadas, despenteadas, desgrenhadas até, mas vivas, e Mercedes mais bonita do que nunca, pensou Benigno, se bem que Raquel também não lhe pareceu desprezível. Assim, resgatou-as do cativeiro voluntário, deu-lhes tempo para que tomassem banho e se arrumassem um pouco, se vestissem modestamente, a fim de não chamar a atenção nas ruas de Madri, hostis durante aqueles meses a tudo o que parecesse, nos homens e nas mulheres, adereços burgueses, e com sua escolta de milicianos acompanhou-as até a capital, onde facilmente encontraram refúgio. Benigno Perales, cavalheiro até o final, não quis saber onde, para que, no caso de algum atropelo, nunca pudessem pensar que fora culpa sua.

A bem da verdade, naquela noite de julho de 1956, às vésperas da tradicional cerimônia expiatória, Benigno não se lembrou de todos esses episódios do passado, vinte anos antes. Só os narramos aqui e agora por respeito ao amável leitor, para torná-lo cúmplice da legibilidade deste relato. Porque, embora o leitor leve certa vantagem sobre o americano — melhor dizendo, levava: desde a recente confissão de Mercedes ao atônito Leidson, este sabe tanto quanto o leitor no que se refere ao papel dos tratados de santo Agostinho e à virgindade da noiva —, embora o inteligente leitor tenha, portanto, dados suficientes desta história para não perder o fio do relato, não é por puro capricho nem mero regozijo que o Narrador rememorou um episódio da vida de Benigno Perales, que sem dúvida ajudará a melhor compreendê-lo, talvez até a ter mais simpatia por ele.

Seja como for, a verdade é que naquela noite Benigno não se lembrou de sua expedição a Quismondo em agosto de 1936. Os acontecimentos recentes o haviam deixado nervoso demais para ser capaz de tal rememoração, que exigiria um sossego reflexivo.

A própria presença de Roberto Sabuesa, que certamente o havia reconhecido, embora não identificado, era em si muito aflitiva, para não falar dos *ex abrupto* do dito delegado filho-da-mãe, vigoroso exemplar da estultícia hispânica, bárbara e cega.

Além do mais, Benigno se preocupava com a notícia do motim dos camponeses anunciada por Mayoral a José Manuel Avendaño e a Mercedes pouco antes do jantar, e que ambos tinham comentado depois com os outros convidados.

Naturalmente, não foi o motim anunciado que inquietou Benigno. Essa notícia o deixava exultante; o que o preocupava era o comentário de Sabuesa de que em tais circunstâncias sempre havia um cerebrozinho, e neste caso Benigno imaginava quem era, quem podia ser. O que o preocupava, portanto, é que o policial aproveitasse sua presença na fazenda para investigar essa questão, com o risco de que terminasse descobrindo os instigadores do motim do dia seguinte.

Pois bem, a essa preocupação difusa, ao mal-estar que lhe havia provocado, somava-se no espírito de Benigno a excitação com os presentes que José Ignacio, o Avendaño jesuíta e culto, trouxera da Alemanha. Nada menos que um exemplar do relatório secreto de Kruschev apresentado no recente congresso do Partido Comunista russo! E, como se fosse pouco, um volume grosso de capa azul cartonada contendo os manuscritos de Marx sobre temas econômicos, de 1857-58, e compilados sob o título de *Grundrisse der Kritik der Politischen Ökonomie*, título que não era do autor, mas dos editores, embora realmente sublinhasse seu conteúdo: *Fundamentos da crítica da economia política*, de fato. Esses textos de Marx, que alguns consideram como os rascunhos de *O capital*, mas com identidade própria e alcance mais amplo, intuito mais claro do que sua obra-prima, aliás inacabada, talvez inacabável, dormiam nos arquivos até que foram publicados, entre 1939 e 1941, em Moscou, lugar e datas pouco apropriados, tendo em vista as circunstâncias bélicas, para a repercussão pública erudita ou popular dessa edição.

O volume que José Ignacio Avendaño tinha levado para Benigno era uma reimpressão de 1953, publicada em Berlim Oriental por Dietz Verlag, o editor habitual das obras de Marx.

Assim que José Ignacio lhe entregou seus presentes, Benigno se trancou no quarto, depois do jantar, para ler de uma estirada, trêmulo, sobressaltado, atônito, o relatório secreto de Kruschev sobre o culto à personalidade de Stalin e os crimes dele. Sua primeira reação, uma vez atenuada a impressão de sufoco e de cólera provocada pela leitura, foi, pelo menos em aparência, paradoxal. Pensou que crimes tão absurdos, estratégia tão irracional como a que Stalin tinha adotado contra os supostos "inimigos do povo", ao ser revelada e denunciada, mesmo que de forma primitiva, sem elaboração teórica coerente que explicasse as raízes sociais de tanta libertinagem despótica, de certo modo restabeleciam uma possível racionalidade na história da revolução.

Na verdade, o historicamente irracional, o impossível de pensar, embora tantos de nós tenhamos acreditado, ao menos em parte, pensava Benigno, era que Trotski ou Bukharin fossem "agentes do inimigo" vendidos aos serviços da espionagem imperialista. Ao destruir a falsa veracidade dessa ingente mentira, o relatório de Kruschev — mais destinado a provocar emoções do que a suscitar reflexão autocrítica, isto sim — propiciava, porém, um olhar novo sobre a história do comunismo. História trágica, sem dúvida, em que os atores da tragédia tinham intercambiado seus papéis. Não só porque as vítimas de tantas purgas, de tantos processos, deportações maciças e calúnias recuperavam sua inocência, mas também porque se reabria a possibilidade — decerto frágil, trêmula flor no deserto glacial de um despotismo absoluto — de um renascer da iniciativa, da autonomia democrática, nos partidos comunistas do universo.

Apesar da emoção que o embargava, das idéias mais ou menos elaboradas que disparavam em sua mente — assim, por exemplo, Benigno não conseguiu evitar, e compreende-se, a lembrança de Heriberto Quiñones, a quem tinha conhecido na época imediatamente posterior à vitória franquista, em que ele havia reconstruído a organização clandestina do partido na Espanha; não conseguiu evitar a lembrança de Quiñones, ferozmente torturado pela polícia dos Sabuesa e dos de sua laia, a tal ponto que foi transportado de maca, incapaz de se mover sozinho, até o pelotão de fuzilamento; não conseguiu evitar a lembrança das calúnias que o partido, ou quando nada sua direção, os Carrillo e as Pasionaria, tinham despejado sobre aquele cadáver heróico, acusando Quiñones de aventureiro, agente da espionagem inglesa, valha-me Deus!, acusações repetidas até ainda há pouco, em 1954, durante o V Congresso do Partido Comunista, e que nessa noite, depois da leitura do relatório secreto de Nikita Kruschev, ele conseguiu situar num contexto global de perversão irremediável das idéias e das práticas do comunismo —, apesar de sua emoção, Benigno se apressou, após a leitura do folheto, do famoso relatório impresso em alemão, em procurar um esconderijo para preservá-lo, necessidade que a presença de Sabuesa em La Maestranza tornava ainda mais imperiosa.

Mas a busca de um esconderijo seguro ocorreu depois da meia-noite, depois que ele ouvisse na galeria da casa os passos e os leves sussurros revelando a presença de Raquel e Leidson, a caminho do quarto de Mercedes Pombo.

Nesse momento, ao ver Raquel e o americano desaparecerem numa curva da galeria, esqueceu-se do relatório secreto, esqueceu-se de Heriberto Quiñones, e até se esqueceu das surras incontáveis e inesquecíveis que agüentara ao ser preso na fase repressora que se seguiu à queda de Quiñones.

Esqueceu-se do delegado Sabuesa, de seu crispado sorriso de

desprezo — ou de ódio? ou de medo? — na sala da Direção Geral de Segurança, na Puerta del Sol. Esquecer é demais, sem dúvida, mas é que uma dor lancinante atravessou seu peito, obrigando-o a se encolher, a, de certo modo, agachar-se dentro do sofrimento provocado por aquela imagem noturna na curva de um corredor.

Ao sair da prisão, Benigno voltou para Quismondo, onde ainda vivia uma irmã de seu pai, mulher de missa diária e insopitável devoção pela Virgem Maria — "concebida sem pecado" —, devoção cristã que as desgraças familiares haviam fortalecido profundamente. De fato, o irmão dela, pai de Benigno, tinha sido fuzilado pelos soldados do exército quando entraram na aldeia, em outubro, a caminho de Madri. Dizia-se que fora o próprio oficial do exército de Franco, da divisão do general Yagüe, no comando de uma coluna formada por uma unidade de soldados marroquinos e um destacamento da legião, aquele que, um pouco mais tarde ou pouco antes de entrar em Quismondo, trocara para Numancia o nome do município de Azaña — De la Sagra, em um e outro caso — por acreditar que esse nome tradicional vinha de uma sombria homenagem a Manuel Azaña, presidente da odiada República.

Em todo caso, o pai de Benigno foi julgado sumaríssimamente e fuzilado por seus maus antecedentes, e, sobretudo, por ter um filho comunista, amplamente conhecido. Sua mãe morreu pouco depois, não de doença, mas de entristecedora solidão. Para acertar de vez as contas familiares, podemos lembrar — embora o fato não tenha qualquer relação ou conseqüência na nossa história, portanto, só a título meramente informativo — que, em contrapartida, um primo de Benigno morreu na frente de batalha de Madri durante o cerco à cidade, num combate corpo a corpo na Cidade Universitária, mas do outro lado, sob uma bandeira da Falange.

Estava-se no início dos anos 50 e em La Maestranza logo ficaram sabendo que Benigno tinha retornado a Quismondo ao sair da prisão. Um belo dia, José Manuel e Mercedes se apresentaram na casa de Purificación Perales, tia de Benigno, que dera ao sobrinho casa e comida sem impor condições de limite de tempo, apesar de ser mãe de um falangista morto.

Ou justamente por isso, vá saber.

O Avendaño primogênito, homem de dinheiro (o que sempre houve na família, mas José Manuel o fazia prosperar infinitamente) e de poder, com bom trânsito nas esferas dominantes do Regime, propôs ao recém-saído da prisão um acordo — melhor dizendo, um pacto, uma espécie de contrato moral.

"Você e eu sabemos quem somos, Benigno", chegou a lhe dizer. "Sabemos o que nos separa irremediavemente a golpes de sangue. Mas também sabemos o que compartilhamos na memória da infância, para mim sempre sagrada. Proponho que você volte para La Maestranza, que de certo modo é a sua casa, e trabalhe como secretário de Mercedes, que administra a propriedade, e como bibliotecário: é preciso pôr ordem naquilo, catalogar os livros — já ninguém sabe como encontrar um deles em meio a tamanha confusão! Em troca desse trabalho e do seu salário (que já discutiremos, se você estiver de acordo), não lhe peço que mude de opiniões, nem que traia as suas fidelidades, mas que apenas não faça nada que possa recair sobre minha família, destrua ou dificulte meu padrão social neste regime..."

E Benigno Perales aceitou o pacto porque, na verdade, não pensava em retomar nenhuma atividade no partido enquanto seus dirigentes máximos continuassem a ser os mesmos que caluniaram Quiñones e que, pouco antes, tinham mandado, da impune comodidade do exílio, assassinar León Gabriel Trilla.

Assim, instalado há uns dois anos em La Maestranza, convivendo diariamente com Mercedes Pombo, Benigno havia sofrido calado a deliciosa dor tantálica de um amor irrealizável.

À meia-noite, como já foi dito, Perales fecha a porta entreaberta pela qual via se esgueirarem na galeria as sombras de Raquel e do americano, o "gringo bonitão". Assim o tinha apelidado Domingo Dominguín, segundo Mercedes contava, ao anunciar-lhe, semanas antes, a vinda de Leidson à última cerimônia expiatória. "Um sujeito simpático, inteligente e até bonitão", dissera Dominguín falando de Leidson, segundo Mercedes lhe contou. "Você poderia aproveitar a ocasião para matar o seu cunhado José Manuel e fugir com o gringo, já que nunca desejou fugir comigo."

Ambos tinham rido: Mercedes, ao se lembrar da frase de Domingo. E Benigno, ao se lembrar de Dominguín. Dominguín era sempre uma lembrança agradável, como era o convívio com ele toda vez que ia a La Companza, a outra grande fazenda do município, onde o fundador da dinastia, *don* Domingo, tinha sido trabalhador braçal na juventude, tendo-a comprado mais tarde com o dinheiro ganho como matador e empresário de touradas.

Foi justamente Domingo quem lhe deu um exemplar do jornal do Partido Comunista, *Mundo Obrero*, uma tarde em La Companza, porque, naturalmente, Domingo conhecia os antecedentes políticos de Benigno.

"Já sei que agora você é dono do seu nariz", disse-lhe Domingo naquela tarde, no salão grande de La Companza, cujas paredes eram enfeitadas com cabeças e galhadas de alguns dos touros mais nobres e bravos que os Dominguín, pai e filhos, tinham matado. "Embora eu não saiba por quê, você terá suas razões, mas proponho organizarmos um pequeno congresso clandestino e o elegermos secretário do partido aqui na Espanha. Você seria o nosso conselheiro político: imagine só que vantagem, em vez de termos de esperar as ordens vindas de fora, Paris ou Praga, viríamos consultá-lo em Quismondo, e chamaríamos a nossa teoria de marxismo-peralismo, em vez de marxismo-leninismo, que soa muito menos castelhano, não acha?"

Benigno ria pra valer, é verdade, mas ao mesmo tempo um certo calafrio percorria sua espinha. Quantos dirigentes comunistas na própria Espanha tinham sido expulsos, caluniados e até assassinados por tentar, justamente, criar um centro autônomo de direção clandestina?

No entanto, nada disse a Domingo dessa sinistra lembrança. Disse-lhe apenas, para ficar no tom da brincadeira, que eles poderiam imaginar duas alas ou correntes do marxismo de Quismondo: a ala marxista-peralista e a ala marxista-dominguista.

Essa história das duas alas do partido lembrou a Domingo uma anedota que alguém tinha lhe contado recentemente: o partido não é uma galinha nem uma andorinha, que para voar precisam de duas alas, alguém dizia em certa ocasião.

Mas quem tinha lhe contado essa anedota e com que objetivo, em que contexto? Depois de mais vários copos de *orujo*, no salão grande de La Companza, Domingo se lembrou, de repente. Quem contou foi Agustín Larrea, ou seja, Federico Sánchez, no terraço da rua Ferraz, numa daquelas noites, e o autor da frase era um comunista tcheco, muito esperto e corcunda. Mas onde Agustín o teria conhecido? Isso restava esclarecer.

Domingo aproveitou a súbita lembrança para dizer, à queima-roupa, algo que, de tão imprudente, deixou Benigno assustado.

"Um dia desses trago Federico Sánchez a La Companza e vocês conversarão, aposto que vão se entender..."

Benigno derramou a metade do copo de *orujo*. Ficou sério.

"Nem a mim você diga essas coisas, Domingo, nem mesmo a mim!"

Pelo tom, este se deu conta de que o outro não estava disposto a continuar a escutá-lo; mudou imediatamente de assunto. Pois bem, apesar de tudo, depois de sua reação legítima diante da imprudência de Domingo, Benigno sentiu certo dissabor: gostaria de saber algo mais sobre esse Federico que acabava de aparecer na imprensa clandestina, desde a organização do V Congresso do Partido Comunista.

Mas isso foi em La Companza, e agora estamos em La Maestranza, à meia-noite, entre os dias 17 e 18 de julho. Benigno acaba de fechar a porta do quarto e lembra-se da frase de Dominguín sobre o "gringo bonitão", e nessa frase o que mais lhe chamou a atenção foi a referência a José Manuel: "Você poderia aproveitar a ocasião para matar o seu cunhado...".

Embora nunca tivesse dito, mais de uma vez também tinha pensado o mesmo que Domingo: para recuperar sua liberdade, um dia Mercedes teria de matar José Manuel e fugir, mas com quem? Com Raquel, provavelmente, a criatura que lhe era mais próxima, mais cúmplice, mais disposta a arriscar tudo por sua felicidade. Se é que, tratando-se de Mercedes, ainda fosse possível esperar alguma felicidade durante o tempo que lhe restava de vida.

Quando se instalou em La Maestranza, após ter concluído o acordo com José Manuel, Benigno intuiu — e logo teve uma evidência disso — que o primogênito dos Avendaño, patrão e senhor da fazenda e da família, exercia sobre as duas mulheres, resgatadas da morte, ou ao menos da prisão, por sua intervenção em agosto de 1936, uma espécie de direito de pernada.

Desde quando? Não era uma história recente, mas, segundo todos os indícios, algo habitual e até de praxe, um segredo de polichinelo entre o pessoal da fazenda. Talvez desde o fim da guerra civil, quando a família Avendaño recuperou bens e posses, dinheiro e autoridade, após a vitória do Generalíssimo.

Fosse qual fosse o começo dessa relação possessiva, o fato é que em 1955, quando Benigno chegou a La Maestranza, pôde notá-la, comprová-la. Toda vez que aparecia na fazenda, onde Mercedes vivia quase o ano inteiro, salvo as poucas temporadas em Madri e o tradicional veraneio na praia del Sardinero, em Santander, José Manuel ostentava sem o menor recato sua situação de dono da casa e proprietário dos corpos das duas mulheres.

Uma e outra — Mercedes e Raquel, alternadamente, e às vezes ao mesmo tempo — eram vistas passando a noite nos aposentos do cunhado da viúva (que alguns camponeses chamavam "Cuñadíssimo", em referência a um conhecido e influente político dos primeiros tempos da ditadura; denominação que permitia frases atrevidas e vulgares, piadinhas e adivinhações onomatopéicas: "*El Cuñadísimo está encoñado, pero ¿que hará el Cuñadísimo con el coño de Raquel mientras tiene a su cuñada encañonada?*"*).

É preciso reconhecer que a língua mais viperina desses disse-me-disse era a velha Satur, que para completar tinha uma explicação pessoal para esse ambiente de "império da porcaria" (assim se expressava a velha cozinheira, que não parava de insistir que o melhor dos Avendaño — na verdade o único bom, se bem que um deles fosse padre — tinha sido *seu* José María), explicação baseada no que ela havia descoberto em Biarritz, aonde foi encontrar Mercedes e José María, quando eles voltaram da viagem de lua-de-mel pela Itália. Em Biarritz eu descobri que os dois gostavam de fazer amor na presença de uma terceira pessoa, contava a Satur a meia-voz, embora já ninguém se dispu-

* Em tradução aproximativa: "O Cunhadíssimo está enrabichado, mas que fará o Cunhadíssimo com o rabo de Raquel enquanto mantém sua cunhada enrabada?". Ramon Serrano Súñer, cunhado do general Francisco Franco, foi ministro de 1938 a 1942, e homem forte do regime fascista nos anos negros de vingança e repressão contra os opositores do franquismo. Morreu em 2003, aos 101 anos. (N. T.)

sesse a continuar acreditando nas suas fábulas ou fabulações, e ela insistia, faça-me o favor, pode crer no que eu digo, em Biarritz teve pelo menos um terceiro, um fotógrafo inglês, moço, lindíssimo, cá comigo eu acho que era um maricas, e ele aceitou um papel naquela amigação, mais por causa do *seu* José María do que pela dona Mercedes...

Em suma, em La Maestranza as duas, Raquel e Mercedes, eram vistas passando a noite nos aposentos de José Manuel, ou ali entrando na hora da sesta.

Seja como for, naquele 17 de julho, à meia-noite, ele pôde comprovar por acaso que os relatos da Satur, pelo menos quanto aos fatos de Biarritz no distante verão de 1936, não eram mera fábula, meros vapores delirantes.

Ao fechar a porta do quarto, depois de vislumbrar as silhuetas de Raquel e do americano, certamente a caminho do quarto de Mercedes, Benigno pensou em ir esconder o relatório secreto de Kruschev na biblioteca da casa, lugar ideal. Em qualquer outra ocasião teria deixado tranqüilamente o folheto em sua mesa de trabalho: ninguém em La Maestranza se interessava em bisbilhotar seus pertences pessoais. Mas a presença do delegado Sabuesa na fazenda complicava tudo, incitava-o a ser particularmente prudente.

Assim que entrou na biblioteca, o salão do Indiano, no andar térreo, Benigno voltou a sentir o estranho bem-estar, a um só tempo relaxante e excitante, que sempre lhe produzia o ambiente das estantes repletas de livros, quase todos lindamente encadernados, cobrindo até o teto as paredes da sala, que ocupava toda uma ala da mansão e se elevava à altura de um segundo andar, sendo iluminada de noite por uma multidão de lâmpadas bem distribuídas para o conforto da leitura, e de dia pela transparência multicolorida de seu telhado de vidro.

Benigno resolvera esconder o folheto de Kruschev dentro de um dos três volumes das obras de Donoso Cortés, recém-descobertos por ele no meio de um monte de livros ainda não classificados, uma bela edição com encadernação em meio-couro, em cujas capas espessas parecia possível fazer um corte com uma lâmina de barbear, delicadamente, para esconder as páginas do relatório secreto.

O mais curioso dessa edição de Donoso Cortés é que se tratava de uma tradução para o francês, publicada em Paris, em 1862, pela Librairie d'Auguste Vaton, Editeur, 50 rue du Bac, com uma introdução de Louis Veuillot, conhecido jornalista ultramontano e polemista, defensor acérrimo da infalibilidade papal, diretor do diário *L'Univers*, e Benigno achava graça em ter descoberto em tradução francesa a prosa altissonante do marquês de Valdegamas.

Dos três volumes das obras de Donoso Cortés, Benigno escolheu um ao acaso, o tomo 3, inteiramente dedicado à tradução do famoso *Ensayo sobre el catolicismo, el liberalismo y el socialismo*. Antes de descobrir a melhor maneira de cortar com delicadeza a capa do livro, folheou-o, e caiu por acaso no começo do capítulo sobre o livre-arbítrio, na página 139. Leu umas linhas, primeiro distraído, depois com crescente interesse. "*Le libre arbitre de l'homme est le chef-d'oeuvre de la creátion, et, s'il est permis de parler ainsi, le plus prodigieux des prodiges divins...*" Benigno ia abandonar a leitura de frases tão retóricas — nem mesmo a tradução para o francês, idioma essencialmente racional e comedido, empanava a grandiloqüência da prosa castelhana — quando desistiu de sua intenção de fechar o livro.

> *C'est invariablement par rapport au libre arbitre que toutes choses s'ordonnent, de telle sorte que la création serait inexplicable sans l'homme, et l'homme inexplicable s'il n'était libre. Sa liberté expli-*

que l'homme et en même temps toutes choses. Mais qui expliquera cette liberté sublime, inviolable, sainte; si sainte, si sublime et si inviolable que Dieu, qui l'a donnée, ne peut l'ôter; que par elle l'homme peut résister, d'une résistance invencible, à Dieu, de qui il la tient, et, épouvantable victoire, vaincre Dieu?

Nesse ponto da leitura, Benigno sentiu que precisava se sentar, pegar papel e lápis e traduzir para o castelhano — para o seu, é claro, pois o original de Donoso Cortés não lhe era acessível — as frases do autor:

> ... de modo que a criação seria inexplicável sem o homem, e o homem inexplicável se não fosse livre. Sua liberdade explica o homem e ao mesmo tempo todas as coisas. Mas quem explicará essa liberdade sublime, inviolável, santa; tão santa, tão sublime e tão inviolável que Deus, que a concedeu, não pode suprimi-la; e que graças à qual o homem pode resistir, com resistência invencível, a Deus, de quem a obteve, e, pavorosa vitória, pode vencer Deus?

Lidas assim, com calma, as frases de Donoso Cortés pareciam dignas de reflexão. Mas naquela situação específica e urgente ele não tinha tempo, e muito menos condições, de pensar muito. Precisava esconder o quanto antes o texto de Kruschev, que a presença do delegado Sabuesa na fazenda transformava em algo perigoso.

Fechou o livro, prometendo a si mesmo que, mais adiante, voltaria a estudar o capítulo sobre o livre-arbítrio do homem no ensaio de Donoso Cortés, e apalpou as capas do tomo 3 procurando o ponto mais espesso onde cortá-las suavemente.

Foi assim que teve a surpresa de descobrir que as duas capas do livro já tinham sido rasgadas e recoladas cuidadosamente. Foi assim que Benigno Perales descobriu, naquela noite de julho, dois manuscritos de José María Avendaño, dois cadernos, um deles diário íntimo, redigido em linguagem lacônica, às vezes quase telegráfica, mas de absoluta precisão.

Escondido na capa anterior do livro, estava o diário escrito por José María durante a lua-de-mel, no qual relatava, concisamente, as peripécias da viagem, desde o dia inicial em Nápoles e em Capodimonte: Judite e Luciana.

O segundo documento — ambos escritos em finíssimo papel de seda de boa qualidade, com uma caligrafia minúscula —, escondido na capa posterior, não era propriamente um diário íntimo, mas uma série de notas, apontamentos e reflexões sobre temas históricos e políticos: desde o resumo de uma conversa em Madri, em 1930, com John Maynard Keynes — assim se explicava que houvesse na biblioteca um livro dele, *Teoria geral do emprego, do juro e da moeda*, de 1936, enviado de Londres com uma dedicatória cordial —, até o relato detalhado de uma entrevista em Nápoles com Benedetto Croce, durante a viagem de lua-de-mel, passando por uma série de anotações críticas sobre ensaios ou conferências de Ortega y Gasset, Manuel Azaña e Fernando de los Ríos.

Na verdade, Benigno Perales não teve tempo nem disposição para ler detidamente essa segunda série de reflexões, diante do mal-estar produzido pelo primeiro texto, a saber, a crua — e mais ainda por ser sucinta — confissão de José María sobre a sua tumultuada viagem de núpcias, o obscuro prazer do voyeurismo ativo e passivo, descoberto em Nápoles, graças a Mercedes, com a deliciosa Luciana, e posteriormente praticado pelo casal com outras moças serviçais.

Pelo menos até Biarritz, onde de repente aparecia no diário um rapaz, um certo Timothy, jovem fotógrafo inglês. Mas ao chegar a esse episódio, Benigno, virtuoso e até puritano, fechou os olhos, preferiu não saber, não se inteirar, e abandonar a leitura das páginas do diário íntimo.

Mais tarde, mais avançada aquela noite de insônia, já de volta a seu quarto, Benigno percebeu que o segundo documento — na verdade, tinha levado consigo o caderninho com as reflexões de José María sobre diversos temas histórico-filosóficos, para lê-lo pausadamente, mas deixou o diário íntimo em seu esconderijo originário, tornando a fechá-lo cuidadosamente, enquanto guardava na outra capa do volume de Donoso Cortés o relatório secreto de Kruschev — terminava com uma nota encabeçada por: "Maestranza, 15 de julho de 1936", e na qual se lia, sibilinamente: "Fotos: Enciclopédia Toreo".

Pensou, como é lógico, que a indicação significava que em algum volume dedicado à tauromaquia — não faltavam na biblioteca, seria algum dos tomos de Cossío? — havia fotos escondidas. Mas quais?

Lembrou-se de Timothy, o jovem inglês de Biarritz, fotógrafo, segundo o diário secreto de José María Avendaño. Temeu o pior: não, nem pensar, não iria procurar essas fotos em nenhum dos volumes da biblioteca taurina de La Maestranza, nem de longe!

5.

Gott mit uns: depois ele se lembraria.

Lorenzo estava no assento dianteiro, abrindo a porta do 4×4, quando o frentista se aproximou. Viu a fivela reluzente do cinto militar que o rapaz usava para segurar a calça do macacão, de um azul desbotado.

Leu a inscrição marcial e triunfalista: *Gott mit uns*. É claro que se lembraria, que contaria aos amigos de Madri. Domingo acharia graça; Javier também.

Mas naquele momento não teve tempo, nem vontade talvez, de formular explicitamente as interrogações ou hipóteses que lhe vieram ao espírito, atropeladamente.

Por que um cinto do exército alemão? O adolescente que trabalhava no posto de gasolina o teria comprado numa barraca do mercado das pulgas do Rastro, durante uma viagem à capital? E, nesse caso, teria comprado por interesse? Por que se interessava pelo exército alemão, sua história, suas façanhas bélicas? Ou teria comprado por mero acaso, sem saber a que se referia, ignorando que a evocação misteriosa estava escrita em alemão, e, mais ainda, o que aquilo significava? Talvez — outra hipótese plausível — alguém da família, um irmão mais velho, um tio, o próprio pai, quem sabe, tivesse estado na Divisão Azul e voltado da Rússia com aquele cinto.

Horas depois, ao entardecer, ele se lembraria de que o dia insólito tinha começado — se é que se pode saber com absoluta certeza quando começa de verdade um acontecimento; se é que o ocorrido naquele dia de verão de 1956 não havia começado realmente anos atrás: exatos vinte anos, em 18 de julho de 1936 — sob a evocação do deus dos exércitos. De um deles, ao menos: um dos deuses e um dos exércitos.

Assim, no alpendre da casa-grande de La Maestranza, no mesmo lugar — não podia ignorá-lo, já que durante toda a sua infância tinha escutado os relatos intermináveis de sua mãe, e os complementares, ainda mais detalhados e vagarosos, se é que é possível, de Raquel e da Satur; bem como os de Mayoral, mais curtos e categóricos, testemunhas que foram, os quatro, de parte do acontecimento; mas também os de seu tio José Manuel, que não tinha sido, mas nem por isso deixava de contá-lo a Lorenzo, provavelmente com grande afã pedagógico, desejoso de gravar em sua memória de criança os ensinamentos daquela morte antiga, o assassinato de seu pai —, no mesmo lugar, portanto, em que José María estivera espreitando a chegada da multidão de camponeses armados, Lorenzo se lembraria de que aquele dia que acabava de passar havia começado sob a invocação de um deus forasteiro, talvez bárbaro, godo ou gótico: *Gott*, em todo caso.

Pois que esse sacana do *Gott* os guarde e conserve cheios de saúde, pensa Lorenzo, com um riso calado e brutal. O Deus das batalhas, das guerras civis, das sangrentas cruzadas: que os agarre de qualquer jeito, que meta os chifres na virilha deles, no olho do cu, que os parta ao meio, mate esses porras insignificantes.

Mas isso é no entardecer, no cair da tarde, quando tudo acabou — se é que se pode saber exatamente quando um acontecer termina de verdade, quando aconteceu totalmente e se esgotam suas possibilidades de continuar surtindo efeito — no alpendre da casa de campo.

Alguém, na certa Isabel, toca ao piano uma peça melancólica, melodia cujas notas se esparramam pelo ar denso do entardecer, como sílabas soltas de um poema esquecido.

Vinte anos antes, sob outro sol do mesmo mês de julho, seu pai tinha ido ao alpendre de La Maestranza para ouvir a voz assustada de Mayoral.

Eram três em ponto da tarde e acabavam de se sentar à mesa do almoço. Raquel estava enchendo os copos de uma água fresquíssima, que embaçava o vidro. Então ouviu-se lá fora a voz de Mayoral, transtornada.

"Seu José María, seu José María!"

Ele saiu da sala para o alpendre da casa, e Mayoral fazia gestos exagerados.

Na estrada de Quismondo, para lá da fileira de choupos, avistava-se o movimento confuso de uma multidão em tropel. E de cavalgaduras, provavelmente. Seu pai se adiantou até o parapeito e mandou que Mayoral trouxesse o binóculo.

A luz de julho desabava plúmbea sobre a paisagem.

Entre o tremor das camadas finas de ar quente, removidas pela brusca pancada de vento, seu pai teve a impressão de distinguir, no meio do redemoinho empoeirado, a forma acachapada de uma camionete. Por um instante, por cima das cabeças indiferenciadas dos homens espremidos na carroceria do veículo —

adivinhado, suposto, mais do que realmente visto — refulgiram múltiplos brilhos.

"Escopetas", disse.

Não era preciso dizer mais que isso. Talvez não fossem só escopetas, mas também foices erguidas. E forcados.

Lorenzo poderia nos contar.

Mesmo que não tivesse assistido à morte de seu pai. Não foi testemunha do acontecimento. Além disso, se devêssemos nos expressar com rigor, por ora nem deveríamos usar a palavra "pai". De fato, aquele homem moço que saiu para o alpendre de La Maestranza no dia 18 de julho de 1936, às três da tarde, ainda não o era.

Nem era seu pai nem nunca soube que viria a ser.

Morreria sem saber, poucos minutos depois. Naquele dia ninguém sabia. Lorenzo ainda não era filho de José María Avendaño. Não era filho de ninguém. Ou melhor, não era ninguém. Nem nada, quase nada. Só um confuso movimento visceral, um coágulo ovulando-se, ovalando-se, nas profundezas placentárias — prazenteiras — do ventre materno. Só quinze dias depois da morte de seu marido Mercedes Pombo perceberia que estava grávida, que sua viagem de lua-de-mel com José María tivera — provavelmente em Biarritz, era fácil fazer a conta — esse desenlace em geral qualificado de feliz.

Mas no dia 18 de julho, quando, recém-casado, ainda risonho, ele saiu para o alpendre de La Maestranza, nem ele nem ninguém sabiam que tivesse engendrado Lorenzo.

Este, exatos vinte anos depois, poderia contar como seu pai — agora sim, é seu pai, estranhamente; aquele desconhecido, aquele jovem morto, aquele personagem fantasmático, ou fabuloso, nem mesmo coetâneo, e cuja vida não teria coincidido com a dele nem um só segundo, personagem de outro tempo, portanto, de outra história, agora sim, ele é seu pai, pai meu que estás no céu da morte desde antes de sê-lo — , poderia contar como seu pai tinha saído da casa ao ouvir a voz de Mayoral, cheia de pânico, para ver se aproximarem em furiosa comitiva os lavradores de Quismondo.

E poderia contar por que nos anos de sua infância ouviu, um tanto atemorizado, os relatos pavorosos, intermináveis, dessa antiga morte.

Mas isso foi ao entardecer, quando a cerimônia expiatória havia se encerrado, em grande parte frustrada pelo motim dos camponeses, quando José Manuel e o delegado Sabuesa, ambos furiosos, se bem que por motivos muito diferentes, já tinham ido para Madri.

Agora Lorenzo ainda está em La Prosperidad, o negócio de Eloy Estrada, enquanto o frentista está enchendo o tanque do 4×4.

Acabava de sair do carro, tinha pensado vagamente que seria ótimo se fosse verdade aquela evocação do *Gott mit uns*, isto é, "Deus conosco", isto é, que Deus nos agarre depois de termos confessado, como se costuma dizer mais castelhanamente. Sobretudo num dia como aquele, tão cheio de morte. E então apareceu o dono, Eloy Estrada.

"Bem-vindo, Lorenzo."

Notava-se algo estranho em sua forma de andar até ele, como se quisesse lhe dar uma notícia, impaciente por isso, nos gestos, no tom de voz, um não-sei-quê de sombrio nos olhos.

Eloy está estranho, pensou: nervoso e tristonho, ou preocupado.

Desde que Lorenzo faz uso da memória, desde que se lembra de ter assistido à comemoração do dia 18 de julho instaurada por José Manuel Avendaño, em seu ofício de *pater familias*, mal terminada a guerra civil — e a essa comemoração assistiu ao completar dez anos: ou seja, há exatos dez anos —, desde então Lorenzo se lembra de que esse famoso dia de julho sempre pareceu ser de festa — talvez somando-se a isso um toque de gravidade, de solenidade, mas, de qualquer maneira, dia de festança — para Eloy Estrada.

E não só pela compra excepcional que na ocasião os senhores de La Maestranza faziam no armazém, para seus inúmeros convidados. Não só pelo alvoroço, todo ano repetido, de carros de autoridades da província — e às vezes até da capital —, que quebrava a monotonia da vida quismondenha. Também, sem dúvida, por alguma razão oculta. Como se Eloy Estrada tivesse algo pessoal, apaixonado, ligado àquele acontecimento distante.

"Eloy, você estava em Quismondo quando houve a história de meu pai?"

Não podia fazer a pergunta de forma mais sucinta, não podia dar-lhe uma formulação mais neutra, menos agressiva. Apesar disso, Eloy Estrada reagiu exaltado: fez um gesto brusco, derramou o vinho tinto que estava bebendo. No peito de sua camisa branca a mancha vermelha de vinho pareceu um súbito derrame de sangue.

Depois disse palavras confusas.

Que não, não estava em Quismondo, mas que sim, estava, mas que não ficou sabendo de nada, não me lembro de nada, Lorenzo, bem, sim, o rádio, as mensagens de uns e outros, os chamamentos, as proclamações desse general que depois ficou famoso em Sevilha, Queipo de Llano, é, lembranças assim, mas da morte de José María Avendaño, da morte do seu pai, Lorenzo, não me lembro de nada, fiquei sabendo no dia seguinte, ou dois dias depois, já não sei, mas, pelo que me contaram na aldeia, à frente daquela tropa de lavradores ia Chema, El Refilón, que acaba de morrer em Burgos, quer dizer, na penitenciária de Burgos, e o enterram hoje, você já sabe, não sabe?, o enterram na fazenda, na mesma cripta de seu pai, Lorenzo..."

Mas Lorenzo não sabe nada.

Não sabe nada de El Refilón, nem quem era, nem por que, nem por onde, nem quando, nem a troco de que era enterrado hoje junto com seu pai, nem por que tinha morrido na penitenciária de Burgos: Lorenzo não sabe nada de nada.

Nesse momento o frentista do posto de gasolina — um desses de funcionamento manual, sem bombas automáticas — tirava a mangueira do tanque do 4×4, agora cheio.

Lorenzo saiu de La Prosperidad, pegou no bolso umas notas, pagou a gasolina. Deu uma gorjeta generosa ao rapaz do *Gott mit uns*.

"Bem, Eloy, nos vemos..."

Então, no último instante, quando Lorenzo já se inclinava para entrar no carro — Isabel não tinha se mexido em seu assento, não tinha visto nada, nem ninguém, absorta sabe Deus em que fantasia, ensimesmada sabe-se lá em que mesmice —, nesse último momento Eloy Estrada foi para a calçada e soltou a notícia que o deixava nervoso.

"Hoje vai ter confusão na fazenda", disse. "Tem um motim dos camponeses..."

Lorenzo interrompeu o gesto de se sentar no banco dianteiro do carro, virou-se.

"Motim? Por quê? O que pedem os camponeses?"

Eloy Estrada lhe explicou atropeladamente:

"Bem, não pedem nada... Mas não querem mais fazer o espetáculo do assassinato do seu pai, Lorenzo... Dizem que já chega, que não estavam aqui quando houve a morte, nem sabem o que houve... E que chegou a hora do esquecimento... Insistem dizendo que o contrato de trabalho não pode obrigá-los a essa atuação... Em suma, se negam a fazer o espetáculo..."

Lorenzo achava ótimo esse motim. Por pouco não externou sua alegria. Já era hora, santo Deus, inclusive santo *Gott*, já era hora de acabar com aquela cerimônia bárbara.

Lembrou-se de que tinha mandado de Florença um postal para Mercedes — quando pensava em sua mãe, sempre a chamava pelo nome, Mercedes, ou talvez, de brincadeira, fazendo alusão íntima e jocosa ao *Tenorio* de Zorrilla, que tinham lido juntos, "Mercedes de minh'alma" —, um postal em que, ao anunciar sua chegada à fazenda com Isabel, lembrava-lhe sua promessa de que fosse a última vez.

De seu lado, Eloy Estrada não se importava que fosse a última vez, muito pelo contrário, nem se preocupava com o fato de os camponeses se negarem a fazer o espetáculo. O que o inquietava, deixando-o com os nervos à flor da pele, eram, no contexto particular do motim, as confusões que isso podia acarretar, a presença na fazenda do delegado Sabuesa.

Como se não bastasse — mas ao Narrador não é possível afirmar que Estrada tivesse a firme intenção, nem é possível saber, nessas alturas do relato, se tinha tomado de verdade a decisão de contar a Lorenzo, ainda que resumidamente —, como se não bastasse, Eloy, na sala reservada de La Prosperidad onde o delegado estivera almoçando na véspera, e aproveitando um momento em que Sabuesa havia se trancado longamente no banheiro, folheara os documentos que ele trazia naquela manhã e que deixara, por imprudência, em cima da mesa.

Só teve tempo de dar uma olhada rápida no maço de documentos — 193 páginas, escrupulosamente numeradas —, suficiente para ficar sabendo que se tratava dos interrogatórios com estudantes e professores ligados de alguma forma aos tumultos universitários de fevereiro daquele ano; insuficiente para memorizar os nomes dos mencionados, e também para saber se havia nos documentos policiais alguma referência a Lorenzo Avendaño.

Depois dos acontecimentos estudantis de fevereiro, que tantos comentários haviam provocado, a família mandou Lorenzo para a Itália. Eloy se lembra de que houve uma espécie de conselho de família, ao qual o jesuíta, habitualmente instalado na Alemanha, também assistiu. Reuniram-se em La Maestranza e o resultado concreto da discussão foi a saída precipitada de Lorenzo rumo à Itália para "ampliar seus estudos": essa foi a explicação dada às pessoas.

Disso se podia deduzir — o que Estrada não demorou a fazer — que, mesmo que Lorenzo não tivesse participado do grupo dos emblemáticos detidos de fevereiro, os mais notórios entre os revoltosos, os "cerebrozinhos", nas palavras de Sabuesa, por alguma razão correria perigo se permanecesse em Madri.

Assim, tomou chá de sumiço e se largou para a Itália, de onde acabava de chegar.

Estrada ia contar a Lorenzo que o delegado se interessava por ele? Ia lhe dizer que Sabuesa havia esquadrinhado atentamente o postal enviado de Florença, embora depois tivesse aparentado desinteresse? Ia lhe dizer que, ainda por cima, *last but not least* — Lorenzo tinha a mania, orteguiana e cafona, proclamava Isabel em seus momentos imprevisíveis mas mortais de crítica impiedosa a seu adorado irmão, de citar expressões estrangeiras, de línguas vivas ou mortas, do inglês ou alemão até o latim ou grego —, Sabuesa também tinha entre seus papéis uma nota que resumia o currículo familiar e universitário de Lorenzo e terminava com uma observação que Eloy tinha decorado, mas sem entender completamente?

Com efeito, depois da enumeração dos dados biográficos, a nota assim se concluía:

Lorenzo Avendaño. Parece muito amigo de JP, ou seja, de um dos cabeças visíveis da subversão. Foi visto almoçando regularmente com ele. (Vigiar La Taurina, em Alcalá.) Seria um contato ideal para se chegar a Federico Sánchez. Aproveitar a cerimônia de Quismondo para investigar: armar-lhe uma cilada....

Ainda assim, mesmo que não se possa ter certeza se Eloy Estrada, naquele encontro matutino defronte de La Prosperidad, estava de fato disposto a contar isso a Lorenzo, o fato é que não teve tempo material de fazê-lo.

Isabel acabava de se virar para o irmão: seu olhar era só negrura e desafio.

"Escute aqui, Lorenzo, você resolveu que vai me matar de fome e de chateação? Quer que esfrie o café-da-manhã da Satur, que está me esperando?"

Então, Lorenzo entrou no carro sem perder um minuto. Arrancou o 4×4 e ficaremos sem saber o que Eloy Estrada tinha resolvido dizer a Lorenzo, qual fragmento da verdade, ou talvez a verdade inteira: a que ele conhecia.

Ficaremos sem saber. Pelo menos por enquanto.

"*... con esos ojos y esas ojeras...*"

Por que pairam de repente em sua memória essas palavras? Lorenzo não sabe, não sabe por que surgiram, soltas, isoladas, fora de qualquer contexto, quando ele viu Raquel chegar, cruzar o alpendre de La Maestranza com seu andar harmonioso e ir até ele.

Pouco antes, ninguém apareceu para recebê-los, Isabel e ele.

Estacionou o carro perto de outro automóvel com chapa de Madri, no vasto espaço coberto de cascalho branco, cuidadosamente limpado pelo ancinho. Foi até o alpendre, jogou-se numa das poltronas de vime. Isabel já corria para a cozinha, para o café-da-manhã e a prosinha com a Satur: para o seu paraíso infantil, em suma.

Ficou sozinho. Um silêncio profundo o rodeava: denso e cristalino ao mesmo tempo. O ar da montanha espargia cheiros de campo e jardim. Talvez predominasse o de verbena. Voltou a ter a sensação, ou melhor, a certeza, dos anos anteriores, a de sempre: a mesma de sempre. Aqui estava em casa, no lugar essencial de sua vida, na própria morada de seu ser e de seus sonhos, de seu estar no mundo.

Na própria morada daquela morte antiga, não pode esquecer.

Desde que completou dezesseis anos — portanto, há quatro anos — Lorenzo fez o papel do próprio pai naquela espécie de auto sacramental que seu tio inventara para perpetuar a lembrança do assassinato de 1936, para imortalizar a morte absurda e prolongar, de geração em geração, a culpa dos camponeses da fazenda.

Era algo que José Manuel tinha exigido dele, algo que o atemorizava, além de repugná-lo, mas que, por ser jovem demais, não conseguiu recusar.

Apesar de tudo, estava de fato na morada de seu ser, como se ao encarnar a figura do pai morto engendrasse a si mesmo, herdeiro legítimo da raça aventureira dos Avendaño, embora ele ainda não existisse de fato no dia daquela morte antiga.

A certeza era impressionante, mas não angustiante.

Então, no silêncio da manhã, perfumado e denso, chegou a seus ouvidos uma algaravia feminina vindo da cozinha: Isabel tinha chegado, a menina Isabel!

Com essa alegre gritaria ao fundo, Raquel apareceu, e, ao vê-la se aproximar com seu passo harmonioso, leve e altaneiro, deslizando como dançarina pela cerâmica do alpendre, brotou na mente de Lorenzo aquela frase isolada, sem dúvida incompleta, fora de qualquer contexto, "com esses olhos e essas olheiras", palavras que provavelmente eram de um poema, uma quadrinha ou uma canção, mas que agora, no alpendre de La Maestranza, enquanto ele via Raquel se aproximar, emergiram sozinhas, e não houve nada em torno delas, nem antes nem depois, como se tivessem surgido do nada apenas para anunciar a chegada de Raquel.

Na mesinha mais perto da poltrona que Lorenzo escolhera para se esparramar, moído por uma noite em claro e pelo cansaço da viagem no 4×4 desconjuntado, Raquel deixou uma bandeja com uma xicarazinha de café puro, forte, aromático, uns biscoitos e um copo grande de água gelada: o que lhe apetecia nessas horas.

"Lorenzo, que alegria", ela dizia a meia-voz, olhando-o de frente.

Um lampejo de emoção sensual o fez esquecer todo o seu cansaço. De repente, mesmo sem se lembrar de onde vinham, lembrou-se de mais umas palavras ligadas àquelas que tinham rondado em sua memória.

¿A quién esperas tan de mañana
con esos ojos y esas ojeras:
enjauladita como las fieras
*tras de las rejas de tu ventana...?**

Não garantia que fosse exatamente isso, mas, afinal, era meio parecido.

Ainda não se lembrava de onde vinham essas palavras: de que canção, de que quadrinha, de que poema talvez?

* "A quem esperas tão de manhã/ com esses olhos e essas olheiras:/ enjauladinha como as feras/ atrás das grades de tua janela...?" (N. T.)

Raquel ajoelhou-se ao lado da poltrona de vime.

"Quanto tempo sem vê-lo, Lorenzo, que alegria..."

Lembraram-se da mesma coisa, adivinharam: souberam que tinham recordado o mesmo ao mesmo tempo.

Ela, de joelhos a seus pés, encostara o braço esquerdo no peito de Lorenzo e, com a outra mão, acariciava suavemente seu rosto: as pálpebras, as faces, os lábios.

Lembraram-se da mesma coisa, com fervor, com gratidão, sem nostalgia nem amargura.

No ano em que Lorenzo completou dezesseis anos — quatro antes, portanto, pode-se calcular e proclamar, se o amável leitor é amante da precisão cronológica —, em 1952, recebeu em sua casa em Madri a visita, inabitual e até insólita, do tio José Manuel.

Lorenzo lembra-se perfeitamente de que estava brigando com um texto poético de Ovídio, de difícil versão por sua sutileza concisa e enigmática, quando alguém bateu na porta de seu quarto, na casa da rua Alfonso XII, esquina com a Juan de Mena, e seu tio José Manuel entrou dizendo: "Posso, Lorenzo?". E foi para lhe dizer, prolixamente, com inúmeras referências, mas meio desordenadas, pensou Lorenzo, à história recente da Espanha, à da Cruzada em particular, que ele havia atingido não só a idade da razão, mas a de homem, de herdeiro de seu pai, perfidamente assassinado, que descanse em paz, e que portanto...

Enfim, resumindo o que foi longa peroração, que a partir do próximo mês de julho, da próxima cerimônia expiatória, cabia a ele, pessoalmente, fazer o papel de José María Avendaño, seu desgraçado pai, em La Maestranza.

Nos últimos tempos, desde que completara dez anos, Lorenzo já vinha assistindo à bendita cerimônia. Já tinha visto seu pai

— ou melhor, o irmão de seu pai, o jesuíta José Ignacio, que o interpretou até 1952, justamente, e que então o deixou de interpretar por estar muito envelhecido, segundo José Manuel, artífice de toda aquela intriga e muito atento ao aspecto realista do grotesco dramático —, o tinha visto sair para o alpendre de La Maestranza ao ouvir a voz transtornada e escandalosa de Mayoral.

E o papel de Mayoral continuava a ser feito por Mayoral, que gritava com a mesma voz transtornada, escandalosa, daquele dia de julho, vinte anos antes, quando viu chegar o tropel armado pela estrada de Quismondo.

No entanto, naquele dia, quatro anos atrás, quando completou dezesseis anos e fez pela primeira vez o papel de seu pai, tudo foi diferente: não era a mesma coisa ser ator ou mero espectador do simulacro. No final, quando os camponeses dispararam com suas escopetas a salva de tiros, Lorenzo caiu de bruços no alpendre da casa, como se de fato tivesse sido mortalmente ferido. Com tanta naturalidade, tão patético abandono de todo o corpo, que Mercedes Pombo, assustada, pensou fugazmente que uma escopeta, por acidente ou maldade, poderia estar carregada de chumbinhos ou de uma das balas que eram usadas na região nos dias de caçada.

Assim pensou e se jogou sobre o corpo jacente de Lorenzo, o que conferiu ainda mais cara e caráter de verossimilhança àquele momento da cerimônia. José Manuel Avendaño, o primogênito, cínico como sempre, esteve prestes a aplaudir o jogo cênico espontâneo. Sem chegar a tanto, todos os outros espectadores ficaram impressionados com a veracidade emotiva da morte fingida de Lorenzo, e com a dor de sua mãe, esta não fingida.

Mas nem Raquel nem Lorenzo se lembraram daquele momento de quatro anos atrás. Lembraram-se, naturalmente, do que aconteceu depois. Lembraram-se do amor, não da morte.

Quatro anos antes, quando se encerrou a parte teatral da cerimônia, aquela espécie de auto sacramental que o Avendaño primogênito havia encenado nos mínimos detalhes, houve a habitual homilia religiosa, dessa vez oficiada por um bispo auxiliar de Toledo, e depois o igualmente habitual discurso de José Manuel, dirigido aos camponeses para recordar a eles sua miserável condição de assassinos, ou de descendentes de assassinos, e enumerar, de passagem, os princípios essenciais do Glorioso Movimento.

Depois houve, o que também era habitual, um almoço para muita gente, servido ao ar livre, mas à sombra do arvoredo centenário de La Maestranza, pelo mulherio das cozinhas da Satur, sob o vigilante olhar de Raquel: banquete, mais que simples almoço, reunindo gregos e troianos, isto é, camponeses e proprietários das redondezas, além de autoridades civis e eclesiásticas; banquete presidido pelo próprio Lorenzo, ungido desde aquele dia, simbolicamente, pela recordação do sangue de seu pai, como legítimo herdeiro de todas as vidas e mortes de sua estirpe.

Mas Lorenzo, como era de temer, e como alguns — ou melhor, algumas — temeram, pouco à vontade com a circunstância e consigo mesmo, bebeu demais, apesar das tentativas de Mercedes, sentada a seu lado, para impedi-lo, e de Raquel, que tudo percebia e de vez em quando se aproximava para esvaziar seu copo, jogando no chão o vinho tinto.

Quando já estavam servindo as sobremesas, ele se levantou de súbito, pediu silêncio com batidinhas rítmicas da faca contra o cristal de um copo vazio, e anunciou que ia recitar um poema de circunstância.

Mercedes empalideceu, temendo o pior.

E foi o pior, de fato. Não pelo próprio poema, de Rafael Alberti, esplêndido — e que continua sendo, decerto. Foi o pior, numa circunstância como aquela, do ponto de vista do escândalo público.

A essa altura do relato, o Narrador deve confessar modestamente suas dúvidas, salientar uma incerteza.

É que ele não sabe exatamente a que se ater quanto ao poema de Alberti recitado, ou declamado, ou quase proclamado, por Lorenzo naquele dia. Naquele 18 de julho de 1952, quando acabava de completar dezesseis anos e seu tio José Manuel o obrigou a fazer o papel do próprio pai na cerimônia expiatória.

Com efeito, o Narrador tem duas versões distintas do dito poema, mesmo que ambas procedam de Domingo Dominguín. Numa delas — a primeira, aliás — Lorenzo recitava um fragmento do poema "Madrid-Otoño", que se encontra no livro *De un momento a otro*, escrito entre 1934 e 1938.

Na primeira versão de Domingo, Lorenzo recitava com paixão, com maestria retórica pouco previsível em sua tão pouca idade:

Estos inesperados
retratos familiares
en donde los varones de la casa, vestidos
los más innecesarios jaeces militares,
nos contemplan, partidos,
sucios, pisoteados,
con ese inexpresable gesto fijo y oscuro
del que al nacer ya lleva contra su espalda el muro
*de los ejecutados...**

Foram estas últimas palavras, essa duríssima evocação ao muro dos executados, que provocaram a reação indignada e irada

* "Esses inesperados/ retratos familiares/ em que os homens da casa, vestidos/ com os mais desnecessários jaezes militares,/ nos contemplam, alquebrados,/ sujos, pisoteados,/ com esse inexpressível semblante fixo e escuro/ de quem ao nascer já leva nas costas o muro/ dos executados..." (N. T.)

de José Manuel Avendaño, que interrompeu seu sobrinho jogando violentamente em sua cara que considerava aquilo um deboche grosseiro e blasfemo da morte de seu próprio pai, e proibindo-o, terminantemente, de continuar recitando o poema de Alberti.

Na segunda versão de Dominguín, idêntica à primeira quanto aos pormenores, Lorenzo recitava outro poema na hora da sobremesa daquele almoço tão concorrido. Recitava uma poesia anterior, do livro *El poeta en la calle*, a que ostenta e arvora como título a primeira frase do *Manifesto comunista*.

Assim, segundo essa segunda versão Lorenzo recitou o poema-manifesto: "*Un fantasma recorre Europa/ y las viejas familias cierram las ventanas...*" (aqui, sem dúvida, o Narrador, que também teve uma relação íntima, apaixonada, com todos esses versos de Rafael Alberti, não poderá evitar, por mais fugaz que seja, uma lembrança pessoal, infantil: no dia 14 de abril de 1931, no bairro de Salamanca, em Madri, ele ouviu fecharem-se ruidosamente, como que ofendidas, janelas e vidraças das velhas famílias da vizinhança, ao verem os ouropéis tricolores republicanos que sua mãe — a do Narrador, que fique claro — instalava nas sacadas de sua casa, na esquina da rua Alfonso XI com Juan de Mena). Lorenzo continuou recitando o começo do poema de Alberti, que prossegue: "*y las viejas familias cierran las ventanas,/ afianzan las puertas,/ y el padre corre a oscuras a los Bancos/ y el pulso se le para en la Bolsa/ y sueña por las noches con hogueras...*",* e assim por diante, sem interrupção, com voz firme, clara e poderosa, até o verso terrível, "*los campesinos pasan pisando nuestra sangre*", e então um rumor surdo, algo como um surdo soluço coletivo, percorreu a platéia, até então petrificada num

* "e as velhas famílias fecham as janelas,/ reforçam as portas,/ e no escuro o pai corre aos Bancos/ e seu pulso pára na Bolsa/ e nas noites ele sonha com fogueiras..." (N. T.)

silêncio atônito — ou agônico? —, e José Manuel Avendaño começou a gritar, furioso, mandando o sobrinho se calar, por Deus e por todos os santos, pelos espinhos de Cristo, chega.

Como se pode ver, a diferença entre as duas versões de Domingo Dominguín, ainda que curiosa de um ponto de vista literário, não altera propriamente a transcrição dos fatos ocorridos. O essencial não muda de uma versão para a outra.

O fato é que José Manuel interrompeu seu sobrinho quando ele estava recitando um poema de Alberti.

Como não se sabe com certeza qual era o poema, também não se pode saber que verso provocou a ira descomunal do tio de Lorenzo. Seja como for, Lorenzo emudeceu, demudado, diante da cólera brutal de José Manuel Avendaño, e foi este o sinal inequívoco que deu por encerrado o festejo comemorativo.

O ágape se dissolveu e os convivas se afastaram em grupos taciturnos ou borbulhantes de sussurros. Lorenzo permaneceu sentado à mesa, com a cabeça enfiada entre os braços cruzados em cima da toalha. Depois, longos minutos mais tarde, saindo de sua prostração, procurou a mãe com o olhar. Mas ela havia desaparecido, como todas as pessoas que estavam sentadas na cabeceira da mesa do banquete.

Perto dele só restava Raquel, atenta e protetora. Mas Lorenzo precisava ver Mercedes, com urgência desesperada.

Necessitava da imediata presença de sua mãe, seu carinho, seu regaço, sua atenção. Precisava lhe contar imediatamente a vivência da cerimônia tétrica, e como tinha se desvivido nela. Precisava lhe contar a certeza a que havia chegado de manhã, assustadora talvez, mas não angustiante: serena, luminosamente desesperada. Pois pensara que, ao encarnar, naquele odioso simulacro, a figura do pai morto — e morto antes de ser realmente seu genitor, antes de sabê-lo, em todo caso —, de certo modo engendrava a si mesmo, herdeiro legítimo da raça aventureira dos Avendaño.

Lorenzo saiu correndo para a casa-grande de La Maestranza, sem ouvir as advertências de Raquel, que sem dúvida temia pelo que o esperava ali.

Na própria porta dos aposentos de Mercedes — salãozinho, quarto, banheiro e closet —, no fundo da galeria principal, Raquel conseguiu se interpor. "Não entre", disse a Lorenzo, "sua mãe está fazendo a sesta..." Mas essa informação, tão vulgar e corrente, tão inocente, era formulada por Raquel em tom dramático, como se estivesse anunciando uma catástrofe.

Lorenzo a afastou com um empurrão e entrou à força no salãozinho contíguo ao quarto da mãe. Ela não estava dormindo, estava fornicando. Essa foi a palavra de catecismo ou de aula de religião que veio ao espírito de Lorenzo, "fornicação", para qualificar a cena que se oferecia a seus olhos.

Nu da cintura para baixo, mas ainda com a camisa imaculada e a gravata preta da cerimônia fúnebre, escarrapachado no sofá, e dizendo a meia-voz palavras deliberadamente imundas, seu tio José Manuel era cavalgado por Mercedes, seminua, mexendo as nádegas no compasso frenético das brutais instruções que ele pronunciava, e às quais ela respondia com gemidos cada vez mais agudos, extasiados, e entrecortadas exclamações de prazer.

Lorenzo fechou os olhos com a ilusão desesperada de suprimir a realidade da cena primitiva — em todos os sentidos da palavra —, enquanto gritava desconsolado.

Depois tudo foi desordem e tumulto.

O casal flagrado se desacoplou. Mercedes ficou em pé, baixou a saia amarfanhada. José Manuel se afastou, pulando aos tropeços, em busca de uma peça de roupa com que tapar suas eretas vergonhas. Enquanto isso, Raquel tinha agarrado Lorenzo e fazia força para arrastá-lo para fora do quarto.

Conseguiu, já que ele mal opunha resistência.

Depois o foi levando pelo longo corredor até seu próprio quarto e o jogou na cama, afundado num profundo e ofegante soluço sem lágrimas.

Quando Lorenzo serenou, deitado na cama de Raquel, esta lhe contou a história de Mercedes — a sua também, de certo modo — desde aquele dia infausto de julho de 1936.

Como Benigno Perales as havia resgatado, escondidas no quarto secreto, instalado especialmente para as amantes do avô Avendaño; como as havia levado para Madri, e como tinham sobrevivido na capital sitiada, queimada, bombardeada, durante os anos de soçobro e sobressaltos, com inúmeras mudanças de casa; como tinha sido difícil, em março de 1937, resolver os problemas do parto dos gêmeos, Isabel e ele, e os de sua criação nos anos seguintes, até o final da guerra civil; como, naquele momento, José Manuel tinha reaparecido, vencedor entre os vencedores, prepotente, e como havia prontamente reorganizado a vida da família e assumido sua direção; como Mercedes, tão jovem mãe desamparada, tinha se visto submetida à autoridade de José Manuel, eficaz, restauradora do bem-estar e dos privilégios de outrora, dono e senhor, objetivamente, de seu destino e do de seus filhos, sobretudo por questões materiais; como, num dia de 1941, em La Maestranza, aonde José Manuel costumava ir sem a esposa, uma mulher cafoníssima de Valladolid que odiava a fazenda e a vida do campo, e só aspirava aos faustos da vida da sociedade na capital, como, pois, na tarde da primavera de 1941, quando Mercedes se retirou para seus aposentos, depois do almoço, para umas horas de descanso e leitura — de solidão, em suma —, como, portanto, José Manuel impôs sua presença, e a acompanhou, dizendo-lhe, em tom suave mas enérgico, na soleira do salãozinho: "Hoje, Mercedes, imagino que você já terá adivinhado, vou exercer meu direito de pernada"; como ela se virou, espantada, "mas que estupidez você está dizendo?", e ele lhe explicou com toda a calma, como se explicam as evidências, como se contam as coisas que acontecem normalmente, todo dia; explicou a Mercedes que, sendo jovem e bonita como era — na verdade acrescentou um comentário mais exato e grosseiro, dizendo que ela era tesuda, "falava ao pau", mesmo não sendo coquete, e deixa todos nós com tesão só ao cruzar as pernas quando se senta no salão —, sendo o que era, portanto, aos seus gloriosos vinte e seis anos, não ia permanecer muito tempo viúva, virgem e mártir, solteira enfim, e que ele não estava disposto a permitir que alguém lhe tomasse o uso ou o gozo de corpo tão divino, que alguém se antecipasse nesse propósito, e que, portanto, repito, vou exercer hoje mesmo, a esta hora tão apropriada, propícia, da sesta, meu direito de pernada, que me vem do fato de ser o primogênito dos Avendaño e tutor dos seus filhos, e enquanto dizia tudo isso introduziu-se com ela no quarto, e bem depressa em todo o seu corpo, com uma violência calculadamente bestial, teria dito santo Agostinho — mas não é verossímil que José Manuel tivesse lido uma única linha dos tratados do santo bispo de Hipona sobre o casamento cristão —, e, para falar a verdade, naquela tarde Mercedes só pensou em santo Agostinho na hora em que o cunhado, sem demasiadas premissas nem delicadas ou pacientes preliminares altruístas, a possuiu no sofá até deixá-la exausta de prazer e atormentada por um horrorizado sentimento de culpa, obscuramente delicioso.

Raquel, é claro — e imagina-se que nenhum compreensivo leitor terá tido a mínima dúvida a esse respeito —, Raquel não contou a Lorenzo a história de Mercedes naquela tarde de 1952, no ano em que ele completou dezesseis anos, tão prolixa e impudentemente como o faz agora o Narrador, que não tem nenhuma necessidade narrativa, nem obrigação moral, de edulcorar a realidade salobra e salaz dos fatos. Limitou-se a narrar os episódios principais, insistindo sobretudo nos procedimentos autoritários, quase despóticos, que o primogênito dos Avendaño pusera em prática para exercer o que continuou chamando, com cinismo — mas, de qualquer maneira, para manter claramente sua relação com Mercedes fora do âmbito da santa legitimidade matrimonial —, seu *direito de pernada*.

Em todo caso, já sossegado, Lorenzo ouviu o relato de olhos fechados. Ouvia a voz de Raquel e voltavam à sua mente as imagens cruas que acabava de contemplar e que, ao ressurgirem em sua memória, como numa espécie de tela de cinema, enquadradas por sua curiosa imaginação retrospectiva, estranhamente adquiriam, além da repulsiva surpresa no momento do flagrante, um poder irreprimível de excitação erótica.

É que Raquel, enquanto lhe contava a história de Mercedes, sua mãe, o acariciou com a doçura sábia e precisa de seus dedos e seus lábios de especialista, iniciando-o na deslumbrante descoberta dos prazeres da carne.

"Quanto tempo sem vê-lo, Lorenzo, que alegria..."

Ela está de joelhos, aos pés de Lorenzo. Lembraram-se da mesma coisa, enquanto Raquel acaricia docemente, levemente, o contorno de seu rosto, suas faces, seus lábios.

"O que vai acontecer hoje na fazenda, o que querem os lavradores, quem é El Refilón?", pergunta Lorenzo confusamente.

Raquel ri.

"Muitas perguntas ao mesmo tempo", diz, mas se afasta de

Lorenzo, senta-se num banquinho de palha que vive solto por ali, e as responde.

Conta-lhe primeiro quem foi El Refilón: tinha sido amigo de brincadeiras infantis dos filhos do patrão, assim como Benigno Perales, embora menos; estava em Quismondo, por acaso, ao começar a guerra civil. Contou-lhe o essencial: que estava com os lavradores, naquele dia, mas pelo que ela sabe, pelo que ele mesmo, o Chema, disse depois, eles não vinham com má intenção, ninguém queria matar os donos, o que queriam era ocupar as terras de La Maestranza, coletivizar a fazenda, essa era a palavra mágica que Raquel bem recorda, aquela que, vá saber por quê, eletrizava os lavradores e os camponeses sem terra; coletivização: ficavam alucinados. Seja como for, nunca se soube por que uma escopeta atirou em *seu* José María, e depois houve, por uma espécie de contágio mortífero, temor e rancor misturados, uma descarga sem nenhum perigo, até que *seu* José María caiu crivado de balas.

Mas o que fazia hoje o cadáver de El Refilón em La Maestranza, por que ia ser enterrado na mesma cripta de seu pai?

"Quem lhe contou isso?", Raquel quer saber.

"Ora, o Eloy Estrada, ainda há pouco, em La Prosperidad, quem ia ser?"

"E lhe contou onde estava no 18 de julho?", Raquel pergunta, irritada.

"Não sabe, não se lembra, lembra-se das mensagens no rádio, das proclamações de uns e outros, mas por mais que se esforce não consegue se lembrar do que fez naquele dia, como me disse hoje de manhã", Lorenzo esclarece.

"Pois ontem disse a mesma coisa ao gringo bonitão, que não se lembra mais. Que belo farsante é esse Eloy."

Naturalmente, a referência ao "gringo bonitão" chamou a atenção de Lorenzo. Quer saber a quem Raquel se refere, e ela enrubesce, lembrando-se de coisas que não quer contar, ainda que as relembre com prazer, mas vence sua emoção íntima e lhe explica sumariamente o que sabe de Leidson, o americano, e por que ele foi a La Maestranza. Esse negócio de "gringo bonitão" para falar do americano tinha sido invenção de Domingo Dominguín, Raquel esclarece, e assim Mercedes e ela o chamavam. Bem, dona Mercedes e eu.

Lorenzo sabia que sua mãe e Dominguín eram muito amigos, almoçavam juntos de vez em quando: no Horcher, pertinho da casa dos Avendaño, quando Domingo não estava "ferrado", como costumava dizer, ou seja, sem um tostão; ou em algum restaurantezinho das redondezas, quando os negócios da praça de touros de Vista Alegre não iam bem.

Mas Domingo nunca tinha lhe falado daquele historiador americano. Também é verdade que não tinha obrigação de contar tudo.

Raquel estava explicando que Eloy Estrada, apesar de sua interessada desmemória, estava em La Maestranza quando os camponeses mataram o pai dele. E, ainda por cima, à frente da tropa, embora ele mesmo não tenha disparado: não tinha escopeta.

Meses mais tarde, quando os nacionais entraram em Quismondo a caminho de Madri, ele foi preso. Mas bem depressa voltou ao povoado, livre de acusações e culpas. Ninguém vai me tirar da cabeça, dizia Raquel, que ele comprou a liberdade pondo-se a serviço das novas autoridades. Deve informar o que se passa em Quismondo e no distrito. Tenho certeza, Raquel continuava dizendo, que lê a correspondência de muita gente, porque é ele quem recebe os sacos que chegam de Maqueda, há séculos, e ele que classifica, e é um garoto da prefeitura, o bobinho da aldeia, quem depois entrega as cartas. Além disso, imagine só, Lorenzo, esse delegado Sabuesa que vem a La Maestranza pela segunda vez é unha e carne com Eloy: sem ir mais longe, ontem mesmo, ao chegar de Madri, parou no armazém e almoçou ali numa sala reservada, a sós com Estrada, horas a fio.

Pois já que estava falando de Sabuesa, Lorenzo comentava, a presença do delegado na fazenda, nas circunstâncias atuais do motim dos camponeses, deixava Eloy Estrada nervoso.

"Dava a impressão de que estava prestes a me dizer alguma coisa a esse respeito, algo que o preocupava."

"Eloy só se preocupa com os próprios negócios", disse Raquel, categórica. "E eles vão bem, bem à beça."

Depois, para distrair Lorenzo, contou-lhe a discussão absurda do jantar da véspera a respeito da virgindade. Raquel contava muito bem, tinha dom e bossa para os relatos. Sabia não se perder em detalhes inúteis, e inversamente demorar-se quando era necessário, ressaltar os episódios significativos. Além disso, seus comentários sobre a psicologia dos personagens quase sempre eram atilados.

Ela havia ficado num canto da sala durante todo o jantar, atenta ao que fosse preciso, e até mesmo antecipando-se aos desejos dos comensais, indo de um a outro, silenciosa e eficaz. Isso não a impediu de escutar a conversa e memorizar os momentos mais interessantes.

Reproduziu com tanta exatidão e vivacidade de expressão a conversa sobre a virgindade que Lorenzo acabou rindo às gargalhadas. Mas uma coisa gelou seu riso, como é óbvio, e foi quando Raquel rememorou a grosseira e grotesca exclamação do delegado dizendo que é maricas todo macho que aceita se casar com uma mulher deflorada.

Lorenzo se inclinou para ela, acariciou levemente, com o dedo, o relevo pulposo de sua boca.

"Pois eu me casaria com você", disse.

Raquel deu de ombros, sorridente.

"Mas se eu tenho idade para ser sua mãe!"

"Por isso mesmo, Raquel... como não posso me casar com a minha, primeiro porque é proibido, e também porque ela é propriedade do tio José Manuel..."

Ela teve um sobressalto, se endireitou, fechou sua boca com a mão.

"Acabou, Lorenzo, isso acabou, todo o mal acaba hoje."

Mas Raquel não teve tempo de dizer o que era todo o mal, nem o que acabava, nem por quê.

Mayoral chegava às pressas. Visivelmente aflito, carrancudo, mal-humorado, aproximando-se a grandes passos.

"A Guardia Civil", grita. "Acaba de chegar."

"E por quê?", pergunta Lorenzo.

"O delegado os chamou", Mayoral explica. "Vêm por causa do motim, para pegar o cabeça. Sempre tem um cabecinha, o delegado disse para eles."

Raquel se vira, e logo se mexe.

"Vou avisar a *seu* José Manuel", diz.

E vai com Mayoral para dentro da casa.

Lorenzo custa a voltar à realidade, ao mundo onde existem a Guardia Civil e a Brigada Político-Social. Permanece sentado, absorto em seus devaneios.

> Lorenzo Avendaño. Parece muito amigo de JP, ou seja, de um dos cabeças visíveis da subversão. Foi visto almoçando regularmente com ele. (Vigiar La Taurina, em Alcalá.) Seria um contato ideal para se chegar a Federico Sánchez. Aproveitar a cerimônia de Quismondo para investigar: armar-lhe uma cilada...

José Manuel volta a ler pela terceira vez a nota que Eloy Estrada lhe entregou.

"Decorei", diz este, "e mais tarde pus por escrito para poder informar ao senhor, *don* José Manuel."

Eloy está nervoso.

É que não tem certeza de que convenha de fato fazer o que está fazendo: talvez valesse mais a pena ter guardado a informação descoberta na véspera, e não comunicá-la aos Avendaño. Afinal de contas, a sorte desse rapazinho, Lorenzo, o deixava indiferente. Teria sido melhor deixar que acontecessem as coisas que estavam escritas, se é que estavam. Mas um instinto obscuro levava-o a fazer um favor aos Avendaño. Quem tem mais poder a longo prazo, quem manda mais, melhor e mais tempo: os Avendaño ou um policial de um governo que hoje é assim e amanhã pode ser assado?

Optou por avisá-los: a José Manuel, em particular, que era quem mandava na família. Primeiro esteve prestes a dizer ao próprio Lorenzo, no posto de gasolina de La Prosperidad. Não, teria sido um erro. O rapaz, informado de que Sabuesa tinha alguma desconfiança a seu respeito, teria sido capaz de qualquer traquinagem. Não, o melhor era informar pessoalmente José Manuel: ele saberia o que fazer. Além disso, assim se garantiam discrição e eficácia.

Portanto, depois de pensar muito, dar mil voltas, pegou a moto e foi à fazenda, uma hora depois de Lorenzo ter abastecido o carro no posto de La Prosperidad, de ter falado com ele.

Diante de sua insistência, da urgência que demonstrava, Saturnina o acompanhou até o pátio das laranjeiras, onde José Manuel estava tomando o café-da-manhã.

Essa foi a primeira surpresa daquele dia surpreendente: José Manuel tomando café sozinho, e não em seu quarto, nem no de Mercedes, mas no pátio das laranjeiras. Não que fosse um mau lugar para tomar café, pelo contrário, mas não era o corrente naqueles dias de julho.

Muito cedo, ele tinha sido visto entrando na cozinha semivestido — com as botas calçadas, mas de paletó de pijama — e pedindo a Saturnina que lhe preparasse o café e o levasse ao pátio das laranjeiras. "Muito café bem forte, um suco de grapefruit e pão com azeite." "Só para você?", perguntou Saturnina, surpresa. José Manuel resmungou uma frase pouco compreensível, porque dita muito depressa e em voz baixa, na qual só se destacavam duas palavras cruas, "puta" e "caralho", e depois, acalmando-se, respondeu em voz alta, inteligível: "Com quem você acha que eu posso tomar café a essa hora, a não ser com você?". "Pois então comigo", disse ela sem titubear. E de fato, quando levou a bandeja do café para o pátio das laranjeiras — o que ele tinha pedido e mais um pedaço de queijo *manchego* fresco e um pouco de geléia de marmelo, que costumava apetecer-lhe de manhã —, Saturnina sentou ao seu lado e o acompanhou com um copo de leite morno.

E esperou que ele falasse.

"Há quantos anos você está conosco, Saturnina?", perguntou um instante depois.

José Manuel nunca dizia Satur, sempre Saturnina.

"Todos", disse a cozinheira anciã. "Nasci na fazenda."

"Quer dizer, quantos anos informada de todos os segredos da família?"

"Todos", reiterou a Satur. "Sempre houve segredos, sempre me informei."

"É, é verdade", ele disse. "Desde o do avô que chegou de Cartagena das Índias e ganhou a fazenda de um primo, num jogo de cartas... A fazenda e a dona da fazenda, mulher do pobre primo... Um Avendaño pelo lado materno, que teve de lhe dar um tiro... Uma história divertida quando você conta, mas você sabe que não é totalmente verídica..."

"As histórias totalmente verídicas só interessam à Guardia Civil... Esta casa e a sua família se prestavam à fantasia... Continua sendo assim."

"Como você vai contar o que está acontecendo agora em La Maestranza?", perguntou José Manuel.

Ela olhou para ele, deu um suspiro profundo.

"A quem vou poder contar? Não terei tempo de contar a lenda de hoje aos filhos de Lorenzo e Isabel... A eles, sim, é que isso poderia interessar..."

"Conte para mim, Saturnina... Vamos ver se entendo."

Ela contemplava o primogênito dos Avendaño ainda vivos, depois de tanta guerra colonial ou civil, tantos séculos de aventura. Tocou na mão dele, suavemente, com certa ternura. Meio sarcástica, porém.

"Um dia você teria de tomar sozinho o café-da-manhã, Manuel", disse a anciã.

Que sempre prescindia do primeiro nome dos dois irmãos. Ao mais velho, chamava de Manuel, e ao segundo, de Ignacio, e mais nada. Só ao caçula é que chamava pelo nome completo, José María. E, mais freqüentemente, Josemari.

"Você tem uma mulher muito bonita mas que o atazana, Manuel. Só de pensar nela você tem vontade de bocejar. Não sei como foi que conseguiu se aproximar bastante dela para engravidá-la duas vezes... De tanto se chatear você nem sente tesão, já sei. Há anos você a respeita como à Nossa Senhora de Fátima, imagino o que terá inventado para que ela não se espante nem se sinta humilhada por tanta desatenção, por tamanho desprezo, para que não se atormente pensando que você se satisfaz com outra fêmea: você lhe terá contado que, para que os seus negócios frutifiquem, entrou para o Opus Dei, com voto de castidade, e que, em vez de uma boa trepada, oferece a ela os milhões, algo assim você terá inventado, Manuel, que eu o conheço direitinho... Mas a única que você amou de verdade, o que se chama amar, foi Mercedes Pombo. Eu estava no Sardinero com vocês, sempre estava com vocês nos veraneios, naquela época, em Biarritz, no Sardinero; vocês confiavam em mim, e também talvez por conta da cozinha, porque eu sabia preparar tudo o que vocês adoram, o trivial e o fino, as *migas* e as sopas de grão-de-bico e as moelas, assim como a lagosta à americana, ou o filé a Rossini, pois é, tudo o que vocês apreciam, e então vi Mercedes aparecer, quando ela e Josemari começaram a namorar, isso foi em 1934, o ano que acabou mal, greves por todo lado, e a revolução das Astúrias, e ali apareceu também o nosso generalzinho, bem, Generalíssimo, matando os mineiros em vez de matar os mouros, mas antes disso, no verão, apareceu Mercedes, Josemari a conheceu numa festa do Clube de Tênis do Sardinero, e se apaixonaram, começaram a namorar, e a apresentaram a Ignacio, que já ia ser padre, e a você, Manuel, que já ia levando a vida na flauta, já estava casado com a senhorita de Trévelez, que é de Valladolid, lindíssima mas caipira que nem arroz-doce, e ainda por cima de esfíncter estreito, e você já andava muito jururu. E Mercedes o deslumbrou, e você sempre pretendeu, presumiu que ficaria com ela, tirando-a do seu irmão mais moço, se já não estivesse casado, se não fosse um cavalheiro, mas isso era pura pretensão, posso lhe dizer, pura e puta bazófia, porque Mercedes só tinha olhos para Josemari, naquele verão nem percebia que existiam outros homens, você teve de esperar que o seu irmão morresse para se meter com ela, mas hoje toda essa história acaba, porque Lorenzo tem vinte anos e a mãe prometeu-lhe esse presente de aniversário, e nunca mais você vai entrar no quarto dela, nem nunca mais ela vai abrir as pernas quando você quiser, Manuel, você vai ter que procurar outra boca-rica..."

Ele a interrompe, furioso.

"Sabe o que ela me fez ontem à noite?"

Saturnina se esbaldava. Acabou de beber o copo de leite e respondeu às gargalhadas.

"Sei, Manuel... Fechou a porta para você e meteu o americano no quarto. Raquel também estava, não é? Você deve saber o que fizeram, ou imagina, porque já aconteceu o mesmo com você, isso de passar a noite toda com as duas... Mas talvez não tenha acontecido nada, talvez só estivessem fazendo de conta, para que você entendesse que não é mais o amo..."

Aparece uma moça da cozinha, apressada, para lhes dizer que Eloy Estrada chegou, e precisa falar agora mesmo com *seu* José Manuel.

"Vá ver o que ele quer, Saturnina, e traga-o aqui se achar que é mesmo urgente."

Seria um contato ideal para se chegar a Federico Sánchez. Aproveitar a cerimônia de Quismondo para investigar: armar-lhe uma cilada...

José Manuel Avendaño acaba de ler em voz alta as últimas linhas da nota de Sabuesa, descoberta e copiada por Eloy Estrada.

Continua no pátio das laranjeiras, mas já acabou o café-da-manhã, e Eloy já foi embora. Está tomando um copo de *orujo*: o dia promete ser agitado.

Mandou chamar Benigno Perales e leu para ele as últimas linhas da nota do delegado. Na verdade, achou que Benigno é quem podia ser ouvido, atendido ou entendido por Lorenzo.

Quanto a ele, Lorenzo não lhe daria a menor bola.

"Quem é Federico Sánchez?", pergunta José Manuel.

Benigno diz o pouco que sabe: um nome novo na clandestinidade comunista, divulgado pela propaganda do próprio regime durante as manifestações de fevereiro. Publicaram uns artigos dele na imprensa clandestina, inclusive o discurso do V Congresso do partido, celebrado no estrangeiro, provavelmente em Praga, durante o qual ele foi nomeado membro do Comitê Central, há um ano e pouco.

"Mais não posso dizer", conclui Benigno.

"Segundo Estrada, o delegado Sabuesa está convencido de que esse Sánchez (deve ser um pseudônimo, não é?) está em Madri; convencido também de que mais dia menos dia vai prendê-lo..."

Benigno se lembra do que Domingo lhe disse, imprudentemente, meses antes, algo que ele não quis ouvir até o fim. Domingo lhe disse que, se se interessasse em conhecer Federico Sánchez, iria com ele a La Companza. Lembra-se de que o interrompeu, não quis saber mais nada. "Nem a mim você conte isso", tinha dito a Dominguín, abruptamente.

A proposta de Domingo, por mais indiscreta ou imprudente que fosse, parecia demonstrar que Federico Sánchez, um fantasma tão citado, estava na Espanha, não era um desses que estavam fora e mereciam tão pouca confiança de Benigno.

Portanto, era possível que o delegado tivesse razão: talvez estivesse vivendo em Madri.

Mas José Manuel tinha voltado à nota de Sabuesa e lia de novo em voz alta outra de suas frases.

"Ainda se referindo a Lorenzo: 'Parece muito amigo de JP, ou seja, de um dos cabeças visíveis da subversão...'. Você tem idéia de quem pode ser esse JP?"

Benigno tinha uma idéia claríssima, não tinha a menor dúvida sobre o nome completo que se escondia por trás das iniciais. Além disso, e como se fossem poucos os dados objetivos que conhecia, Javier Pradera havia almoçado em La Companza semanas antes, no começo do verão. Fora a Quismondo com Dominguín e outro rapaz da sua idade, se bem que muito diferente, meio charlatão, ele achou, ou pelo menos brincalhão, que pronunciava o erre arrastado, mais palatal que labial, como os franceses, e que ele acabou identificando como sendo Enrique Múgica, a respeito de quem a imprensa falangista tinha publicado longuíssimas reportagens que pareciam um romance de espionagem em fascículos, sobre seu papel na revolta estudantil de fevereiro.

Múgica acabava de chegar de San Sebastián, para onde teve de voltar, depois de seu encarceramento durante as manifestações de fevereiro. Valeu-se da desculpa de um trâmite universitário para retomar contato com a organização comunista estudantil e discutir com Pradera o conjunto da situação: balanço e perspectivas, segundo a costumeira linguagem codificada, ou melhor, o jargão, do partido.

Conversaram a sós por um tempo e em seguida se juntaram aos outros convidados.

Depois do almoço chegara para tomar café, vindo de La Maestranza, Lorenzo Avendaño, cavalgando uma bicicleta estranhíssima, solene e rígida como um pastor protestante, o que tinha uma explicação: era um artefato holandês com freio de pedal, pesado mas "inatingível pelo desânimo", dizia Lorenzo, debochando do conhecido lema falangista.

E ficou claro que JP e Lorenzo simpatizavam um com o outro, que suas leituras e preocupações coincidiam.

Ou seja, o veado do Sabuesa não estava mal informado.

Mas Benigno Perales não disse nada disso a José Manuel Avendaño.

"JP? Assim, de chofre, não percebo. Talvez eu lembre se repassar os nomes dos amigos de Lorenzo."

E nisso Raquel e Mayoral chegam correndo ao pátio das laranjeiras.

"A Guardia Civil, senhor", grita Mayoral, com a voz rouca, transtornada, de vinte anos atrás.

Mas vinte anos antes não era a Guardia Civil, mas o tropel armado dos lavradores sem terra.

José Manuel pergunta, furioso:

"A Guardia Civil, por quê? Quem a chamou?"

Mayoral explica que foi a pedido do delegado Sabuesa, para investigar a história do motim.

José Manuel fica fora de si.

"Sabuesa?", grita. "E quem autorizou? Nesta casa só quem manda sou eu, aqui não manda o delegado nem o bispo nem Cristo que o pariu."

E sai como uma fúria, seguido por Mayoral, a passos largos.

Benigno e Raquel ficam sozinhos. Curiosamente, as mesmas rimas que rondavam a memória de Lorenzo ainda há pouco rondam agora a de Benigno, ao olhar para Raquel:

¿A quién esperas tan de mañana
con esos ojos y esas ojeras:
enjauladita como las fieras
tras de las rejas de tu ventana...?

Mas Benigno sabe muito bem de onde são esses versos: lembra-se.

"Onde está Lorenzo?", pergunta a Raquel. "Tenho que falar com ele o quanto antes..."

"Há pouquinho estava no alpendre. O que está acontecendo?"

"Vai acontecer", diz Benigno.

E sai à procura de Lorenzo.

"Parece coisa de filme", diz Isabel. "De filme russo, claro, desses horrorosos de que você tanto gosta."

Lorenzo deu um pulo, negou energicamente com a cabeça.

"Nem gosto nem são tão horrorrosos, Isabel."

"Não discuta, Lorenzo: você gosta e são horrorosos."

Já eram onze da manhã e estavam numa das galerias internas que davam para o pátio, ao sussurro das fontes. A Satur tinha trazido um lanchinho, porque o almoço estava atrasado, disse-lhes, embora a cerimônia de hoje fosse necessariamente mais curta — missa de funeral cantada e acabou-se o que era doce —, neste último 18 de julho.

"Bem, Satur", Lorenzo dissera, "último nesta casa, mas é que na Espanha ainda nos restam muitos, infelizmente."

A Satur nunca opinava quando se tratava de política.

"Gostou do sanduíche que preparei para você?"

Adorou: pão e omelete de batatas, molhadinha, dourada, suculenta. E com o sanduíche, uma jarrinha de vinho tinto da casa, forte, talvez demais — 18 graus de teor alcoólico —, e que deixava meio tonto.

Já fazia um tempinho que a Satur tinha ido embora. Isabel voltou à carga.

"O que vimos juntos em Paris, *O juramento*, era horroroso e você gostou."

Havia nesse filme, que tratava dos problemas da coletivização das terras, uma seqüência incrível. Apresentam a Stalin, na Praça Vermelha de Moscou, um exército de tratores novos, recém-saídos das fábricas do plano qüinqüenal. Durante o desfile, um dos tratores pára, repentinamente enguiçado, e o mecânico não consegue ligar o motor. Stalin se aproxima, dá uma olhada, toca sabe-se lá que buginganga e o trator arranca perfeito, de primeira. Mão de santo, pois, mão de rei taumaturgo: uma seqüência exemplar para ilustrar o que foi o "culto à personalidade".

"Não gostei, me interessei", disse Lorenzo, seco.

"Não me venha com sofismas, Lorenzo", disse ela.

Lorenzo não respondeu, não tinha vontade de entrar nesse momento numa discussão com a irmã sobre o "culto à personalidade" que acabava de ser denunciado no relatório secreto de Kruschev no XX Congresso do partido russo.

Isabel tomou um gole de vinho. Não tinha pedido sanduíche, mas gostava do tinto da fazenda: saboreou-o.

"Pode-se saber em que tudo isso parece um filme soviético?"

"Em tudo, ora essa", Isabel apressou-se, peremptória. "Os trabalhadores rurais, o motim, o tratorista, que é naturalmente o cabeça, como manda o figurino, ou melhor, como mandam os manuais de marxismo que você detesta. Escute aqui, Lorenzo, por que você gosta dos filmes russos e não do manual de marxismo-leninismo, de Konstantinov, se são iguais? Quer dizer, igualmente pesados, primários, bem-pensantes, chatos. Mas o que está acontecendo é coisa de manual, ora essa: na fazenda viviam nossos lavradores, sofridos, curtidos, resignados, trabalhando de sol a sol sem nunca reclamar, e chega um tratorista, porque tio José Manuel introduziu em La Maestranza a exploração intensiva das terras, acabando com a terra coutada e os bucólicos pastos de gado medievais, é o que vocês chamam de clássicos e você chama de via prussiana para o capitalismo, ou seja, ele introduziu os tratores, e chega um mecânico de uma oficina de Madri, um proletário de verdade, e infunde-lhes consciência e espírito de classe. Não está nos manuais, justamente, esse papel de vanguarda da classe operária?"

Lorenzo começou a rir, abraçou a irmã, beijou-a.

"Sabe, Isabel, agora de manhã você está genial... Bem, talvez eu exagere: engenhosa, é isso."

"Pois então, como é? Você se interessa por mim ou gosta de mim?"

Isabel o encarava, desafiadora.

"Gosto de você", ele disse, "mas não vou degustá-la..."

Tomou um bom gole de vinho, de repente sentira a boca seca.

"O que você vai conseguir, seu sem-vergonha, é me desgostar", Isabel respondeu, em voz baixa.

Olharam-se, riram às gargalhadas: desde crianças adoravam jogar com as palavras, inventando-as quando necessário. Escutavam com fervor as histórias da Satur, não só pela história em si, mas também porque a linguagem da anciã tinha um sabor particular, um vocabulário surpreendentemente rico e cheio de vocábulos esquecidos ou em desuso.

Riram, e a moça escondeu o rosto no ombro do irmão.

Depois do café e da prosa e dos mexericos com a Satur e seu séquito feminino na cozinha, Isabel tinha subido ao quarto para tomar banho e mudar de roupa. Agora, na galeria, vestia um jeans e botas rústicas, um cinto largo de couro que realçava a cintura fina, e uma camiseta justa que ressaltava a firmeza de seus seios pequenos.

Isabel e o irmão gêmeo se pareciam, o que não é insólito, como duas gotas d'água, e ela tentava acentuar a semelhança usando cabelo curto, bem de rapaz, e camisas masculinas, folgadas, dois ou três tamanhos acima do seu, nas quais seu torso se esfumava, dissimulando assim a turgescência... (ao chegar a esta palavra, ou melhor, quando lhe chega esta palavra, o Narrador tem a impressão de que, justamente, ela chega de um remoto passado, de uma remotíssima leitura infantil; assim, deixa-se levar pelas assonâncias e ressonâncias despertadas por essa palavra que lhe chega de outrora, e em seguida se recompõe em sua bem-aventurada memória a frase, ou fragmento de frase, da qual procede: "a deliciosa turgescência de um seio de mulher"; meu Deus, quantos anos, quantas vidas e mortes acumuladas desde então, desde essa frase de um romance de faroeste, de Zane Grey, autor que, com Emilio Salgari, foi o mais lido durante a sua infância e a primeira adolescência, autor daquele romance cujo título ele não lembra, um entre tantos, em que um caubói solitário e corajoso descobre de repente, no difícil momento de uma emboscada ou tiroteio, que seu jovem companheiro de armas é uma companheira, e descobre justamente por causa disso, pela "turgescência, a deliciosa turgescência de um seio de mulher", de repente, em plena refrega, revelada casualmente; e o Narrador, ao se lembrar de Zane Grey, pergunta-se se a figura de Isabel Avendaño não terá sido forjada, ou amassada como barro adâmico, em seu memorioso subconsciente graças à lembrança postergada mas inesquecível daquele rapaz de um romance de faroeste, subitamente revelado como sendo uma moça graças à "deliciosa turgescência" de um seio descoberto no ardor desordenado de um tiroteio — e se tivesse sido assim? —, se aquela palavra que, por ser desconhecida e sugestiva, tanto intrigou e excitou o Narrador, ainda criança, se talvez aquela palavra teria navegado pelos rios de seu sangue, de sua intimidade — sangue abrasador, tímida intimidade — até ir engendrando essa figura de Isabel, tão real como a da moça imaginária de Zane Grey, esta Isabel que agora está escondendo o rosto no ombro de seu irmão gêmeo, com quem tanto se parece e gostaria de se parecer ainda mais, até confundir-se com ele, ou até que a confundam com ele, até fundirem-se ambos numa só imagem, esta Isabel abraçada a Lorenzo, figura andrógina, com seus jeans e cabelo curto, que hoje não usa uma camisa de homem folgada demais, mas uma camiseta justa que realça a deliciosa turgescência de seus seios pequenos de mulher).

Seja como for, Isabel e Lorenzo não se atrevem a se olhar, escondem-se mutuamente os olhos que um desejo obscuro e culpado poderia fazer refulgir perigosamente.

* * *

Até a aparição tardia do sangue da menstruação — tão tardia que Mercedes chegou a se preocupar e levou a filha a um especialista, que não soube dizer muita coisa, tudo parecia normal, havia que esperar a natureza se decidir, enquanto Isabel, de certo modo orgulhosa dessa espécie de anormalidade, se alegrava com aquele atraso que prolongava sua semelhança com Lorenzo —, até então Isabel tinha vivido sua infância à *garçon*, dividindo tudo com seu irmão gêmeo: todas as horas do dia, os jogos e os primeiros estudos. Juntos tinham descoberto, mais tarde, o movimento dos astros e dos impérios, o alfabeto da imaginação; juntos tinham lido — a biblioteca de La Maestranza, mesmo antes que Benigno a pusesse mais ou menos em ordem, foi inesgotável fonte de maravilhas — os poetas e os filósofos; juntos tinham conhecido as primeiras turmas e brigas, as primeiras cumplicidades aventureiras e venturosas, mais ou menos lícitas, com outros garotos e garotas no Retiro, tão próximo à casa de Madri, ou em Quismondo.

Isabel odiou a diferença radical que estabeleceu entre ela e Lorenzo o fluir do sangue feminino: custou a aceitá-lo, a assumi-lo. Nos primeiros tempos fez o impossível para escondê-lo e esconder-se. Depois se acostumou a desaparecer da vida de Lorenzo nos dias da menstruação, como se tivesse vergonha de ser diferente, tão radicalmente diferente, como se essa diferença a repugnasse.

Foi nessa ocasião que Isabel descobriu que a relação com sua mãe podia ser singular: pessoal, específica. Não só filial, mas também feminina. Teve com Mercedes longas conversas que a ajudaram decisivamente a entender a si mesma, não só como gêmea de Lorenzo, gêmea de um homem, idêntica na aparência — e com o desejo de ampliar, na medida do possível, essa identidade, essa identificação —, mas como diferente, como pertencendo a outra forma de ser, de estar na humanidade, compartilhada com os homens, é claro, mas como fêmea, como elo autônomo da raça feminina.

Dessa raça, e Isabel acabou assumindo, o sangue é um sinal de identidade, de diferença fundamental, Mercedes lhe explicava com paciência e delicadeza: sangue de menstruação que só se interrompia, provisoriamente, durante a gravidez; e definitivamente, na menopausa; portanto, sangue da fecundidade; sangue da virgindade, entregue a um homem para ungi-lo não só como dono e senhor de seu corpo, mas como companheiro de alma e de sonhos; ou arrebatada por ele num ato de tomada de posse, de violência que nunca poderia excluir de todo — por mais legítima que parecesse —, por mais ternura que circulasse entre os corpos ofegantes, a viril arrogância fálica.

Numa dessas conversas, ao longo das longas tardes em La Maestranza, talvez no pátio das laranjeiras; ou talvez em Madri, no terraço da casa da rua Alfonso XII, que dominava a escadaria de uma porta monumental do Retiro, no final da rua de Antonio Maura, numa daquelas tardes (mas quem era o amigo de José María que lhes recitava seus próprios poemas, no Sardinero, no início do namoro, isto é, por volta de 1934 ou 1935? Não se lembra do nome desse amigo, não, não era José María del Río Sainz, mas em compensação lembra-se de alguns versos: "*se acabarán las tardes, pero* LA TARDE *queda;/ la clara y la perenne que hay en mi fantasía, y que cuando ya todas traspongan la vereda,/ ha de hallar — no sé dónde ni cómo — el alma mía*"), em alguma daquelas tardes, em alguma daquelas longas conversas, Mercedes contou a Isabel, e nunca se sentiu tão próxima da filha, contou-lhe um pouco de sua viagem de lua-de-mel pela Itália, no longíssimo mês de julho de 1936.

Nada disse, é óbvio, de Luciana, a empregadinha napolitana, nem da beleza nórdica que se ofereceu a eles, nem do jovem Timothy, o fotógrafo inglês de Biarritz, mesmo que se lembrasse desses episódios ao contar outros da viagem de núpcias, menos excitantes mas igualmente verdadeiros. Contou a Isabel como e por que a peripécia, ou cerimônia íntima, da defloração tinha demorado até a temporada em Nápoles e, de passagem, lhe revelou a possibilidade multifacética, nunca tão bem dito, do prazer carnal sem prejuízo da sacrossanta virgindade — sacrossanta, antes do casamento, esclarecia Mercedes, pelo menos em nossas sociedades patriarcais, orientadas mais para a sobrevivência procriadora do que para a vivência prazerosa —, e nesse contexto, naturalmente, falou um pouco de santo Agostinho e de seus sugestivos conselhos sobre o casamento cristão.

Assim, uma vez aconteceu de Lorenzo entrar no salão da rua Alfonso XII, que se prolongava num terraço dando para a perspectiva do Retiro, mais exatamente para a alameda das Estátuas e para o lago, e flagrar as duas lendo juntas, bem juntinhas, o mesmo livro, um volume da Biblioteca de Autores Cristianos, o tomo XXXV das *Obras completas* de santo Agostinho, que contém a terceira parte dos escritos antipelagianos, e muito especialmente o tratado sobre *O casamento e a concupiscência*, e ao se aproximar e vê-las assim lendo e murmurando em uníssono, Lorenzo não pôde conter o riso e disse ironicamente "mas parece que vocês estão lendo um livro erótico", e Isabel respondeu "tem algo disso", mas logo enrubesceu, o que intrigou Lorenzo, e ele tirou o livro das mãos delas e ficou tremendamente espantado ao verificar que era de santo Agostinho, espanto que se transformou em curiosidade irônica quando viu na capa o título de um dos textos: *O casamento e a concupiscência*, justamente, e quis caçoar delas dizendo a Isabel "aposto que você se interessa mais pela concupiscência do que pelo casamento", ao que ela respondeu, para deixá-lo com raiva, "a gente vai lhe contar quando você for mais velho, Lorenzo", e é claro que ele ficou com raiva.

Seja como for, ao contar a Isabel — mesmo omitindo certos episódios — a história da lua-de-mel Mercedes se deu conta de que uma obscura coerência regeu os dias daquela viagem: desde a tela de Artemisia Gentileschi no Museu de Capodimonte até a obra de García Lorca, *A casa de Bernarda Alba*, que o próprio Federico leu para eles, numa noite de julho, na casa de Eusebio Oliver; isto é, desde a *Degolação de Holofernes por Judite*, virgem judia, oferecendo o sacrifício de sua virgindade para salvar os seus, até a morte de Adela, filha caçula de Bernarda, deflorada por Pepe, el Romano, para desonra da família — a mãe, Bernarda Alba, não gritava, desesperada, contra toda evidência, quando descobre que sua filha caçula se enforcou: "Baixem-na! Minha filha morreu virgem! Levem-na para o quarto e vistam-na como uma donzela! Ninguém diga nada! Ela morreu virgem..."? —, do começo ao fim da viagem de núpcias, pois, um fluxo de sangue feminino foi, sem dúvida obscuramente, o sufocante, infausto sinal do destino.

Mas Isabel se afasta do irmão, bebe mais um gole de vinho.

"Digo a você, Lorenzo", diz, "parece filme russo..."

"Bem, está bom, mas não diga que são horrorosos, há de tudo."

Tinham descoberto os filmes russos dois anos antes, em 1954. Acabavam de fazer dezoito anos, e Mercedes os havia mandado a Paris, dois meses inteiros, no verão, "para que se desembaraçassem", disse, antes de entrarem na universidade.

Naturalmente, em Paris descobriram não só os filmes russos, mas o cinema em geral: o bom cinema clássico e moderno de todos os continentes, que a situação de merda da censura carola e do provincianismo cultural da sociedade espanhola da época os havia impedido de conhecer.

Empanturraram-se de filmes, entre os cinemas das grandes estréias e os de bairro, entre as sessões especiais dos cineclubes e as sessões da cinemateca: passaram a vida consultando a programação nos jornais.

Com muito mais eficácia do que os livros de história que haviam lido nos anos do liceu, a realidade do mundo se revelou a eles em certas ficções cinematográficas: *To be or not to be*, de Lubitsch; *As vinhas da ira*, de John Ford; *O encouraçado Potemkin*, de Eisenstein, *Os boas-vidas*, de Fellini, entre outras, para citar apenas as primeiras que ocorriam a Lorenzo.

Mas Paris não foi só uma festa de cinemas e livrarias. Deste ponto de vista, o dos livros, Isabel e Lorenzo tinham menos atraso a recuperar: a biblioteca de La Maestranza estava cheia de autores interessantes, ou seja, proibidos; assim, por exemplo, havia obras de Marx, e dos marxistas alemães dos anos 30, em edições inglesas e francesas — e também em alemão, é claro, sua língua original —, sem esquecer as traduções para o castelhano de alguns textos-chave de Marx, feitas e anotadas por Wenceslao Roces para as edições Cénit.

Paris foi também uma janela aberta para os acontecimentos da época, um posto de observação da paisagem histórica.

Stalin tinha morrido no ano anterior e a rígida armação do império soviético já começava a estalar; em Berlim, poucos meses depois do desaparecimento do "pai dos povos", o Exército soviético tivera de intervir — foi a primeira, mas não a última vez — contra as manifestações operárias, apoiadas pela maioria dos cidadãos da Alemanha Oriental: tudo isso provocava discussões, reflexão autocrítica, e também desconcerto e desânimo na esquerda européia, debate convulsivo e reflexão coletiva, os quais, como é evidente, como era de prever, tiveram em Paris um de seus focos e foros mais vivos e produtivos.

Como se não bastasse, começava o princípio do fim da era colonial, o que provocava na França conflitos exasperados, devido justamente ao atraso que a tradição centralista e estatista desse país havia acumulado na solução dos problemas de independência ou autonomia dos diversos países do império colonial, solução que a Grã-Bretanha já tinha posto em marcha anos antes.

Em 1954, poucos meses antes que Isabel e Lorenzo se instalassem em Paris, o campo entrincheirado do exército colonial francês havia capitulado diante das tropas do Viet-Minh em Dien-Bien-Phu, prelúdio da derrota definitiva da França na Indochina. E poucas semanas depois de sua temporada na capital francesa, em novembro de 1954 começava a insurreição argelina.

Naquelas semanas de efervescência intelectual, de dúvidas e opções arriscadas — Lorenzo voltou de Paris decidido a buscar contato com as atividades comunistas clandestinas, das quais Benigno Perales, ainda que organicamente distante, havia insinuado alguma coisa nos últimos tempos —, Lorenzo encontrou um reforço ideológico numa longa reportagem que Jean-Paul Sartre publicou naquele verão, ao retornar de uma viagem à URSS.

Em sua defesa da política soviética, da necessária aliança dos intelectuais com o Partido Comunista, Sartre, novo Pangloss reencarnado, chegou a escrever que "por volta de 1960, em todo caso antes de 1966, se a situação econômica da França continuar parada, o nível de vida médio na União Soviética será de trinta a quarenta por cento superior ao francês...".

Mas Isabel tinha se afastado de seu irmão, oferecendo-lhe de novo um olhar interrogativo.

"Lembra-se de nossas leituras em Paris há dois anos?", pergunta a Lorenzo.

"Lembro", ele diz.

"Lembra-se de *La gitanilla* de Cervantes?", ela insiste.

"Lembra-se do *Quixote*?", ele retruca.

Riem de novo, cúmplices na alegria leve, irônica e terna, da memória.

No apartamento que amigos de Mercedes Pombo tinham posto à sua disposição, com o necessário serviço, para alojar Isabel e Lorenzo durante a temporada em Paris, havia uma biblioteca apreciável (e o Narrador conjectura, no momento de descrever este detalhe verídico de seu relato, se a presença de ricas bibliotecas em todos os lugares em que Lorenzo teve a oportunidade de viver, se essa circunstância não terá sido um dos maiores privilégios de tão, de certo modo, privilegiada existência), e nessa biblioteca tinham encontrado as obras de Cervantes, mas, curiosamente, não em espanhol. Lorenzo tinha lido o *Quixote*, do qual até então a admiração acadêmica costumeira e convencional o mantivera afastado, numa edição alemã, barata e popular, de Tauschnitz. Quanto a Isabel, tinha devorado as *Novelas exemplares* numa versão francesa: *La gitanilla* era, portanto, *La petite gitane*.

"Pois é, em *La gitanilla*", dizia Isabel, "tudo gira em torno da virgindade de Preciosa, e ela quer preservá-la como único tesouro que possui..."

E Lorenzo a interrompe, declamando uma romança de Lorca:

"'*Niña deja que levante/ tu vestido para verte./ Abre en mis dedos antiguos/ la rosa azul de tu vientre./ Preciosa tira el pandero/ e corre sin deternerse/ El viento-hombrón la persigue/ con una espada caliente*'."*

* "Menina, deixa que eu levante/ teu vestido para ver-te./ Abre em meus dedos velhos/ a rosa azul de teu ventre./ Preciosa atira o pandeiro/ e corre sem se deter./ O vento-homão a persegue/ com uma espada candente." (N. T.)

Isabel bate palmas de alegria e excitação.

"Isso mesmo, tem razão, Lorenzo. Eu não tinha me dado conta... A ciganinha de Lorca também se chama Preciosa."

"E também", diz ele, "protege sua virgindade..., embora não saiba, tanto quanto a de Cervantes, o valor de troca e de uso de seu tesouro..."

"Lembra-se do final do poema?", pergunta Isabel.

Lorenzo o recita em voz baixa, de olhos fechados, como dizemos ao escurecer palavras de amor ou nostalgia, como dizemos o sabor da vida. Ou da morte.

Preciosa, llena de miedo,
entra en la casa que tiene,
más arriba de los pinos,
el cónsul de los ingleses.
El inglés da a la gitana
un vaso de tibia leche,
y una copa de ginebra
*que Preciosa no se bebe.**

Ficam calados um instante, embalados pela música da romança lorquiana.

Depois, ao final desse silêncio, Isabel murmura quase ao ouvido de seu irmão: "Você já sabe o que eu decidi, Lorenzo, já lhe disse hoje de manhã: quem tem de me desvirginar é você".

Lorenzo não se assusta; de fato, sabia, Isabel já tinha lhe dito naquela madrugada, quando ele voltara para casa e ela o esperava.

* "Preciosa, cheia de medo,/ entra na casa que é,/ mais acima dos pinheiros,/ a do cônsul dos ingleses./ O inglês dá à gitana/ um copo de leite morno/ e um cálice de gim/ que Preciosa não bebe." (N. T.)

* * *

Com tamanha contundência tinha lhe dito, pela primeira vez, naquele dia, mas desde os tempos de Paris, dois anos antes, essa fantasia ficara rondando as conversas de Isabel, esse desejo de ser deflorada por ele, se bem que, até agora, ela sempre tivesse dito isso de um jeito meio alusivo, num tom meio galhofeiro, como um gracejo ou uma brincadeira privada, íntima.

Muito diferente da Preciosa, a ciganinha de Cervantes — a de Lorca, séculos depois, era uma imagem poética, patética, na qual se expressa com perfeição literária o quase-mítico, ou pelo menos fascinado, terror, ou horror, do poeta andaluz diante do sangue feminino da fecundidade, diante desse sinal de alteridade radical, talvez hostil, ou pelo menos incompreensível, angustiante obsessão sobre a qual Lorca constrói a trilogia trágica de *Bodas de sangue*, *Yerma* e *A casa de Bernarda Alba* — ; muito diferente, pois, da ciganinha de Cervantes, para quem a virgindade era presente ou tesouro que convinha administrar da melhor maneira possível, tanto sentimental como materialmente; muito diferente também da opinião e do hábito predominantes na sociedade, Isabel, e não se sabe muito bem por que caminhos, por causa ou por culpa de que vivências (em todo caso, o Narrador não teve a possibilidade de investigar a raiz ou origem da atitude decidida da moça a esse respeito, e nesse caso não pode se remeter, nem nos remeter — incluindo nessa primeira pessoa do plural todos os possíveis leitores — a nenhum documento ou testemunho fidedigno); Isabel, em suma, havia decidido, já fazia algum tempo, se livrar o quanto antes dessa maldita — para ela, e sacrossanta para outros — virgindade, conquistando o que considerava sua liberdade de mulher mediante o sacrifício voluntário, e se fosse com gozo melhor ainda, de sua condição de donzela.

Dois anos antes, em Paris, tentara, sem êxito.

Mercedes Pombo, sua mãe, os tinha enviado a Paris "para que se desembaraçassem", e eles levaram a sério o conselho. Sobretudo Isabel, porque Lorenzo, desde que Raquel o iniciara nos prazeres da carne naquele 18 de julho de seus dezesseis anos, depois do alvoroço provocado por sua declamação de Alberti, depois da odiosa descoberta da brutal fornicação de sua mãe com tio José Manuel, havia continuado a se desembaraçar com Raquel, especialista, submissa, audaciosa, esplendidamente educativa nesses exercícios, e não só nos corporais, decerto, também nos gestos e modos da alma e da ternura; assim, em Paris, dois anos depois, Lorenzo prosseguiu sua exploração da eterna feminilidade — *das ewig Weibliche*, dizia em alemão, quando lhe dava o que sua irmã chamava de "cafonice orteguiana" — com a ajuda enlevada de uma ou outra amiga de Mercedes, todas casadas e talvez jovens mães de família, mas intrigadas e seduzidas, antes de tudo, pela inteligência, pelo alegre desembaraço e pela beleza viril de Lorenzo, atração confirmada *post factum* pelo vigor imaginativo que o jovem Avendaño demonstrava nos embates do amor adúltero; portanto, foi sobretudo Isabel que resolveu se desembaraçar, mas suas tentativas fracassaram.

Certa ocasião achou que estavam reunidas as condições ideais para passar do dito ao feito. O candidato que elegeu para lhe sacrificar sua fina flor era um argentino de uns trinta anos, bonito, inteligente, rico — e até podia lhe dizer o conhecido e batido dístico, porque se chamava Federico —, com quem Isabel saiu várias vezes, todas agradáveis, mas chegada a hora possível da verdade ela descobriu que o argentino era um sujeito muito convencional que só se permitia considerar a defloração de Isabel — perspectiva, aliás, que se apresentava como desejável, pois estava apaixonado — no quadro estrito de um noivado e casamento. E quando a moça insistiu, formulando-lhe claramente seu desejo de se tornar mulher com ele, sem pretensão nem necessidade matrimonial de ambas as partes, nem a dela nem a dele, mas como um ato de união livre e adulta, o argentino se enfureceu, indignou-se diante de tal proposta escandalosa.

Para isso, disse ele a Isabel, eu vou com as putas, não preciso de você para nada, boneca, como pode imaginar que vou me casar com uma mulher desvirginada, ou seja, desavergonhada? Mas desvirginada por você, rapaz, não seja idiota, dizia Isabel. Você se entregar a mim, argumentava o Federico morbidamente sério, por bem, sem mais nem menos, quer dizer que você se entregaria a qualquer um, que já não é coisa minha, mas você não entende, Isabel, não entende que para ser minha tem de ser de verdade, no sacramento do casamento?

Em suma, não houve nada a fazer.

A discussão, num bar da moda em Montparnasse, de sofás e poltronas fofas, tudo de mogno e jacarandá, terminou abruptamente. Cansada de sofismas e sonsices, Isabel jogou a taça de champanhe na cara dele e foi embora, deixando-o plantado.

A segunda ocasião — se nos referimos apenas às ocasiões de verdade, deixando de lado os flertes tão efêmeros como inevitáveis — também se frustrou, mas dessa vez por motivos muito diferentes. O rapaz, um madrilenho de "ótima família", dizia estranhamente Mercedes, pois nunca pareceu prestar atenção nem se interessar pela situação social ou pela posição dos pais cujos rebentos Isabel freqüentava, aquele rapaz, portanto, recusou de imediato a possibilidade de deflorar a moça porque não quero privá-la, dizia-lhe, seria uma canalhice, desse tesouro que constitui a sua virgindade em nossas sociedades, mas em compensação, sem desonrá-la nem desvalorizá-la para qualquer pacto matrimonial digno do seu status familiar, proponho explorarmos juntos os caminhos do prazer, e ensinar-lhe quantas coisas podem ser feitas gostosamente sem nenhum prejuízo de sua virgindade.

Mas se o que eu quero é justamente o prejuízo, Isabel respondia, irada. O que quero é deixar de ser virgem, mesmo que não conheça o prazer de imediato. O que quero é poder dispor livremente de meu corpo, sem esse temor ou tabu que me afasta de vocês, que me faz diferente. Inversamente, o que você me propõe, por mais atrevido que pareça, e embora seja agradável, só confirma o tabu da virgindade. Além disso, eu já sei o que é, pelo menos na teoria.

O madrilenho achou estranho, como é que você já sabe?, um tanto perplexo, melhor, escandalizado. Mas não faça essa cara de bobo, Isabel dizia, todas as maneiras do amor não procriador estão em santo Agostinho, no tratado sobre o casamento e a concupiscência.

O rapaz ficou boquiaberto, não soube o que dizer. Visivelmene, a menção ao santo bispo de Hipona era, para ele, incompreensível.

Seja como for, Isabel não disse ao noivo virtual, que nesse exato momento deixou de sê-lo — e não só pela egoísta desfaçatez de sua proposta, nem por sua ignorância relativa aos tratados de santo Agostinho, mas também, convém esclarecer, porque ele era torcedor do Real Madrid, e ser isso era algo que Lorenzo, torcedor incondicional dos times periféricos, tanto fazia a Real Sociedad como o Barça, tinha proibido terminantemente a Isabel, por melhor que fossem, e costumavam ser, os jogadores merengues —, Isabel não disse ao jovem madrilenho que fora sua própria mãe, com a ajuda de santo Agostinho, quem lhe contara em detalhes os procedimentos eróticos não procriativos.

Em suma, Isabel saiu de Paris com certa experiência nova de dançar agarradinho, de bolinagem e de beijo de língua, mas tão virgem como tinha chegado.

Naquela madrugada de 18 de julho, ao voltar para casa, Lorenzo viu as luzes acesas. Isabel esperava por ele, bebendo um anisete com gelo e água: muito gelo, um pingo de água. Com certeza não era o primeiro.

Lorenzo se atirou num sofá, se espreguiçando.

"'A *quién esperas tan de mañana,/ con esos ojos y esas ojeras,/ enjauladita como las fieras/ tras de los hierros de tu ventana?*' Bem, fera, sim, você é, ou está, mas enjauladinha, nem pensar..."

"Onde você andou farreando?", Isabel pergunta.

E enquanto pergunta, vem se jogar ao lado dele e cheirá-lo.

"Nada", conclui. "Pelo visto você não esteve com nenhuma dessas amigas sem-vergonha de mamãe. Todas deixam em você um cheiro de perfume francês... caríssimo... Costumam ser riquíssimas e putíssimas."

"Estive na casa de Domingo", ele diz, "no terraço da Ferraz... Descontraído, divertido..."

"Grande novidade", ela diz. "Com ele você sempre está descontraído, divertido."

Lorenzo ri, ela o censura por rir como um tonto, sem tom nem som.

"Pois tem tom e som", ele diz, rindo mais ainda. "Sabe o que me veio à cabeça?"

Não sabe, mexe a cabeça negativamente, recostando-se ao lado do irmão, olhando em seus olhos.

"Pois me veio à cabeça que poderíamos pedir a Domingo, como se fosse um favor..."

"Pedir o quê?"

"Que a desvirgine, aposto que ele faria."

"Mas ele não é casado?", Isabel pergunta, achando estranho. "Você não me disse que Carmela é lindíssima e simpática?"

"Claro que sim. Ela também teria de saber, e concordar. Poderia achar graça."

“Eu não acho nenhuma”, diz Isabel, categórica. “Não fuja de sua responsabilidade, Lorenzo.”

Ele se indigna, aparenta indignar-se, ao menos.

“Era o que faltava! Quer dizer que eu sou responsável pelo fato de você continuar sendo virgem...”

“Você”, diz ela, “só você. Custa tanto assim imaginar a situação? Isso o repugna tanto assim?”

Ele quer se explicar mais uma vez. Isabel não o deixa falar.

“Não me venha com a história de sempre: a proibição do incesto como um passo à frente no processo civilizatório. Ainda que fosse assim, não estamos aqui num curso de antropologia, nem de psicanálise, Lorenzo. Estamos aqui você e eu, iguais e diferentes, e jamais gostarei tanto de alguém como de você, e a mesma coisa acontece com você, para que esconder? E lhe peço um favor, só você pode fazê-lo sem provocar mágoa, rancor ou remorso. E você me diz que o perigo é que se apaixone, mas se não houver jeito, meu filho, pois se apaixone, melhor estar apaixonado por mim, que lhe consentirei tudo, até que você se desapaixone, me esqueça, e me afastarei quando você decidir ou desejar, melhor assim do que continuar trepando com tanta mulher casada infiel, de boa família e vida airada...”

“Não diga loucuras”, diz Lorenzo, rouco.

Ela lhe fala ao ouvido, enquanto se abraça a ele, ainda mais apertado, mais atrevida.

“Tem razão, não direi mais loucuras: farei...”

E estão a sós no salão circular, na casa da rua Alfonso XII, onde anos atrás, quando eram crianças, a Satur tinha-lhes cantado aquela quadrinha popular, “*de los árboles frutales, me gusta el melocotón, y de los reyes de España, Alfonsito de Borbón*”, e estão no salão circular, o sol nascente já emerge por cima das árvores do Retiro, por cima, justamente, do monumento a Alfonsito de Borbón, que se ergue sobre a superfície brilhante e mansa do lago, e o sol se reflete nas vidraças da rotunda, e há pouco, ao subir para aquele mirante barroco, Lorenzo percebeu que todos os sofás, cadeiras e poltronas da casa, todos os móveis de delicada marchetaria, tinham sido encapados de branco para os meses de verão, dando à casa um aspecto fantasmagórico, ou fantasmático, mas ele não conseguiu se lembrar — como se lembrar se ainda não tinha nascido? —, portanto, não conseguiu saber, nem mesmo adivinhar, que vinte anos antes, quase no mesmo dia, em outra madrugada de julho, ao voltarem passeando da casa de Eusebio Oliver, bem perto, onde Federico García Lorca tinha lido para eles sua última obra, *A casa de Bernarda Alba*, ao voltarem para casa, Mercedes Pombo e José María Avendaño, seus pais, também tinham subido para o salão do mirante, onde as poltronas e sofás estavam cobertos de branco, e Mercedes tinha ido buscar na geladeira uma jarra de orchata fria, e notou mentalmente que o gelo estava derretendo, que teria de pôr mais um pouco, mas Lorenzo não pode saber nem adivinhar nada do que então aconteceu, aquele amor de gozo e dilacerado de madrugada, último amor entre os dois, poucas horas antes do confuso tropel na estrada de Quismondo, mas...

Mas chega Benigno, apressado, gritando.

"Até que enfim, Lorenzo! Estou procurando você pela casa inteira, precisamos conversar."

Isabel não acha a menor graça na irrupção de Benigno, suado, apressado, nesse exato momento.

Estavam sozinhos, evocando na memória enternecida a alegria dilacerante daquela madrugada. Evocando o sol nascente contra as vidraças do salão circular, por cima do arvoredo do parque de Retiro, da alameda das Estátuas, o sol crescendo sobre os móveis fantasmagóricos, forrados de algodão branco ("*una tristeza de hilo blanco para hacer pañuelos*", meu Deus!). E Lorenzo em meus braços, recordava Isabel, prestes a sucumbir, e eu beijando os cantos de seus lábios, o lóbulo de sua orelha, mordiscando-o, e o tremor de suas virilhas sob o atrevimento de meus dedos. E Benigno vem interromper brutalmente essa evocação, e já não estamos na fantasia de meus sonhos, pensa Isabel. Já estamos de novo em La Maestranza, no relato da realidade ou na mera realidade do relato, que tédio!

Mas Benigno Perales não dá a menor bola para o olhar negro e hostil de Isabel. Veio para falar com Lorenzo sobre o delegado Sabuesa, para adverti-lo contra suas perversas intenções, e assim o fará, sem consideração com os caprichos de Isabel.

"Mas é claro: Avenarius, Federico Sánchez, agora, sim, entendo!"

Estão na biblioteca de La Maestranza, só os dois, e não foi fácil largar Isabel, furiosa.

Lorenzo entregou a Benigno Perales os papéis que Dominguín tinha lhe dado na antevéspera em Madri, na sua casa da rua Ferraz. Exemplares do jornal *Mundo Obrero* e da revista *Nuestra Bandera*. Benigno escondeu os primeiros entre os livros que se amontoavam numa estante ali ao lado e deixou o exemplar de *Nuestra Bandera* em sua mesa de escritório, para folheá-lo enquanto fala com Lorenzo.

Nuestra Bandera é uma publicação clandestina de pequeno formato e cento e dez páginas impressas em papel-bíblia. *Revista de educación ideológica del Partido Comunista de España*, reza o subtítulo. O exemplar que Benigno folheia é o número 15, seu preço anunciado é de três pesetas, e o colofão diz *Madrid, 1956*, sem outras indicações.

Assim, pois, conforme se terá comprovado, o número de *Nuestra Bandera* que Dominguín deu a Lorenzo para ser entregue a Benigno Perales é o mesmo que *don* Roberto Sabuesa andou examinando na véspera, 17 de julho, e o sumário que agora Benigno descobre já foi estudado pelo delegado e comentado em sua agenda pessoal.

Os autores que assinam os artigos da revista do partido são conhecidos de Benigno: são os dirigentes de sempre, os de fora, cujos nomes lhe infundem um estranho sentimento, mistura de respeito e desconfiança radical. Respeito histórico pelo papel que aqueles homens desempenharam durante a guerra popular contra o fascismo; desconfiança radical — mais ainda: recusa dolorosamente indignada — pela atitude deles nos assuntos internos do partido na Espanha, sob a ditadura. Como esquecer, por exemplo, as calúnias contra Heriberto Quiñones ou o assassinato de Gabriel León Trilla?

Mas entre os nomes tradicionais, superconhecidos, que figuram na capa da revista clandestina — Carrillo, Delicado, Ardíaca, Azcárate —, Benigno descobre assustado o de Federico Sánchez. "Ortega y Gasset ou a filosofia de uma época de crise": este é o título do artigo de Sánchez anunciado na capa de *Nuestra Bandera*.

Entenda-se: não é o nome de Ortega y Gasset nem a referência um tanto chamativa à "filosofia de uma época de crise" que fazem Benigno se assustar. É a inesperada reaparição de Federico Sánchez. José Manuel acaba de ler para ele a nota do delegado Sabuesa, que revela sua convicção de que o tal Sánchez pode ter algo a ver com Lorenzo Avendaño; que revela também sua decisão de preparar uma cilada para o rapaz durante sua temporada em La Maestranza.

Ou seja, esse nome que parece estar na moda encerra um perigo, constitui uma ameaça.

Primeiro, começou como o nome de um personagem novo, mas fantasmático. Saiu na imprensa do Regime por ocasião das manifestações estudantis de fevereiro. E também em La Pirenaica, com algum artigo sobre a estratégia comunista na universidade. Depois, um belo dia, Dominguín mencionou esse nome, como o de alguém que poderia ir vê-lo em La Companza. E agora, eis que um delegado da Brigada Político-Social, que parece se interessar particularmente pelo dito e ditoso Sánchez, seja qual for seu nome verdadeiro, desloca-se até Quismondo, tudo indica que para assistir a essa maçante cerimônia expiatória, mas na verdade para continuar investigando o assunto.

Por isso Benigno Perales se assustou e começou a ler à toda o artigo de Sánchez publicado em *Nuestra Bandera*, até chegar à frase que explica tudo: pelo menos tudo o que se refere à exclamação de Sabuesa.

> De fato [escreve Sánchez em seu artigo], essa solução para o problema crucial de toda filosofia é, há cerca de um século, a tábua de salvação em que pretendem se agarrar todos e cada um dos pensadores da burguesia liberal. Já em 1894, o senhor Avenarius pretendia *revolucionar* a ciência, superando a oposição entre materialismo e idealismo com sua *famosa* "coordenação de princípio", desmascarada por Lenin em *Materialismo e empirocriticismo*...

E Benigno Perales levanta os olhos do papel que está lendo e exclama:

"Mas é claro: Avenarius, Federico Sánchez, agora, sim, entendo!"

Lorenzo olha para ele, encolhendo os ombros.

"Pois eu não", diz.

Benigno lhe explica: o berro do delegado Sabuesa no final do jantar de ontem; a conversa, antes, sobre Ortega e Avenarius, justamente, com seu tio jesuíta e Leidson, o historiador americano — "o gringo bonitão", murmura Lorenzo, e Benigno faz um gesto afirmativo —; e termina dizendo: Aqui está a explicação.

Assinala para Lorenzo o parágrafo em que Federico Sánchez fala de Avenarius.

"Aposto que o delegado ficou ouvindo nossa conversa sobre Ortega", diz Benigno. "Esse nome de Avenarius, que nós três tanto citamos, lhe dizia alguma coisa. De repente ele se lembrou, e começou a berrar. Lembrou-se do artigo de Federico Sánchez..."

Lorenzo se espanta.

"Lembrou-se? Ou seja, você sugere que já o tinha lido? E por que o delegado Sabuesa se interessa por Ortega y Gasset?"

"Ortega não lhe interessa nem um pouco, sua filosofia o deixa frio, e suas raízes em Avenarius mais ainda...", diz Benigno. "O que lhe interessa é Federico Sánchez... Por isso veio a La Maestranza. Por Federico Sánchez e por você."

Lorenzo se assusta, enquanto Benigno conclui.

"Está convencido de que você conhece Federico Sánchez... Pretende seguir a sua pista para chegar a ele..."

Lorenzo ri, muito seguro de si, meio fanfarrão.

"Pois está por fora, o veado", afirma.

Essa reação não convence Benigno.

"O que você me diz de La Taurina?"

Lorenzo quase se zanga.

"Escute aqui, é um interrogatório?"

"Não, uma mera advertência."

Benigno tira do bolso e põe sobre a mesa a nota de Sabuesa que Eloy Estrada descobriu no armazém e decorou, antes de transcrevê-la para José Manuel Avendaño.

Lorenzo lê a nota, enquanto Benigno lhe explica sua procedência.

"Você está vendo, não está?", Benigno acrescenta. "'Vigiar La Taurina, em Alcalá.' E no final, o mais incrível: 'Aproveitar a cerimônia de Quismondo para investigar: armar-lhe uma cilada'..."

"Não sei que cilada ele pode me armar, mas a coisa de La

Taurina é preocupante", Lorenzo comenta. "Costumo ir a esse restaurante, é verdade..."

"Com Pradera?"

"Não só com ele, mas com ele também..."

A última vez que esteve em La Taurina com Javier Pradera, lembra-se Lorenzo, aconteceu uma coisa estranha. No final do almoço Javier disse de repente, "naquela mesa ali, não se vire, tem um cara estranho, que só tem ouvidos para nós. Pela idade e pela pinta pode ser policial ou militar. Como já pagamos, vamos sair, agora, já", e, de fato, se levantaram e saíram, e depois, na rua, logo se separaram e cada um pegou um táxi, e ponto final. A última imagem do cara o mostrava de pé, pedindo a conta aos gritos, excitado, surpreendido pela rapidez da saída de Pradera.

Este tinha uma explicação para o incidente, disse-lhe quando se reencontraram. De fato, naquele dia Pradera tinha vestido, para almoçar com Lorenzo, um blusão esportivo, de tweed, e calça de flanela cinza, meio amarrotada, mas não mudou a camisa e a gravata do uniforme de tenente do Corpo Jurídico da Aeronáutica, ao qual ainda pertencia, nem tirou os sapatos pretos do uniforme. Portanto, esse modo incorreto de se vestir teria chamado a atenção do sujeito, presumivelmente um militar, Pradera supunha, e por isso ele os tinha vigiado.

Explicação plausível, mas que a nota de Sabuesa não parecia confirmar. Em todo caso, uma coisa era clara: nunca mais poderiam voltar a La Taurina. Pena, porque se comia bem e barato.

"Mas me diga", pergunta Benigno, "você conhece Federico Sánchez?"

Lorenzo olha em seus olhos.

"Não sei", responde. "Mas mesmo que soubesse não lhe diria."

"Acho ótimo", diz Benigno, visivelmente satisfeito, batendo carinhosamente em suas costas. "Mas se o sujeito existe e você tem como mandar-lhe um recado, conte-lhe tudo isso: que tenha muitíssimo cuidado."

Lorenzo imagina que sim, que conhece Federico Sánchez, mas não quer explicar a Benigno por que imagina. Não quer lhe fornecer dados que o permitam imaginar que o conhece. Na verdade, tem a certeza íntima, embora não a confirmação, de que o conhece.

Mais ou menos dois meses antes, em maio, numa tarde já ensolarada, quase de verão, ele tinha um encontro marcado com Javier Pradera num terraço da rua Doctor Esquerdo. Ali também estavam Rafael Sánchez Ferlosio e um estudante com quem Lorenzo já conversara um dia, Fernando Sánchez Dragó — um dos detidos de fevereiro —, e também outro rapaz, para ele desconhecido, que Javier apresentou como sendo Clemente Auger, foi o que ele teve a impressão de ouvir. Falaram do divino e do humano, de tudo o que coubesse entre os dois termos: de cinema, livros, touros e até de garotas, fossem ou não namoradas.

Nisso, sentou-se com eles um cara de uns trinta anos, que pelo visto todos conheciam e tratavam com respeito — não, não é a palavra, Lorenzo pensa agora: mais que respeito, com uma espécie de cumplicidade intelectual, alerta mas respeitoso —; seja como for, a conversa continuou pelo mesmo caminho, embora Lorenzo tivesse a impressão, talvez absurda ou infundada mas impossível de afugentar ou esquecer de vez, de que o desconhecido estava examinando a ele, Lorenzo Avendaño; a impressão de que estava sendo submetido a uma espécie de exame, de que as perguntas do desconhecido sobre suas leituras não eram totalmente gratuitas ou inocentes. Assim, percebeu que o desconhecido — a certa altura, um dos presentes o chamou de Agustín, mas outros o interpelavam com o nome de Federico, e ninguém pareceu estranhar essa ambigüidade —, o desconhecido, Agustín ou Federico, seja como for, conhecia perfeitamente as andanças dele, sabia que tinha passado uns meses na Itália, e que para lá voltaria, até o final do curso, depois de uns dias de férias em Madri, e o assunto da Itália provocou subitamente uma discussão mais séria, menos chocha, em torno de Gramsci, que Lorenzo tinha começado a estudar, que Pradera e Auger também tinham lido, ao menos em parte, e nessa discussão interveio o desconhecido, Agustín ou Federico, comentando a opinião de Gramsci sobre o papel dos intelectuais nas lutas político-sociais da Espanha, durante o século XX, opinião original, que os levou a falar da atualidade madrilenha.

Foi mais ou menos nessa altura da tarde e da discussão que, com uma gulodice conceitual algo irônica, Ferlosio encetou uma análise semântica da linguagem do Partido Comunista — na verdade, a própria palavra "partido" nunca foi pronunciada, mas era evidente que se falava da linguagem da organização comunista —, e dizia Ferlosio, brincalhão mas sem agressividade, que de certo modo havia três níveis de expressão na linguagem comunista. Assim, por exemplo, dizia Ferlosio a Agustín ou Federico, às vezes você fala conosco na primeira pessoa do singular: "pensei", "acho que", "tenho a impressão", para nos dar uma opinião ou uma orientação. Numa segunda forma ou modo verbal, você já não diz "eu", mas "nós", passa ao plural, não sei se majestático: "pensamos", "achamos", "decidimos". Com a primeira pessoa do plural vocês adquirem densidade histórica, ela os identifica, torna-os diferentes, assinala o território de vocês; assim, temos *Nossa* Bandeira, *Nossas* Idéias, *Nosso* povo. E um dos presentes, talvez Pradera, acrescentava gracejando, *Nossa* Dolores, *Nosso* Stalin, não é isso? E por último, concluía Ferlosio, nas ocasiões mais solenes e críticas, e por isso mesmo as mais discutíveis, surge o "se", o "*Man*" heideggeriano, a instância suprema, anônima e aparatosa, porque é a instância do aparato, a instância distante do poder do exterior, Paris, Praga, Moscou: "pensou-se", "decidiu-se", "vai se fazer"...

Todos riram satisfeitos, a começar pelo desconhecido, Agustín Larrea ou Federico Artigas — na conversa, os sobrenomes também acabaram aparecendo, tão diferentes como os nomes, e pelo visto ninguém se preocupava com essa incoerência, como se nome e sobrenome fossem o de menos, como se a identidade do desconhecido não precisasse ser nomeada, identificada com nome e sobrenome, para ser admitida, reconhecida por todos.

Mas ele não conta a Benigno essa recordação de um crepúsculo num terraço da rua Doctor Esquerdo.

Também não conta que tornou a ver esse personagem, que, cabe supor, é Federico Sánchez, e foi ontem mesmo, isto é, na véspera deste 18 de julho, no terraço da rua Ferraz, na casa de Domingo Dominguín. Nessa noite todos o chamavam de Agustín, ou Larrea, quando usavam seu suposto sobrenome: todos, o próprio Domingo, Carmela, sua mulher, e os dois filhos mais velhos, menino e menina, Dominguito e a Patata, que ficaram no terraço até as tantas, não houve jeito de mandá-los para a cama, e a certa altura Dominguito, o menino, cantou para o Agustín, carinhosamente, uma cançãozinha insolente, na qual "Larrea" rimava com "*brea*", breu, última palavra de um verso que dizia "*y te huele el culo a brea*", mas, seja como for, ontem à noite ele, Lorenzo, contou aos presentes, e lá estavam Pradera com a namorada, irmã de Ferlosio, loura e da Extremadura, tal como Carmela Oliver, a mulher do médico em cuja casa, vinte anos antes, Lorca leu A *casa de Bernarda Alba* (mas nesse instante do relato o Narrador deve pedir desculpas aos leitores, porque exagerou na mão, ou na imaginação ou na nostalgia: é impossível que Lorenzo possa comparar uma beleza feminina com a de Carmela Oliver, já que não pode tê-la conhecido, e, portanto, o Narrador pede mil desculpas, exagerou na mão, na fantasia, sem dúvida por causa dessa dura alegria de escrever, e atribuiu a um de seus personagens sentimentos ou lembranças ou desejos pessoais), seja como for, e isso sim é que Lorenzo podia confirmar, a irmã de Ferlosio, naquela noite namorada de Pradera, era uma beleza aquilina e desembaraçada, e estava no terraço da rua Ferraz com Javier, com um tal de Alberto Machimbarrena, que falava pouco e bebia muito, e com os Aldecoa, Josefina e Ignacio, e talvez mais um ou uma; a todos os presentes, pois, Lorenzo Avendaño contou um episódio de sua temporada na Itália, vejam só que coincidência, dizia Lorenzo, estive uma noite na casa de María Zambrano, em Roma, e havia uns exilados espanhóis, republicanos, e um deles era um tal de Semprún Gurrea, e eu conhecia esse nome, veja você, porque no ano passado andei lendo na biblioteca de La Maestranza a coleção completa da revista *Cruz y Raya*, que meu pai tinha mandado encadernar, e no sumário de diversos números aparece esse nome, Semprún Gurrea, e por total acaso eu tinha lido os ensaios dele nessa revista, talvez porque tenha me chamado a atenção o título do primeiro ali publicado — e o diretor era José Bergamin, aposto que vocês se lembram —, algo assim como "Fadrique Furió Ceriol, conselheiro de príncipes e príncipe de conselheiros", um título meio de Feuerbach, ou do jovem Marx, não é mesmo?, e digo a ele que o li, e ele se surpreende e se emociona, como é possível que um moço de vinte anos, ele se pergunta e me pergunta, na Espanha de hoje, tenha lido os artigos de *Cruz y Raya*? E lhe falo da milagrosa biblioteca de La Maestranza, e ele, então, pergunta meu nome, e quando respondo Lorenzo, Lorenzo Avendaño, por pouco não desmaia: imaginem vocês, era um grande amigo de meu pai, e assistiu na casa de Eusebio Oliver, dois ou três dias antes do levante militar no Marrocos, à leitura de Lorca, e por pouco não desmaia, repito, e todos nós ficamos muito impressionados, e o mais impressionado parecia justamente esse Agustín Larrea, que Lorenzo imaginou que era Federico Sánchez, tocado realmente, comovido, e teve a impressão de que ele estava prestes a dizer alguma coisa, fazer um comentário ao que acabava de ser contado, mas não, meneou a cabeça negativamente e disse, sem mais: “Não há dúvida, parece coisa de romance”.

Mas estranhamente comovido, sim.

No entanto, Lorenzo não conta nada disso a Benigno; nada lhe diz sobre Federico Sánchez; não lhe diz que tem certeza de tê-lo visto ontem mesmo.

“Realmente”, diz Lorenzo, “não vejo que cilada esse delegado pode me armar.”

Então Benigno lhe informa sobre os últimos acontecimentos.

“Sabuesa está furioso. De manhã chamou a Guardia Civil para que investigasse esse motim, e isso, para o seu tio José Manuel, foi como um chute no saco, uma ofensa pessoal: ele pediu, cortês mas firmemente, ao sargento da Benemérita que se retirasse com seus homens, porque não há nada aqui a investigar, que a cerimônia expiatória é algo privado, não obrigatório, e que de toda maneira os Avendaño tinham decidido juntos que esta seria a última vez. Mas depois, quando a Guardia Civil se retirou, teve com Sabuesa uma discussão acalorada, aos gritos, e nesta casa quem manda sou eu, uivava José Manuel, e o senhor não me dê lições de lealdade, delegado, continuava a gritar, estive com o Generalíssimo numa caçada há três semanas, bem, o negócio terminou em debandada, cada um para o seu lado, e não sei o que vai acontecer na missa cantada e no almoço, depois...”

Mas uma voz o interrompe, a voz de Mercedes Pombo.

“Não vai acontecer nada, Benigno. Acabo de falar com José Manuel... Depois da cerimônia religiosa ele volta para Madri.”

“E Sabuesa fica?”, pergunta Lorenzo.

Mercedes olha para seu filho, com olhos faiscantes de carinho, admiração.

"Oi, Lorenzo. Ainda não nos tínhamos visto. Obrigada pelo cartão-postal de Florença. Não, Sabuesa também vai embora. Seu tio exigiu."

Tinha entrado na biblioteca sem que eles percebessem. Agora está ao lado da mesa e apanha, para contemplá-lo, o exemplar de *Nuestra Bandera*.

"*Revista de educación ideologica del Partido Comunista de España*", diz, lendo o subtítulo, e acrescenta, sibilina: "Belo programa".

Deixa o exemplar da revista clandestina em cima da mesa e pergunta a Lorenzo.

"Você já conheceu Leidson, o historiador americano?"

"O gringo bonitão?", pergunta Lorenzo, insolente.

"Não é gringo? Não é bonitão?", diz Mercedes, tranqüila.

Disso ninguém duvida, e ela prossegue.

"Fale com ele, Lorenzo. É um cara interessante."

Depois se vira para Benigno.

"O delegado já se lembrou de onde o viu pela primeira vez, acaba de me dizer. Na Puerta del Sol: você estava nos calabouços, ele em sua sala."

Olha para os dois, dá um leve sorriso.

"Bem, agora vamos para a missa cantada... E vamos todos... Todos, não é? Lorenzo, diga à sua irmã que se vista como uma mocinha, não como um lavrador, que do contrário eu a expulso da capela."

Olha de novo para os dois, volta a sorrir.

"É a última vez, vocês já sabem."

6.

Ouve a voz às suas costas, não se vira.

Uma voz de homem, surda, chama-o por seu nome — isto é, por aquele outro nome seu —, mas levemente, sem insistência nem estridência, talvez com uma ponta de sotaque estrangeiro: anglo-saxão, como se quem falasse às suas costas quisesse lhe dar a entender que o reconheceu mas respeitará sua solidão, seu anonimato, se assim deseja.

De qualquer maneira, ele não se vira.

"Federico", disse a voz leve, surda, "Federico Sánchez..."

Não se vira, continua com o olhar fixo no quadro que estava contemplando quando ouviu seu nome, bem, aquele seu antigo nome já em desuso. Mais que chamada, sem dúvida, foi uma espécie de denominação ou constatação. Como se o desconhecido que pronunciou o antigo nome, suavemente, em voz baixa — aliás, não precisava levantá-la, pois naquela manhã o silêncio era profundo, denso, na sala do palácio de Villahermosa —, quisesse acima de tudo fazê-lo saber que o reconheceu, identificou, mas sem nenhuma urgência, sem nenhuma exigência, até mesmo sem necessidade de comunicação, sem esperar, portanto, uma resposta.

Federico, Federico Sánchez, sim, mas não se vira, como se não fosse ele.

Não é comigo? É, claro que é, de algum modo diz respeito a mim, ele pensa. Eu fui aquele. Fui de verdade, a fundo, isso tem a ver comigo. Pode ser até que o pseudônimo tenha mais a ver comigo do que meu próprio nome; bem, talvez exagere; nunca se sabe de antemão o que mais bem, e mais essencialmente, identifica uma pessoa.

Ainda assim, invade-lhe uma espécie de preguiça, ou desânimo, ao ouvir esse nome de antigamente, ao pensar em tudo o que significa, nas recordações que carrega dentro de si: momentos jubilosos e frustrações; ao imaginar que tipo de conversa, talvez de inquisição, pode estar escondida, acachapada, disposta a se desencadear, em tal interpelação.

Federico Sánchez!

A última vez que esse vocativo foi dito ele se virou. Era José Antonio H. com voz trêmula, comovido sem dúvida, mas agressivo, pedindo satisfação amargamente, talvez com desespero. Quase gritando: você chegou na minha casa, dizia, me convenceu, a sua mensagem não era de paz, mas de luta, você veio nos trazer o risco, a incerteza, e aceitamos o risco, a incerteza, e um belo dia você cai fora... Não caí fora, tinha respondido, me caíram fora... Você caiu fora, dissera José Antonio H., porque não queria continuar lutando conosco. Mentira, ele disse, queria continuar lutando, mas de outro jeito. Bem, sentaram-se num café, conversaram, inutilmente. Porque na verdade H. pouco se importava em saber quem tivera razão naquele debate do começo dos anos 60, se eles, uns poucos, ele, ou a direção do partido — e além do mais, já era uma discussão obsoleta: era tão evidente que eles tinham tido razão, ele contra a direção, o curso da história o havia demonstrado com tanta força, tanta evidência, que parecia irrisório voltar a essa discussão anos mais tarde —, o que doía ainda em José Antonio H., o que continuava a doer, era a impressão de que ele os havia abandonado.

Mas hoje não se vira para essa voz anônima, leve, com um ligeiro sotaque anglo-saxão. Não sabe, não responde, nega-se.

Ao contrário, insiste em sua imobilidade absorta, na rigidez de sua postura. Continua absorto na contemplação daquele quadro, decerto fascinante.

Não por seu tema, é óbvio. A degolação de Holofernes é um exercício habitual da pintura renascentista e barroca: um clássico, quase um lugar-comum. Assim, de bate-pronto, sem refletir nem buscar em sua memória, lembra-se de vários pintores que trataram do tema, de Michelangelo a Botticelli, de Giorgione a Caravaggio. Mas esta tela é singular, de uma beleza horrorosa.

Naquela manhã de outono de 1985 ele tinha entrado no palácio de Villahermosa para visitar uma exposição de pintura napolitana, tencionando ver, muito particularmente, um quadro de Artemisia Gentileschi. Desta, ao chegar nada sabia, só o nome: foi aprendendo tudo no catálogo da exposição, que comprou ao entrar. Na época chegou a se lembrar de que um quadro do pai dela, Orazio Gentileschi, estava pendurado no Museu de Belas-Artes de Bilbao: seu conhecimento não ia mais longe.

Mas dias antes, num jantar, tinham lhe falado dessa degolação de Holofernes, salientando sua pavorosa beleza. Talvez Natalia. Sim, Natalia, sem dúvida. Javier também havia insistido na beleza insólita e cruenta, crua do quadro, insistindo para que fosse vê-lo, sem falta.

Assim, entrou no palácio de Villahermosa com a intenção deliberada — além, naturalmente, de dar uma olhada geral na mostra de pintura napolitana, *De Caravaggio a Giordano*, segundo dizia o subtítulo do catálogo — de observar detidamente o quadro da Gentileschi que Natalia e Javier tanto o haviam incitado a ver.

Com razão: era arrepiante.

A primeira coisa que chamava a atenção era a brancura de neve dos ombros de Judite, seus seios quase nus cuja beleza salientava a sombra que, na tela, isolava e realçava sua redondez mútua. Judite, naquele quadro, luzia dentro de um vestido azul, muito decotado. Mas será que luzia realmente? Na verdade, o vestido era de um azul pouco luzente, pouco reluzente, meio apagado, como que recluso em sua própria densidade. Não era um azul que reluzisse na tela, triunfante, iluminando-a, mas, ao contrário, a impregnava, encharcava, esfumando pela superfície do quadro uma noturnidade diáfana que se harmonizava com o vermelho surdo do vestido da criada de Judite, decente, sem decote nem ombros nus, nem seios sugeridos, bem à mostra no caso de sua patroa, mas a doméstica, contrariamente à tradição pictórica — bastaria lembrar um quadro anterior de Caravaggio sobre o mesmo tema de *Judite e Holofernes* —, a criada, no quadro de Artemisia Gentileschi, era jovem e bonita, e segurava Holofernes enquanto sua senhora o degolava limpamente, ou seja, com um corte de sua espada curta e larga, e esse corte podia ser qualificado de limpo por ser firme, cortante, justamente, mesmo que produzisse borbotões de sangue que sujavam os lençóis da cama instalada na barraca de campanha do general inimigo dos judeus.

Absorto, abalado, havia contemplado o quadro, que apesar da sangrenta brutalidade da cena continha uma inequívoca carga erótica, sem dúvida pela juventude e beleza das duas figuras femininas, por suas mãos entrecruzadas sobre o corpo do homem, que, da mesma forma, poderiam o estar acariciando em vez de degolando; por esse sangue derramado que poderia estar pagando o preço simbólico da virgindade de Judite, sacrificada ao general assírio para irromper em sua intimidade, assassiná-lo e salvar seu povo da dominação invasora.

Seja como for, abalado diante do quadro de Artemisia Gentileschi.

Então, como já tinha lhe acontecido outra vez, anos antes, em Haia, no museu do Mauritshuis, diante de um quadro famoso de Vermeer, *A vista de Delft*, então, de repente, insensatamente — isto é, sem que o sentido profundo do que estava acontecendo com ele fosse legível, decifrável de imediato —, a nebulosa de histórias, desejos, situações, realidades e ficções, verdades e invenções que ultimamente rondava sua imaginação, naquele exato momento tudo se cristalizou, adquiriu uma obscura coerência: tomava corpo a idéia de um romance.

À primeira vista não parecia haver muita relação entre os temas romanescos que iam constituindo essa nebulosa — literalmente, uma massa de matéria narrativa, difusa e luminosa — e o próprio quadro de Artemisia Gentileschi; e no entanto, assim foi.

Tal como as peripécias e os complexos percalços do romance que acabou se chamando *A segunda morte de Ramón Mercader* se engataram e entremearam de repente, na Holanda, outrora, diante de *A vista de Delft*, sem que para isso houvesse uma explicação racional indiscutível, agora o mesmo voltava a acontecer num dia de outono de 1985, cerca de quinze anos depois, no palácio de Villahermosa, diante de um quadro de Artemisia Gentileschi: como uma deusa grega surgida do oceano materno ou do cérebro paterno, de súbito o romance daquela antiga morte de 1936 surgiu em sua mente, de corpo inteiro.

Novamente ouviu a voz às suas costas, leve.

"Federico", dizia, "Federico Sánchez: sou Leidson, o historiador, o gringo, você me conhece."

Leidson, sim, o havia conhecido. Na casa de Domingo Dominguín, justamente. Depois leu algum livro seu. Leidson: sua presença, sua voz, às suas costas, justamente agora, era um sinal inconfundível do destino.

Leidson também tinha ouvido Domingo contar a história daquela antiga morte.

Virou-se: Michael Leidson, de fato, o gringo bonitão. Quem o tinha apelidado assim? Talvez Carmela, a mulher de Domingo. Ou a menina, Patata: idéia de mulher.

Evidentemente, ia ser um personagem do romance.

"Não", Leidson o corrige, "a primeira vez não foi na casa de Domingo. Foi antes, no El Callejón: um almoço com Hemingway e a turma das touradas..."

Estavam no bar do Palace. Multiplicavam-se os drinques, as lembranças, até as saudades: falavam.

"Nesse dia eu tinha um encontro com Hemingway, aqui mesmo, e ele me convidou para acompanhá-lo. Então você e eu nos conhecemos, não lembra?"

Pois é, lembra.

O amável leitor, se quiser, também pode lembrar. Já se mencionou esse almoço no El Callejón, embora não se tenha dito no momento que o Narrador estava presente, comensal bem silencioso mas atento. E o Narrador não mencionou sua presença, em parte, por modéstia exemplar, e, também em parte, para não interferir na objetividade do relato com as digressões e disquisições com as quais, bem ou mal, está acostumado.

Seja como for, ele tinha chegado para esse almoço com Domingo Dominguín e este o apresentou como Agustín Larrea, seu amigo, candidato a uma cátedra de sociologia.

"Sociologia?", Hemingway lhe perguntava, apertando sua mão. "Sabe o que Pepe Bergamín dizia da sociologia?"

Larrea sabia — ou seja, eu, Narrador, sabia muito bem —, lembrava-se da definição bergaminiana da sociologia. É que Bergamin tinha sido um amigo de sempre da família, desde a infância madrilenha. Mas fez um gesto negativo, de ignorância. Quando se trabalha na clandestinidade política, não convém chamar a atenção, em nenhuma hipótese, convém fazer-se de bobo, não se distinguir.

Hemingway prosseguiu com seu inconfundível sotaque americano, que não dificultava a fluidez de seu castelhano:

"Pois ele disse que a sociologia é uma ciência vaga, sem domicílio conhecido."

Hemingway ria, contente com a definição de Pepe Bergamín.

"Vaga e meliante?", Larrea perguntou, acompanhando-o na brincadeira.

Hemingway riu mais ainda e fingiu que dava um soco em seu ombro, de punho cerrado. Mas de repente ficou sério.

"Você é sociólogo de verdade, Larrea, não é jornalista?"

Pois Hemingway, que tinha sido, e brilhante, desconfiava dos jornalistas em geral e odiava em particular a maioria dos repórteres da imprensa franquista: não queria nenhum contato com eles.

Então Dominguín interveio, garantindo a Hemingway que Larrea não era jornalista.

Seja como for, durante o almoço Dominguín contou pela primeira vez a história da cerimônia expiatória.

Alguém acabava de evocar um episódio da guerra civil, para isso tinha se referido à "nossa guerra", como se costumava dizer naquela época, e Hemingway comentou essa expressão.

"'Nossa guerra'", murmurou. "Todos vocês dizem o mesmo. Como se fosse a única coisa, pelo menos a mais importante, que podem partilhar. O pão vosso de cada dia. A morte, isso é que os une, a antiga morte da guerra civil."

Leidson esteve prestes a dizer a Hemingway que talvez o que

os espanhóis partilhassem na lembrança da guerra, de sua guerra, não fosse só a morte; a juventude também, o ardor. Que talvez a morte não fosse mais que um dos semblantes da ardorosa juventude, Leidson esteve prestes a dizer.

E percebeu que Larrea pensava o mesmo: algo parecido, sem dúvida. Porque se inclinou para ele e murmurou:

"Nossa guerra ou nossa juventude?"

Depois, Domingo Dominguín contou a história daquela morte antiga, a história da cerimônia expiatória da família Avendaño.

Mas agora, ao escrevê-la, ao transcrevê-la, o Narrador — que já não se chama Larrea, nem Artigas, nem mesmo Federico Sánchez, é claro, que desde então mudou de nome várias vezes —, o Narrador, em todo caso, não pode afirmar que o sobrenome dessa família, Avendaño, tenha sido pronunciado pela primeira vez no El Callejón. Talvez só tenha sido pronunciado na segunda vez, quando Domingo voltou a contar a história da morte antiga, violenta, insensata, e isso foi em La Companza, a fazenda dos Dominguín, nos arredores de Quismondo.

O Narrador tinha estado em La Companza num fim de semana do final dos anos 50. Continuava a se chamar Agustín Larrea e continuava preparando seu concurso para a cátedra: como se sabe, tal empreitada exige tempo, dedicação e paciência. Uma noite, jantando com a família de Dominguín na imensa cozinha, um lugar fantástico cheio de fogões, garrafas, presuntos, deliciosos odores de ensopados camponeses servidos sem parcimônia, sem cerimônia, na imensa cozinha onde se atarefava a Satur, dona e senhora do lugar, esplêndida cozinheira, e com vivência, vivaz, às vezes mordaz, mas sempre memória enternecida da lenda do lugar (porque a Satur já estava na fazenda antes da guerra, da nossa guerra, quando Domingo Dominguín pai, o fundador da dinastia, trabalhava ali como lavrador, naquela fazenda que depois compraria, lote a lote, e no final a casa também, com seus ganhos de matador e de empresário taurino, e toda a sua ilusão consistira especialmente nisso, em tornar sua essa terra onde havia trabalhado de sol a sol, como lavrador, e o Narrador se lembra de uma daquelas tardes em que esteve em La Companza, no final dos anos 50, em que Domingo pai, nesse caso avô, passeava pela vasta área da fazenda acompanhado de Dominguito, o neto, pois na família todos os primogênitos do sexo masculino se chamavam Domingo, e os dois a cavalo, e ele fazia Dominguito contemplar a beleza e a extensão daquelas terras; mas a Satur, pois disso se tratava, já vivia na fazenda antes que os Dominguín a comprassem, e contava, decerto muito bem, a lendária crônica de La Companza); uma noite, jantando com a família: don Domingo e dona Gracia, que na juventude tinha sido jogadora profissional de pelota basca, e que no frontão da fazenda ainda enfrentava a maioria dos amigos de seu filho — uma vez deu em Pedro Portabella uma memorável paulada peloteira, apaleando-o, nunca foi tão bem dito, numa partida com pá —, e estavam também Domingo filho, o nosso, e Carmela, e os filhos dos dois, Dominguito e a Patata, e com certeza a última também, Marta, apelidada de "Yuri" por causa de Gagarin, é óbvio, por causa da gesta soviética de colocar pela primeira vez um homem no espaço, em órbita, mas Marta, tão pequena, sem dúvida estaria num quarto, longe do ambiente barulhento da cozinha; uma noite, pois, jantando com a família, bateram à porta que dava para o campo e entrou a dupla da Guardia Civil, em ronda noturna pelo distrito, e Domingo achou graça, já que a impunidade era total, que a Guardia Civil tomasse uns copos de vinho tinto na mesma cozinha em que estava o Narrador, na época dirigente do Partido Comunista clandestino, com o pseudônimo de Federico Sánchez, e fez tudo para prolongar a conversa, pedindo aos guardas sua opinião sobre a situação social e política do campo toledano.

Depois, quando a dupla da Benemérita acabou indo embora da cozinha, Domingo, sem dúvida movido por uma associação de idéias e vivências fácil de entender, tornou a contar a história da cerimônia expiatória, e então disse o sobrenome daquela família, Avendaño: família da Montanha de Santander, da qual um dos ramos tinha se instalado em Valladolid no século XIX, e comprado depois uma propriedade na província de Toledo, em circunstâncias bastante obscuras, romanescas, segundo se cochichava nas crônicas orais da aldeia.

Mas sobre esse último ponto, ou seja, a localização da fazenda, Domingo foi corrigido por seu irmão Pepe, que ficara para dormir em La Companza, antes de regressar a Madri ao fim de uma turnê empresarial taurina por conta da dinastia. Segundo Pepe, que no entanto confirmou a veracidade global da história — "Pelo menos dessa vez", disse, sarcástico, "o que esse embusteiro do Domingo conta é totalmente verídico, eu também tenho referências indiscutíveis sobre a tal cerimônia" —, a fazenda não ficava na província de Toledo, mas perto de Coria. E Domingo, debochando, dando de ombros, morrendo de rir, perguntava que porra de importância podia ter um detalhe desses, para que tanta precisão, caralho.

No final das contas, não se esclareceu se a fazenda onde se realizava anualmente cerimônia tão fúnebre e significativa ficava perto de Toledo ou perto de Coria. Mas, sem dúvida, era o de menos. Pelo visto, o desacordo dos irmãos Dominguín a esse respeito não punha em dúvida a veracidade fundamental do relato.

Quando o jantar acabou, na hora dos *orujos*, *chinchones* e outras aguardentes viris, quando Larrea — para continuar a chamá-lo por seu sobrenome da época — foi para o alpendre da casa para aproveitar o frescor da noite, a Satur se aproximou, meio sigilosa, e lhe disse em voz baixa que poderia lhe contar toda a história, que na verdade tudo tinha acontecido ali mesmo, em La

Companza, uma ex-propriedade da família Avendaño, arrasada por um crime da guerra civil e por outra história, pior ainda, mais sangrenta, mas que Mercedes Pombo, viúva do Avendaño assassinado ao começar a guerra civil, e quem vendera a fazenda a Dominguín, vivia em Madri, mulher de uns 45 anos, ainda bonita, e que se ele quisesse poderia conhecê-la.

Leidson o interrompe nessa altura do relato.

"Pois é", diz, "bonita é pouco, Federico, lindíssima... Não se importa que eu o chame de Federico? De todos os seus nomes é o que mais me impressiona... mas continue, continue. Você disse que Domingo havia lhe contado três vezes a história... Conte-me a terceira... Depois lhe direi como conheci Mercedes Pombo."

A terceira e última vez que Domingo González Lucas voltou a falar daquela morte antiga, espécie de auto sacramental de rememoração expiatória, foi durante um jantar, anos mais tarde, no vilarejo de Fuencarral.

Recentemente — ou seja, quase meio século depois —, quando já estava escrevendo este relato fidedigno, o mais completo possível — o mais complexo também, inevitavelmente, sem dúvida por sua própria completude —, o Narrador andou à procura da taberna onde fora aquele último jantar, mas não a encontrou.

No fundo de si mesmo, em francês, que volta e meia é a língua do fundo de si mesmo, o Narrador, que já nem se lembra, se não houver uma necessidade imperiosa de se lembrar, uma razão excepcional, de que um dia se chamou, ou o chamaram, Agustín Larrea, no fundo de si mesmo, como disse, ele recita no silêncio de sua solidão íntima um verso de Baudelaire: "*la forme d'une ville/ change plus vite, hélas!, que le coeur d'un mortel...*".* E é verdade

* "a forma de uma cidade/ muda mais depressa,/ *hélas*!,/ que o coração de um mortal..." (N. T.)

que Madri mudou mais depressa do que o velho coração do mortal, a cada minuto mais mortal, que está narrando esta história.

Em todo caso, ele, que se relembrou de que na época se chamava Larrea — e por que Larrea? Foi um pseudônimo escolhido por ele mesmo. "Dessa vez, que sobrenome lhe ponho?", tinha perguntado Domingo Malagón, do aparelho clandestino do Partido Comunista, genial artista na hora de falsificar os documentos de identidade, e Artigas respondeu (Artigas era na época o nome de sua falsa carteira de identidade, que, justamente, convinha mudar): "Ponha Larrea", em lembrança e homenagem a Juan Larrea, interessante escritor bilíngüe do exílio republicano, homenagem íntima e desinteressada —, o Narrador, portanto, não conseguiu reencontrar a taberna do vilarejo de Fuencarral onde jantou com Domingo Dominguín e Juan Benet, e onde serviam maravilhosas costeletas assadas de cordeiro.

Dessa vez, terceira e última, decerto por causa da presença de Juan Benet, que ainda não havia publicado nenhum livro, mas já tinha entre os amigos prestígio de inevitável grande escritor, Domingo, provavelmente para se exibir, contou a história da cerimônia com um luxo de peripécias pitorescas, espantosas, uma série de detalhes psicológicos apaixonantes, uma densidade na tensão dramática que não tinha conseguido — na certa por não ter se proposto — em seus dois primeiros relatos da mesma história.

A tal ponto que, deslumbrado, Benet comentou que o tema era digno de uma narração romanesca. E acrescentou, supremo elogio, que pareceria um romance de Faulkner.

"Essa Satur que você menciona", Benet disse a Domingo, "poderia ser uma das narradoras da história..."

Enquanto isso, Michael Leidson tinha pedido outro uísque: o terceiro, se a conta estava certa. E interrompia o relato de Larrea (melhor continuar me dando esse sobrenome, já que era o de uso corrente entre os amigos, em Madri, na época que se está contando).

"Belo romance, de fato, se eu fosse romancista! Mas você é, Federico: por que não?"

Pois é, justamente: algo havia se cristalizado de repente naquela mesma manhã, ainda agorinha, ao contemplar no palácio de Villahermosa o quadro da degolação de Holofernes. Cenas, paisagens, episódios, fiapos de relatos, de lembranças, adquiriram uma espécie de coerência, consistência. Ainda era muito cedo para saber se a coagulação de tanta matéria narrativa difusa acabaria se transformando num projeto concreto de texto.

No entanto, algo se remexia vertiginosamente em sua imaginação. Disse isso a Leidson, contou-lhe uma primeira versão, precipitada, ainda caótica, do romance possível.

"O que ainda não entendo", disse Leidson depois de um longo silêncio emocionado, "é como a contemplação de uma tela, que parece tão distante de tudo isso, pôde servir de catalisador, detonador ou núcleo do torvelinho narrativo..."

"Mas *hombre*", Larrea respondeu, irônico, "algum mistério deve permanecer, prevalecer até, no processo da criação literária."

"Juan Benet tinha razão", diz Leidson no bar do Palace, no dia em que Artemisia Gentileschi, com um de seus quadros, *Judite e Holofernes*, irrompeu em suas vidas, pelo menos na do Narrador, que já quase não se lembrava de ter sido Agustín Larrea, como havia sido tantos outros personagens talvez esquecidos ou apagados da história, inclusive da memória; mas o Narrador, naquele dia do Villahermosa, no outono de 1985, nada sabia de Artemisia Gentileschi, deve confessar, nem do quadro; depois se informou, procurou tudo o que se havia publicado sobre a pintora, em todos os idiomas acessíveis, foi juntando documentação, reproduções fotográficas, cartões-postais, fotocópias de páginas de enciclopédias, até que, alguns anos depois dessa descoberta, de seu encontro com Leidson — significativo, premonitório —, no palácio de Villahermosa, onde foi instalado afinal o museu Thyssen-Bornemisza, quatro anos depois, em Nova York, a primeira coisa que fez foi comprar um livro que acabava de sair, um volume grosso maravilhosamente ilustrado, de Mary D. Garrard, *Artemisia Gentileschi, The image of the female hero in italian baroque art*, livro talvez definitivo, narração apaixonante da vida de Artemisia, análise pertinente de sua obra pictórica, das relações obscuras, trágicas — são as que mais produzem significados polissêmicos —, entre vida e obra: Artemisia, jovem artista, filha de artista, deflorada com violência e astúcia por um amigo de seu pai Orazio, talvez em presença e com a ajuda de outro conhecido; marcada como uma égua selvagem pelo ferro candente da recordação, para sempre, apesar da decisão a seu favor de um tribunal eclesiástico romano que teve de julgar o estupro; Artemisia, que sem dúvida pintava um auto-retrato ao pintar a figura de Judite, na tela tantas vezes mencionada, um auto-retrato de mulher exercendo seu violento direito de revolta, de vingança, contra Holofernes, encarnação da força bruta, bestial, de um machismo arrogante; mas Leidson acaba de dizer: "Juan Benet tinha razão, tinha toda razão, porque de fato a Satur poderia ser a narradora desta história; pelo menos, a que inicia a série dos relatos, a que narra a parte legendária da realidade".

Depois, Leidson ficou um instante em silêncio, saboreando um gole de uísque com gelo.

"A Satur", concluiu, "nesse romance — o seu romance, tomara! — faria o papel da Rosa Coldfield em *Absalão, Absalão*, de Faulkner..."

Larrea interrompeu Leidson, assustado.

"Domingo lhe contou? Você adivinhou?"

"O quê?", pergunta Leidson.

"O romance e Faulkner, justamente este: *Absalão, Absalão*."

Em Fuencarral, anos atrás, depois que Domingo contou sua mais completa, complexa e bonita versão daquela morte antiga, Benet falou de Faulkner, já dissemos. E mais concretamente de *Absalão, Absalão*. Larrea interveio, com certa nuance, no monólogo de Juan Benet.

Este, na época engenheiro de portos e canais, ficou olhando para ele, meio atordoado. Surpreso, no mínimo.

Não achava normal que Larrea, de quem não sabia muita coisa, de quem supunha muitas coisas, apesar de ter admitido a ficção que Domingo contava a seu respeito; não achava normal, em todo caso, que esse membro do aparelho clandestino do Partido Comunista — isto, sim, estava claro, embora não soubesse que cargo ocupava — pudesse saber alguma coisa de Faulkner; e pelo visto, o suficiente para intervir acertadamente, agudamente até, na conversa sobre *Absalão, Absalão*.

O que Larrea não tinha contado a Juan Benet em Fuencarral, naturalmente, pois teria sido contrário às normas da clandestinidade, era como, por que e em que condições tinha lido Faulkner.

Agora pode contar.

Hoje, no bar do Palace, pode contar a Michael Leidson.

Aqui, neste mesmo lugar, talvez neste mesmo canto do bar, tinha começado a história. Bem, nunca se sabe quando nem onde começam realmente as histórias. O que tinha começado aqui, mais de trinta anos antes — quanto tempo — era a possibilidade de um relato, mais ou menos completo, mais ou menos acertado, da história daquela antiga morte. Leidson tinha um encontro com Hemingway, este o convidou para um almoço no El Callejón, lá estavam Larrea e Dominguín, este contou a história da cerimônia expiatória, que impressionou a todos, e Hemingway só disse uma palavra curtinha, no final, uma só sílaba sibilante: "*Shit*".

Ou seja, a possibilidade de um relato nasce aqui; aqui jaz.

Então, como já não há nenhuma razão para esconder, porque já não é imprudente contar, ele conta a Leidson como descobriu os romances de William Faulkner, como e quando, e quem o fez descobri-los.

Foi uma moça, uma estudante que conheceu em Paris, na Sorbonne — "e dizem, você não conhece a piada?, dizem que Primo de Rivera, o pai, o ditador da Ditamole, achava que a Sorbonne era uma pessoa, uma dessas mulheres francesas de vida fácil e artes ainda mais fáceis que corrompia os nobres rapazes espanhóis" —, foi na Sorbonne aquele encontro, durante uma prova de Moral, matéria obrigatória no curso de licenciatura de filosofia, e a moça, Jacqueline B., lhe deu de presente um romance de Faulkner, *Sartoris*, e ele ficou definitivamente apaixonado por aquela escrita, aquela arte de romancear — pela moça também, é verdade, belíssima, com olhos de verde transparência, longa cabeleira solta, selvagem e meiga Jacqueline B., tão próxima, tão distante, inalcançável, que introduziu em sua imaginação juvenil, em seu desejo ainda adolescente, uma nefasta dualidade entre o amor, que só podia ser platônico e cortês, e o desejo carnal, que não podia ser compatível, por sua exigência possessiva, com uma adoração extasiada, e aquele mesmo ano da descoberta de Faulkner e do puro amor foi o da leitura de Sartre, Heidegger e Merleau-Ponty, do adeus aos estudos, do compromisso político e, no final, da detenção pela Gestapo —, portanto *Absalão, Absalão* era um romance que leu em alemão, pois por acaso havia um exemplar na biblioteca de Buchenwald.

Naturalmente, não tinha dito nada disso a Juan Benet, naquela noite em Fuencarral de costeletas de cordeiro e vinho tinto, quando começou a tomar corpo a possibilidade deste relato.

"Conto-lhe a história da Satur?", Leidson pergunta, depois.

"Vamos lá", ele diz.

Pedem outro uísque e algo para beliscar: presunto, queijo, batatas fritas, o que for.

"Como sou historiador", diz Leidson, "não vou contar do jeito que você conta, em desordem, por associações de idéias, imagens ou momentos, para trás, para a frente; vou contar pela ordem cronológica; uma grande invenção, a ordem cronológica, uma artimanha divina: no primeiro dia da Criação Deus fez isso, no segundo fez aquilo; uma astúcia genial para contar as coisas. Para mim tudo começa em 1954, há trinta e um anos — já pensou? é o espaço histórico de duas gerações. Começa no dia do almoço no El Callejón. O relato de Domingo me impressionou, não o esqueci; dois anos depois eu estava de novo em Madri, num ano sabático em que pensava terminar meu livro sobre a República de 1931, e em fevereiro aconteceu a história dos estudantes, e você apareceu, Federico, o fantasma de Federico Sánchez, pelo menos na imprensa do Regime, no rádio, nos cochichos de um círculo bastante amplo — talvez demais — de estudantes e intelectuais madrilenhos, e eu nunca disse nada, não fiz nenhum comentário, mas estava praticamente convencido de que o Agustín Larrea que Dominguín tinha me apresentado não era tão sociólogo como diziam, e na realidade esse nome era um pseudônimo de Federico Sánchez — que, aliás, também era pseudônimo —; e às vezes eu me perguntava: como ele saberá quem é, de verdade, em meio a tantos pseudônimos? Bem, naquela primavera de 1956 revi Domingo e lhe perguntei se ainda se celebrava a cerimônia expiatória, e ele me disse que não, não mais, mas que se a história me interessasse, eu o acompanhasse a La Companza, no dia 18 de julho, vinte anos depois da morte originária, e lá ele me apresentaria à Satur, já muito velha, uma cozinheira fantástica que trabalhava e vivia na fazenda antes que Dominguín pai a comprasse, e que poderia me contar tudo, e assim fizemos, e a Satur me contou..."

"Eu sempre contei isso", dizia a Satur, na tarde do dia 18 de julho de 1956 — e na véspera, de noite, Larrea esteve na casa de Domingo, no terraço da rua Ferraz, mas Leidson acabava de sair, depois de ter combinado com Domingo irem juntos de carro, na manhã seguinte, a Quismondo; e nessa noite, às tantas, apareceu um estudante amigo de Pradera que voltava de uma viagem pela Itália e, imagine só, querido gringo, que fantástica coincidência: o rapaz, um tal de Lorenzo se bem me lembro, tinha estado em Roma na casa de María Zambrano, num jantar com alguns exilados republicanos, e entre os presentes, ele dizia, havia um Semprún Gurrea, e nos explicava, explicava a mim, veja só, quem era ele, um amigo de Bergamín, dizia, fundador junto com ele da revista *Cruz y Raya*, em suma, ele me explicava quem era o meu pai, imagine que situação mais romanesca, e desse Lorenzo não soube mais nada, não sei que fim levou, mas um dia, em algum livro, terei de ressuscitá-lo para que me conte de novo a noite na casa de María Zambrano —, e dizia a Satur, na tarde de 18 de julho de 1956, "eu sempre contei isso como se tivesse acontecido em outra fazenda, não sei por quê, talvez para não reacender o mau-olhado, a maldição dos Avendaño, mas tudo aconteceu aqui, em La Companza, que era deles, e eu estava na fazenda, nasci aqui, quando os camponeses mataram *seu* José María, nunca se soube por que, na certa por causa da maldição, porque estava escrito; teria explicação se tivessem matado o mais velho, José Manuel, quando o povo de Quismondo ficou sabendo que o exército da África tinha se rebelado, porque ele era reaça pra chuchu e duro pra chuchu, continua sendo, mas o mais moço, José María — entre os dois havia um terceiro, um jesuíta —, era republicano, pois é, a má sorte, o mau-olhado, a maldição, e a dona Mercedes ficou viúva, grávida, daria à luz dois órfãos, mas uma viúva muito moça, e lindíssima, destroçada por aquela morte, seu marido, que ela adorava, mas seu cunhado José Manuel, depois que o pessoal dele, os *nacionales*, ganhou a guerra, meteu ela na cama e com ela gozou tudo o que quis e pôde — sempre ia à fazenda sozinho, sem a mulher legítima, que aliás era cacete e jeca e não saía de Madri para vir a uma aldeia tão aborrecida como Quismondo, tão triste —; pois é, o sem-vergonha do José Manuel, tão de missa nos domingos e de comunhão na Páscoa, tinha mulher em Madri e amante em La Companza, e uma vez a dona Mercedes me disse que sem dúvida era um pecado muito grande, e eu respondi que não, que pecado não era, era uma indecência, mas não pecado; em suma, que o cunhado dela era um tirano, é claro, mas que na cama se sentia bem com ele, era incansável, que precisava dele para os exercícios da carne, embora estivesse tão longe de sua alma, tão longe as almas deles, uma da outra; mas quando os gêmeos fizeram dezoito anos — porque foram gêmeos, menino e menina, os daquela gravidez de Biarritz, no final de uma viagem de lua-de-mel pela Itália, um mês antes da nossa guerra —, ela descobriu que os irmãos estavam loucamente apaixonados, que iam para a cama juntos, e dona Mercedes quis proibir, acabar com esse estupro, separá-los, e a única coisa que conseguiu foi que se suicidassem, aqui, em La Companza, uma tarde, no quarto da mãe, os dois nus, e ele primeiro matou a irmã e depois deu um tiro na têmpora, que horror ver aquilo, tão jovens, tão bonitos, tão inundados de sangue, e logo depois ela vendeu a fazenda, ao Dominguín pai, que estava de olho numa ocasião, doido para comprá-la...".

Leidson interrompe de repente o relato da Satur, termina o uísque que estava bebendo — o quinto, se fossem contá-los —, percebe que está ficando bêbado, que precisa comer alguma coisa, e pensa numa solução.

"Escute", diz, "são três da tarde, a gente tem de comer alguma coisa. Aqui perto, na rua Juan de Mena, há uma cantina onde servem um bom cozido, se quiser, vamos lá."

"Vamos", responde. "Mas o cozido me espanta: como você ficou espanhol, *gringo viejo*!"

"Não é pelo cozido, Federico. É que Mercedes Pombo, viúva de Avendaño, morava ao lado..."

"Eu também", ele o interrompe, categórico.

De fato, também tinha morado perto da rua Juan de Mena, onde passou toda a infância, e pode-se dizer que até o mês de julho de 1936 morou na própria Juan de Mena, embora o portão de seu prédio fosse na Alfonso XI, e as férias de verão daquele ano começaram em Lekeitio, no mesmo dia, talvez na mesma hora em que os camponeses de Quismondo, num tropel confuso, se dirigiam para a fazenda de La Companza, famintos de terra mais que de tudo, e acabaram matando sem querer o único liberal da família Avendaño.

"Onde você morava?", Leidson pergunta.

"Na Alfonso XI", responde, "esquina com a Juan de Mena, exatamente."

Já estão a caminho da cantina sugerida por Leidson.

A primeira vez que voltou a Madri, clandestinamente, em junho de 1953, quando se instalou numa pensão da Santa Cruz de Marcenado, foi correndo para a rua. Anoitecia, foi andando a passos largos até o bairro de Salamanca, percorrendo as ruas de sua infância, tudo era igual, tudo — quase tudo, exceto um pequeno retoque numa fachada, exceto a presença ou ausência de uma vitrine —, tudo era idêntico às imagens de sua memória, e no entanto foi se apoderando de seu espírito uma incompreensível sensação de estranheza, de confuso desasossego: nunca tinha se sentido tão estrangeiro como naquela noite, ao retornar à conhecida paisagem da infância. Desorientado, desanimado, foi percorrendo as ruas do bairro, buscando um ponto de referência, de permanência, de enraizamento, de continuidade tranqüilizadora. Encontrou-o, finalmente, por acaso. Estava na rua Serrano, por onde outrora circulava o bonde número 11, linha que ia da rua Claudio Coello até o passeio de Rosales; estava ali, desconcertado, angustiado pela estranheza radical do mais antigo, originário, de sua própria memória, quando viu de súbito, na calçada em frente, a vitrine iluminada de um armarinho, A Glória das Meias. Isso mesmo, claro, sem dúvida, finalmente, já era hora: A Glória das Meias! Subitamente, ao aparecer aquele nome de outrora, nome enternecedor e grandiloqüente, todo o torvelinho de sentimentos, angústias, perguntas parecia sossegar, a torrente de uma memória transbordada voltava a seu leito, amansava no remanso da evidência. A Glória das Meias era o símbolo, ao mesmo tempo insignificante, doméstico, mas patético, de um passar do tempo denso e homogêneo: desde a infância até o dia de hoje, apesar de tanta mudança, tanta morte, tanto êxodo e exílio, um fio vermelho de idêntico sangue vivo percorria as trilhas de sua vida.

Ao cruzarem a rua Alfonso XI, subindo pela Juan de Mena, Leidson o observa, à espera sem dúvida de que ele diga alguma coisa, onde ficava sua casa, por exemplo. Mas não diz nada, demasiado absorto na lembrança do modesto armarinho cujo nome imodesto, A Glória das Meias, tantos anos antes havia restituído a seu ser o que ele era, à identidade de seu ser quem ele era, apesar de tanto e tão profundo desenraizamento, tão prolongado: um nome irrisório, para não dizer ridículo, que o ressuscitava do meio dos mortos, ao desenterrá-lo do desterro.

"É aqui", diz Leidson, na entrada da cantina. "E ali era o prédio de Mercedes Pombo", acrescenta apontando para a esquina em que a Juan de Mena desemboca na rua Alfonso XII, defronte do Retiro.

"Ali? No prédio que forma a chanfradura?" E morre de rir.

Mas Leidson não entende a palavra "chanfradura" nem entende por que ele ri. Explica. Explica o que é uma "chanfradura" e por que acha graça no fato de Mercedes Pombo ter vivido naquele prédio.

"Não há dúvida", exclama, "se isso não é romanesco eu já não sei o que é um romance. Nesse mesmo prédio, segure-se, viveu um tio meu com sua família. Honorio Maura, um dos irmãos de minha mãe, não o preferido dela, que era Miguel, o republicano. Honorio era um reaça carlista e escrevia peças de teatro, comédias de costume, nunca li nada dele. Um dos filhos, Ivan, meu primo-irmão, depois se destacou como campeão de golfe. Há uma canção satírica dos anos 30, que se cantarolava com a música do hino de Riego, e que mexe com os Maura. Só me lembro do primeiro verso: "*Son de España los Maura el oprobio*", e esta última palavra rimava com *Honorio*, e as outras duas rimas da primeira quadra eram *Miguel* e *Gabriel*, ou seja, a musiquinha caçoava dos três irmãos, mas das irmãs nada dizia, felizmente, e com isso a honra de minha mãe foi salva...".

Enquanto contava isso levou Leidson, agarrado pelo braço, até a chanfradura formada pelo portão do prédio de Honorio Maura e tia Cota. E também de Mercedes Pombo.

"Agora você compreenderá", diz a Leidson, "por que para mim é tão difícil, apesar do meu empenho, escrever romances que sejam romances de verdade: porque a cada passo, a cada página, eu topo com a realidade de minha própria vida, de minha experiência pessoal, de minha memória: para que inventar quando se teve uma vida tão romanesca, na qual há matéria narrativa infinita? Bem, o autêntico romance é um ato de criação, um universo falso que ilumina, sustenta e talvez modifique a realidade. Eu teria de dizer, como Boris Vian: neste livro tudo é verdade porque inventei tudo. Eu também gostaria de inventar tudo..."

Já estão na cantina comendo, não cozido, nenhum dos dois se atreveu a tanto, mas coisas muito saborosas.

"Que fim levou Honorio Maura?", Leidson pergunta.

"Morreu, como dizia uma pessoa que eu conheço, e cujo nome prefiro esquecer, ao falar dos fuzilados de nossa guerra, dos seqüestrados que desapareciam, dos mortos na sarjeta, dos que 'ao nascer já carregam nas costas o muro dos executados'. Na verdade, foi morto pelos Vermelhos (no início eu rejeitava esse qualificativo, por ser sectário, injusto historicamente, mas terminei aceitando, porque de fato o exílio era vermelho, *rouge espagnol*, em francês, *Rotspanier* em alemão, assim, acabei gostando de ser vermelho dessa maneira, junto com aquela gente boa, com aquela esperança tão bonita, embora derrotada), mas, bem, ou melhor, mal, Honorio Maura morreu: foi fuzilado nos primeiros dias da guerra em San Sebastián..."

"Em San Sebastián? Então, como o pai e o avô de Pradera."

Sim, de fato, como o pai e o avô de Pradera, como pais ou avós de tantos jovens companheiros de luta daqueles velhos tempos.

Pradera estaria, trinta anos atrás, no terraço da casa de Domingo, na noite daquele dia 17 de julho? Não é impossível, porque costumava estar. Mas ele não se lembra. Ele, Larrea, ia se despedir, porque no dia seguinte, ou talvez dali a dois ou três dias, também não se lembra, mas o detalhe não tem importância, em todo caso pouco depois daquela noite calorosa — e não só pelo clima do julho madrilenho, também pelo fervor da fraternidade — tinha de ir viajar por algum tempo. Na verdade, havia sido convocado um pleno do Comitê Central do partido, para se discutir a nova linha política, depois de derrotada, a duras penas, a de Dolores Ibárruri e Vicente Uribe, graças à firmeza de Claudín, à habilidade tática de Carrillo e, sobretudo, às repercussões no grupo dirigente do Partido Comunista da Espanha do relatório secreto de Kruschev, sobre os crimes de Stalin, apresentado no XX Congresso do partido russo.

Despediu-se dos amigos sem lhes dizer, é claro, por que ia viajar, nem para que nem para onde, mas, quanto a este último detalhe, mesmo que quisesse dizer, não poderia: ele mesmo não sabia.

Hoje, sim, sabe: sabe onde esteve, perto de Berlim oriental, na escola de formação de quadros Edgar André do partido alemão, numa linda paisagem de lagos e bosques. Sabe onde está: numa cantina da rua Juan de Mena, e como é um escritor realista pode até dizer o que está comendo: primeiro uma sopa de legumes, depois uma *merluza a la plancha*. Nenhuma sobremesa, só café puro.

"Bem", diz, "conte-me o que sabe de Mercedes Pombo. É a única coisa que me falta para o romance: a última peça do quebra-cabeça..."

"Vai escrevê-lo mesmo?", pergunta Leidson, visivelmente satisfeito.

Ele dá de ombros.

"Sei lá eu! Não é impossível, algo está germinando. Mas, como de outras vezes, pode acontecer que o processo se interrompa ou que me dê fastio: é freqüente. Além disso, eu teria de escrever este livro em castelhano."

"E daí?", Leidson exclama, espantado. "Como a *Autobiografia*, não é?"

Ele concorda com um gesto de cabeça e diz sibilinamente:

"Pois é, por isso."

Volta a seu assunto, teimoso.

"Fale de Mercedes Pombo."

* * *

"Saturnina Seisdedos", diz Leidson, "ou seja, a Satur, tinha me contado a história de Mercedes naquele 18 de julho de 1956, há trinta anos, quase trinta, quando estive em La Companza com Domingo. Disse-me onde ela vivia, e lhe telefonei infinitas vezes, não queria me ver, não queria ver ninguém. Meses depois, um belo dia, ou melhor, uma noite, já tarde, ela me liga: queria me ver impreterivelmente no dia seguinte. Lembro-me muito bem porque eu precisava voltar nesse dia para San Diego: tinha concluído meu livro, minha cátedra na universidade me esperava. Mas cancelei o vôo de volta, avisei ao reitor, que concordou em prolongar meu ano sabático por três dias, vim vê-la aí, no prédio dela, que foi também o de Honorio Maura (é mesmo, como você pretende evitar que a sua memória ou a sua imaginação romanesca não desemboquem com tanta freqüência na memória histórica, se ambas estão, pelo menos quanto a este século XX, completamente entrecruzadas, entremeadas?).

"Era uma mulher de uns quarenta anos, ou um pouco mais — quando mataram seu marido, em 1936, tinha acabado de fazer vinte e três: quem me disse foi Saturnina Seisdedos, portanto, tinha na época quarenta e três — e, de certo modo, não aparentava: belíssima, lindo corpo, juvenilmente esbelta, cuidada, mas, por outro lado, com um olhar devastado, arruinada pela vida, pela morte; melhor: um olhar assassino. Já não lhe aconteceu, Federico, de ver entrar a morte, disfarçada talvez de mulher atraente, jovem, num lugar público?"

Claro que me aconteceu, ele pensa, e diz a Leidson. Na última vez que me aconteceu foi em Paris, no outono de 1975, numa cervejaria perto da praça Victor Hugo; eu estava com uns amigos e a mesa ao lado era barulhenta: gente de cinema e teatro, extrovertidos, chamando de propósito a atenção, felizes de provocar interesse e talvez inveja, no mínimo ciúmes; e chegou atrasada, recebida com palmas e alvoroço, uma mulher jovem, atraente, sexy, vestindo vaporosas sedas preto-e-branco, e todos se dirigiram a ela extasiados: Daisy! Daisy chegou! Por acaso, ao se sentar ela olhou para mim, e captei esse olhar: já não tive a menor dúvida, era a Morte. E naquela mesma tarde Javier Pradera me telefonou de Madri, com uma voz enrouquecida, arrasada, mal-e-mal audível: Domingo Dominguín tinha se matado em Guayaquil, com um tiro.

No minuto de silêncio que se seguiu, entre Leidson e ele, mudos, cresceu desmedida, atrozmente triste, a lembrança daquela alegria de viver, insolente, carinhosa, imaginativa, desesperada, generosa, que Domingo encarnava.

"Pois bem", Leidson prossegue, "naquela tarde ensolarada de inverno do final de 1956 a morte não se chamava Daisy, se chamava Mercedes: é bem verdade que a morte pode se chamar qualquer coisa, por isso é inominável. Assim que entrei na casa, dei uma primeira olhadela e parei, impressionado: todos os móveis, quase todos, sem dúvida os mais frágeis e caros, estavam cobertos com capas brancas, como antigamente, quando as famílias da burguesia madrilenha saíam para um longo veraneio. Além disso, não havia nem uma flor, nem uma fruta, nada efêmero, nada perecível: nada vivo, em suma. Toda aquela paisagem de algodão branco parecia mortífera, como se um sudário cobrissse a memória da família Avendaño.

"Mercedes Pombo deve ter notado minha surpresa, minha apreensão talvez.

"'Assim estava a casa em julho de 1936, quando voltamos de Biarritz, da lua-de-mel, poucos dias antes da guerra...' Ela me olhou, como que desafiante. 'Assim ficará até o final.'

"Depois tirou as capas de duas poltronas, e nos sentamos.

"'O senhor escreveu sobre os escritores americanos e a guerra civil. E também sobre os poetas espanhóis durante essa guerra. Qual a sua opinião sobre Pedro Salinas?'

"Naquele momento, eu, francamente, não tinha nenhuma opinião sobre Pedro Salinas... Não soube o que responder. Mas Mercedes não esperava resposta: queria me falar de Salinas por outras razões.

"Começou a me recitar, quase em voz baixa, alguns de seus versos. Acho que identifiquei os poemas "Razón de amor" ou "La voz a ti debida". Mas isso não era o essencial, isso era só para entrar no tema de seu relato, de sua obsessão: a poesia de Salinas tinha acompanhado seu namoro com José María Avendaño, em Santander, no verão de 1934, quando o poeta foi reitor da universidade de verão de La Magdalena. A poesia de Salinas e tangos argentinos que eu nunca tinha ouvido, "Caminito" e "Cabecita loca..."

Federico interrompe Leidson, exclamando:

"Essa não, gringo, como é possível, rapaz, você não conhece esses tangos? Se eles pertencem ao repertório mundial da nostalgia!"

E canta para ele o "*caminito que el tiempo ha borrado...*".

Dessa vez é Leidson que o interrompe, indignado:

"A letra você sabe, Federico... mas desafina à beça..."

"Você também notou? Sempre me dizem isso... Nunca me deixaram cantar, nem nas reuniões de família, nem nas do partido... Por alguma razão será..."

"Mas naquela tarde de inverno madrilenho, no final de 1956", contava Leidson, "Mercedes se levantou, foi buscar um disco velhíssimo, desses de cera que pesavam uma barbaridade, e o colocou no prato de um gramofone igualmente velho, daqueles de dar corda com manivela. E o tango começou a tocar, e na mesma hora ela me tirou para dançar, imperiosa, e dançava tango fantasticamente, muito agarrada, seu olhar mais mortiço ainda, mais mortífero do que até então. Foi, Federico, um dos momentos mais estranhos e mais emocionantes de minha vida: aquela música, aquele salão dos sonhos, forrado de branco, aquele delicioso corpo de mulher contra o meu, seus seios, seus quadris, suas pernas se insinuando entre as minhas e, ao mesmo tempo, a certeza que me embargava de estar dançando com a Morte: essa angústia, essa sensação de vertigem, tudo junto, Federico.

"A música parou e ela ficou um instante em meus braços, mas logo se afastou de mim com uma espécie de soluço; voltamos a nos sentar e me contou seus amores com o Avendaño morto: a viagem de lua-de-mel, como foi deflorada em Nápoles, falou-me de sua intimidade com uma exatidão desconcertante, mas sem nenhuma indecência, sem obscenidade, apesar da crueza de certas peripécias — uma empregadinha napolitana, uma turista escandinava em Siena, um jovem fotógrafo inglês em Biarritz, que participaram de seus jogos eróticos —, talvez porque contasse como se isso tivesse acontecido com outros, com outros recém-casados, como se fosse um relato em terceira pessoa, com a mesma objetividade. Lá pelo final entrou no salão uma mulher aparentemente de sua idade, talvez um pouco mais moça: uma dama de companhia ou uma administradora da casa, uma pessoa de confiança que me foi apresentada como Raquel, só isso, mas era perceptível uma longa cumplicidade entre as duas, a tal ponto que Mercedes contou na frente dela, e Raquel não se alterou, como se estivesse ouvindo algo já sabido, o episódio do fotógrafo inglês, jovem, bonito, que agiu, no mínimo, como *voyeur*, no final da viagem de lua-de-mel em Biarritz.

"O que ficou claro", Leidson acabou de contar, "é que Raquel estava com eles na fazenda de Quismondo, La Companza, no dia 18 de julho, quando chegaram os lavradores em tropel armado: foi ela quem me contou a morte de José María, e foi estranho, porque me deu a impressão de que recitava um texto já escrito, como um ator recita seu papel, como se o relato da antiga morte já estivesse determinado, estabelecido, codificado..."

Faz-se um longo silêncio na cantina da rua Juan de Mena, tão perto do prédio onde Mercedes Pombo tinha vivido.

"E os filhos póstumos de Avendaño?", ele pergunta a Leidson. "Os gêmeos, o rapaz e a moça que se apaixonaram?"

"Quando estive aí na casa dela", diz Leidson, "fiz uma coisa que não é correta, eu sei... Mas queria que ela falasse com liberdade: portanto, gravei toda a conversa sem que ela reparasse... Tenho as fitas na minha casa de San Diego. Vou lhe mandar tudo, as fitas e umas fotos de Mercedes Pombo e dos filhos... Mas escreva o romance, por favor... E também lhe mandarei a gravação com a Satur, a do primeiro relato dela, em julho de 1956..."

"Mande, tudo bem. Talvez eu me decida a escrever essa história..."

"O que não entendo", diz Leidson, "é como você vai meter esse quadro da Gentileschi na trama do possível romance..."

"Pois é muito fácil", responde, sorrindo. "Facílimo, caro Watson... Você não me disse que estiveram em Nápoles na lua-de-mel? Ela não lhe disse que tinha sido deflorada em Nápoles, diante do olhar de uma empregadinha do hotel? Pois é evidente: antes do momento de consumação, ou talvez de consumição, do casamento, Mercedes esteve em Capodimonte, onde descobriu o quadro de Artemisia, que a comoveu sensualmente..."

Leidson olha para ele, atônito.

"Está na cara que eu não sou romancista", diz em seguida, com modéstia exemplar.

7.

"Obrigada pelo cartão-postal de Florença", disse Mercedes Pombo a seu filho naquela manhã, por volta do meio-dia, ao entrar na biblioteca.

Concentrados numa discussão sobre Roberto Sabuesa e suas intenções malévolas, nem Benigno nem Lorenzo a viram chegar.

Mais tarde, depois da cerimônia religiosa, depois que tanto José Manuel como *don* Roberto tinham ido embora da fazenda — e o primogênito dos Avendaño esperou ostensivamente que o carro do delegado pegasse a estrada de Quismondo, rumo à de Madri, para entrar no seu próprio carro —, mais tarde, já tarde, enquanto esperavam que Raquel e a Satur lhes servissem o almoço, Mercedes Pombo voltou ao assunto daquele cartão-postal.

"Mas eu não estou enganada, Lorenzo, você é que está enganado... O vestido de Judite é azul, não amarelo... O que acontece é que há dois exemplares do quadro da Gentileschi. E não são exatamente iguais. Há um em Nápoles, em Capodimonte, o que eu vi..."

Parou de falar, subiu às suas faces um ligeiro rubor. Sua voz enrouqueceu de repente.

"Vi, e estou vendo, como se fosse ontem..."

Distanciou-se na lembrança, absorta e abstraída. Mas o que estava vendo — como se fosse ontem, de fato; mais ainda: como se fosse naquela época, no exato momento — não era a tela de Artemisia Gentileschi, não era o sangue da degolação de Holofernes, era com uma angustiante exatidão a cena de seu defloramento no quarto do hotel napolitano: o sangue jubiloso de sua virgindade, diante do olhar fascinado, fascinante, de Luciana, que se aproximava deles, atrevida e submissa, disposta a tudo.

Mas logo voltou à realidade do seu círculo imediato.

"Há outro quadro dela quase idêntico na composição, mas diferente, sobretudo pelo colorido, nos Uffizi de Florença; o que você viu, Lorenzo..." Deu um riso curto, nervoso, estranho. "Portanto, apesar do que você diz, minha memória da viagem de lua-de-mel não necessita de contraste e precisão."

Todos foram sensíveis à emoção mal contida que as palavras de Mercedes Pombo expressavam e, ao mesmo tempo, escondiam com uma violência surda.

Benigno Perales a contemplava com admiração, como de costume; também com compaixão, isto é, literalmente, compartilhando sua paixão de outrora, imaginando-a. E Benigno, por ter lido as notas terrivelmente sugestivas, embora sucintas, do diário íntimo de José María Avendaño, descobertas na noite da véspera na biblioteca de La Maestranza, tinha todos os dados para entender o que a viagem de lua-de-mel havia significado para ela.

"Tem razão", disse Lorenzo, "depois de ter lhe mandado o postal, andei lendo tudo o que havia nas bibliotecas de Florença sobre a Gentileschi... Aquele quadro também me impressionou, embora o vestido de Judite não fosse azul, como em Nápoles... Que personagem de romance, essa Artemisia!"

Um tanto confusamente, por seu entusiasmo, sua precipitação verbal, Lorenzo contou a eles o que sabia da vida e da pintura de Artemisia Gentileschi; descreveu alguns de seus quadros, além daquele da degolação de Holofernes. Falou sobretudo de um que não tinha conseguido ver, porque estava em Londres, em Kensington Palace, como parte das coleções da rainha da Inglaterra, e que portanto ele só conhecia por reproduções, um auto-retrato intitulado *Alegoria da pintura*, um quadro lindíssimo a julgar por suas reproduções, ainda que imperfeitas; um quadro interessantíssimo do ponto de vista da história da pintura. "Imaginem só a coincidência romanesca", Lorenzo acrescentava, "Diego Velázquez, em sua visita a Nápoles em 1630, esteve no ateliê da Gentileschi, que acabava de terminar sua *Alegoria*, e assim pôde ver esse quadro; que tal?"

Seja como for, Mercedes Pombo achou fantástico que Lorenzo se tivesse interessado tão apaixonadamente pela pintora italiana. Comentou com ele a beleza arrepiante de *Judite e Holofernes*.

"Da Gentileschi", disse de repente José Ignacio, o Avendaño jesuíta, "não sei praticamente nada. Em compensação, de Judite sei tudo, quase tudo. Se o almoço ainda custar a chegar, e se isso os diverte, contarei."

Mercedes empalideceu.

"Há vinte anos," disse a seu cunhado, "em Nápoles, seu irmão José María proclamou a mesma coisa, com as mesmas palavras. 'Em compensação, de Judite sei tudo, quase tudo.' Estávamos almoçando, eu contava a ele a visita a Capodimonte, perguntei se sabia alguma coisa da Gentileschi, ele me disse que não. 'Em compensação, de Judite sei tudo, quase tudo'..."

"É óbvio", diz José Ignacio sem se alterar.

Todos tinham se virado para ele, esperando uma explicação.

"É óbvio", repete o jesuíta, calmo.

Mas não explica. Pelo menos, ainda não. Mete-se por uma trilha de digressões, um impasse narrativo: costuma acontecer.

Na família já ninguém se espanta, se bem que José Manuel, o primogênito pragmático, volta e meia se impaciente.

"Imagino que vocês se lembrem da *Judite* de Goya, a da pintura negra. É um quadro de espantosa modernidade. Em *A leiteira de Bordeaux*, Goya anuncia as mulheres da pintura impressionista. Em sua *Judite*, anuncia os perfis picassianos..."

Mas não vamos acompanhar as especulações de José Ignacio Avendaño, por mais brilhantes e sugestivas que sejam. A essa altura do relato o que importa saber, do ponto de vista do interesse do leitor, da própria legibilidade desta história, é por que os dois irmãos, com vinte anos de intervalo, disseram a mesma frase a respeito de Judite, a respeito do personagem histórico-lendário, bíblico em todo caso, e não só da sua representação na história da pintura ocidental.

Pois bem, limitando a seus dados objetivos a longa e complexa digressão de José Ignacio Avendaño, seria possível dizer que os três irmãos descobriram juntos o personagem literário de Judite. Foi no final do outono de 1931 em Paris, no teatro Pigalle, reinaugurado com uma maquinaria cênica ultramoderna. Ali estreou no mês de novembro — dizer o dia exato seria de um ridículo jactancioso — uma peça de Jean Giraudoux, *Judith*, que não teve muito êxito de crítica nem de público, mas fascinou José Ignacio. De fato, foi ele que os levou à estréia. Do trio da gasolina que eles formavam — assim se chamavam, de brincadeira, por causa do título de uma comédia do cinema americano da época* —, o responsável pelos prazeres intelectuais e culturais era ele, José Ignacio. Seguindo suas indicações e seus conselhos, visitavam

* *Three good friends* (1930), direção de Wilhelm Thiele. Conta a história de Willy, Kurt e Hans, que, sem dinheiro, resolvem vender o carro e abrir um posto de gasolina, e acabam apaixonados pela mesma moça. (N. T.)

exposições, iam ao cinema e ao teatro durante as semanas que, mais ou menos a cada dois anos, passavam em Paris.

O responsável pelos prazeres de cama e mesa era José Manuel, o primogênito, mulherengo e *gourmet* empedernido, imaginativo e incansável. Tinha uma bossa especial com as mulheres de todas as condições sociais, de garçonetes a duquesas, e até com esposas de banqueiros, o que lhe permitia, geral e generosamente, prover seus irmãos das fêmeas que lhe sobravam, ou cuja consumição ele não pudera assumir materialmente. O que não impedia que, às vezes, as consumisse primeiro — assim se estabeleceu o que chamavam, com cumplicidade clânica e ironia, o *direito de pernada* de José Manuel —, antes de cedê-las, com o consentimento das ditas-cujas, a seus irmãos.

Da mesma forma, José Manuel tinha um faro refinado para descobrir restaurantes ou bistrôs de primeira categoria, embora não fossem conhecidos nem figurassem nos guias gastronômicos.

José María, de seu lado, não tinha uma tarefa específica na organização do trabalho social da fratria, embora seu julgamento *a posteriori* fosse determinante para repetir a dose, tanto se tratando de assuntos de cama como de mesa: seu gosto ou desgosto sempre foram critério inapelável para os outros dois.

Mas é evidente que em La Maestranza, naquele 18 de julho de 1956, esperando que servissem o almoço, José Ignacio não contou suas recordações de Paris com tantos detalhes, alguns, para completar, muito escabrosos embora saborosos. Limitou-se às linhas gerais: falou de *Judith*, a peça de Giraudoux; disse em poucas palavras que era um de seus escritores franceses preferidos; contou como tinha seguido o rastro da personagem de Judite na dramaturgia ocidental, falando-lhes de Hebbel, o alemão, e de Bernstein, o francês.

Em suma, demonstrou que sua afirmação era verdadeira:

embora nada soubesse da Gentileschi, de Judite sabia tudo, quase tudo.

Por que José Ignacio Avendaño não falou naquele momento, sem dúvida o mais oportuno, o mais propício a essa possibilidade, da última temporada da fratria em Paris? Foi no outono de 1934. E foram semanas memoráveis. É que festejaram em grande estilo duas despedidas de solteiro: a do caçula, José María, que acabava de conhecer — ainda não biblicamente — Mercedes Pombo, com quem se lançava na procelosa aventura de dois anos de namoro formal; e também a despedida de solteiro, segundo a irônica expressão do primogênito, de José Ignacio, que muito em breve iria professar os votos de seus esponsais com a Igreja e a Companhia de Jesus.

Como Deus quer — pelo menos, o deus das salas de festa, dos restaurantes de três estrelas e dos bordéis de luxo, que os há para qualquer mister ou peripécia; e onde será mais necessário um deus do que nesta última espécie de estabelecimento? —, de todas as festividades da dupla despedida encarregou-se José Manuel, o primogênito. Até poucos anos atrás ainda havia no Lassere, no Lapérouse ou no Laurent velhos *maîtres* que lembravam ou conheciam por tradição oral as polpudas gorjetas e os caprichos libertinos e fanfarronescos daqueles três irmãos espanhóis dos anos 30.

Seja como for, houve uma noite de orgia no Sphinx — um dos mais requintados locais de prazer do Ocidente spengleriano, segundo a definição do futuro jesuíta, sempre culto e até meio presunçoso em suas referências —, e foi ali, quando José Manuel voltou de um reservado onde estivera trancado com duas fêmeas muito jovens e lindíssimas — "sendo duas, demora mais a chegar o tédio metafísico que inevitavelmente o coito produz", ele costumava dizer, "demoram mais para amolecer meu ânimo e meu pênis" — , foi no grande salão de banquetes e bailes do Sphinx onde, de repente, José Manuel anunciou aos dois, especialmente a José María, é óbvio, que queria exercer seu *direito de pernada* com a futura cunhada, Mercedes Pombo, por ora apenas namorada formal de José María.

Primeiro, os outros dois o levaram na brincadeira. Mas não, não era uma brincadeira, falava sério.

Tão sério que quase chegaram às vias de fato.

José Manuel pretendia que Mercedes, à primeira vista tão mocinha interiorana, quase uma pateta, vinha na verdade pedindo guerra e aventura, e por isso precisava, para se iniciar no universo — "mundo, demônio e carne", acrescentou com uma piscadela para o irmão teólogo — , um homem de verdade, com experiência, e você, irmãozinho, querido Josemari, pode iniciá-la em muitas coisas, na leitura daquele maricas do Keynes, por exemplo, que tanto se derreteu com você quando fez suas conferências em Madri há uns anos, quando você o acompanhou, a ele e àquele chamariz que era a mulher dele, russa, espalhafatosa, bailarina e sapatona; em qualquer leitura e saber você pode iniciar Mercedes, mas não nas coisas do amor não platônico; ou seja, eu a preparo e amestro para as batalhas eróticas. Você sabe o que diz a nossa Satur: para bom cozido, panela usada!

Mas José Ignacio, é compreensível, ao explicar a origem de seu conhecimento dramático de Judite, nada contou da famosa e dupla despedida de solteiro de 1934.

E não contou em parte pela própria presença de Mercedes no almoço, para não reavivar na memória de sua cunhada lembranças dolorosas.

Em parte também porque ele mesmo não queria rememorar os desacordos, às vezes duríssimos, que tinha havido entre os irmãos, sobretudo, justamente, entre o primogênito e o caçula,

José Manuel e José María, ao longo do ano de 1934. Desacordos ideológicos e políticos, é evidente.

José Manuel tinha chegado à conclusão de que era urgente um governo autoritário, de mão de ferro, para pôr ordem tanto na Espanha como na Europa. Gostassem ou não de certas formulações dos movimentos fascistas — nos rapazes da Falange Española podia-se criticar uma intolerável cafonice retórica; nos de Mussolini, os bordões imperiais; nos nazistas, o palavrório paleogermânico do Sangue e da Terra, pensava o Avendaño primogênito —, parecia evidente que só num fascismo genérico e generoso poderiam despertar e articularem-se os esforços de renovação nacional contra a decadência dos sistemas liberal-capitalistas, cosmopolitas.

A evolução de José María tinha sido completamente diversa.

Aquele ano rico em acontecimentos históricos — desde as revoltas parisienses de fevereiro, durante as quais os movimentos extremistas dos dois lados estiveram prestes a derrubar o regime corrupto da democracia burguesa, até a repressão do movimento revolucionário dos mineiros asturianos por um corpo expedicionário sob o comando do general Franco, passando pelo esmagamento das milícias operárias social-democratas em Viena — foi decisivo para a radicalização das idéias políticas de José María.

Até então tinha sido leitor fiel da *Revista de Occidente*, e seu colaborador ocasional, escrevendo notas críticas sobre temas de economia política.

Nesse contexto havia conhecido e acompanhado John Maynard Keynes, em junho de 1930, quando o ilustre professor inglês foi a Madri dar uma conferência organizada pela revista.

Que John Maynard Keynes fosse sensível ao aspecto viril de José María Avendaño não é impossível; que a mulher dele, Lidia Lopokova, era russa, extravagante e bailarina é um fato incontroverso; que além disso fosse lésbica era uma conjectura maldosa de

José Manuel, e sua veracidade ou falsidade eram, no quadro daquele almoço em La Maestranza, difíceis de se provar.

Seja como for, Keynes e o jovem Avendaño simpatizaram, e tudo indica — é um dado que não foi possível verificar — que o rapaz acompanhou o casal inglês durante sua estada na Espanha, depois da conferência na Casa dos Estudantes de Madri.

O que está comprovado é que Keynes, além de enviar a José María ao longo dos anos seguintes alguns postais e cartas curtas — todas arquivadas por Benigno Perales —, também fez chegar a ele, muito cordialmente, um exemplar dedicado de seu *The general theory* recém-publicado, que José María encontrou ao retornar da lua-de-mel, em julho de 1936, e levou para La Maestranza pretendendo lê-lo durante o verão.

Em todo caso, sem abandonar a leitura nem o relacionamento com o pessoal da revista de Ortega y Gasset, naquele ano crítico de 1934 José María foi se aproximando do grupo de *Cruz y Raya*, em torno de José Bergamín. Conheceu alguns de seus colaboradores, entre eles um tal de Semprún Gurrea, com quem acabou fazendo certa amizade, e concordou com boa parte das análises da revista, particularmente as de Eugenio Imaz, que publicava artigos políticos, sutis, densos e decididamente liberal-antifascistas.

"Mercedes", diz Benigno, "lembra-se da visita que seu marido fez a Benedetto Croce, em Nápoles? Você estava com ele, ele lhe contou alguma coisa?"

Mercedes Pombo deixa o copo de água escapar de sua mão, derramando água na mesa. Logo chega Raquel para enxugar com um guardanapo a toalha molhada.

"Croce", exclama, "Benedetto Croce, é isso!"

Explica, diante do olhar de espanto dos outros.

"Ontem de manhã, enquanto esperava por você", vira-se para Leidson, "tentei me lembrar do nome da pessoa com quem José María teve um encontro em Nápoles... Um filósofo italiano, algo parecido com Ortega y Gasset, ele me disse, mas melhor, mais profundo, se bem que não tão brilhante... Não consegui me lembrar do nome, não houve jeito... Benedetto Croce, é isso... Mas não fui com José María, naquela manhã estive em Capodimonte."

Olha carinhosamente para Lorenzo.

"No museu... onde descobri o quadro da Gentileschi."

De súbito, Mercedes percebe que Benigno está falando de alguma coisa que não pode saber: ninguém pode ter lhe contado que seu marido tinha um encontro com Benedetto Croce.

"Mas você, Benigno, como sabe essa história de Croce?", pergunta, inquieta e assustada.

Benigno e Lorenzo estavam conversando desde que se sentaram à mesa do almoço, lado a lado. Evocando, primeiro, o delegado Sabuesa, e sua saída furiosa da fazenda depois da cerimônia religiosa. Esta tinha sido emocionante, ambos concordavam em dizer, mesmo que nenhum dos dois tivesse o menor vestígio de fé católica.

Mas a entrada na capela dos dois caixões foi impressionante. O que continha os restos mortais de José María Avendaño era levado nos ombros por seus dois irmãos, Mayoral e pelo próprio Lorenzo. Atrás vinha a família, cujo séquito era encabeçado por Mercedes e Isabel. E esta, obedecendo à ordem da mãe, tinha mudado de roupa, pondo um tailleur preto discreto e meias de seda da mesma cor, pintado os lábios e se penteado, sem dúvida com certa perversidade sarcástica, como as mulheres sombrias e excitantes retratadas por Romero de Torres. O resultado de tudo isso, e apesar do véu e da cor do vestido, é que a silhueta de Isabel era ainda mais provocante do que a da moça andrógina daquela manhã: o que Mercedes percebeu de imediato, mas não podia se zangar, pois sua filha, formalmente ao menos, tinha acatado suas instruções.

O segundo caixão, de Chema, El Refilón, entrava na capela nos ombros de lavradores, que se amontoavam ao redor, hieráticos e solenes, em evidente homenagem àquele que foi guerrilheiro nas montanhas de Toledo por muitos anos depois da derrota. À frente da comitiva de camponeses andava um homem de macacão azul de mecânico, mas limpo e bem passado — de certo modo, macacão azul de gala ou domingueiro —, que Lorenzo logo identificou como sendo o tratorista, o cabeça do motim daquele dia que tanto havia preocupado Sabuesa. Observando-o com atenção, Lorenzo notou que era um sujeito de boa aparência, boa presença: alto, delgado, viril. Tomara que agora mesmo Isabel o esteja observando, pensou Lorenzo com certo cinismo, tomara que ela goste, poderíamos resolver com o tratorista o problema da virgindade dela!

Sobre esse assunto, é claro, Lorenzo não falou com Benigno no almoço. Falaram do visível constrangimento do delegado durante toda a cerimônia; constrangimento que chegou a níveis de possível apoplexia quando o sacerdote, moço e extraordinariamente eloqüente, proferiu uma homilia elaborada em torno de um comentário cristão às palavras paz, piedade e perdão. Impossível deduzir daquilo que o sacerdote estivesse glosando, deliberadamente, uma das últimas intervenções públicas de Manuel Azaña; impossível saber se o sacerdote conhecia aquele discurso do último presidente da República ou se só uma bem-aventurada coincidência o levara a escolher aqueles termos. Mas o silêncio profundo, atento, emocionado que foi tomando conta da pequena multidão amontoada na capela da fazenda demonstrou a que ponto essa homilia religiosa refletia o que os camponeses sentiam.

Naquele momento, na capela, Mercedes se virou para Lorenzo e cochichou em seu ouvido: "Este padreco parece ter estudado o documento de vocês sobre a reconciliação nacional", o que deixou seu filho boquiaberto: ele nunca teria imaginado que sua mãe — decerto por tê-la encontrado entre seus papéis — conhecesse a declaração do partido de umas semanas antes.

Quando a cerimônia religiosa se encerrou, o delegado Sabuesa estava esperando Benigno e Lorenzo, que saíam juntos da capela.

"Já sei onde nos vimos antes, Benigno Perales", cutucou o delegado, num tom desagradável. "Foi na Puerta del Sol que nos vimos. O senhor estava num dos processos do partido, depois da queda de Quiñones..."

Mas Benigno não se abalou. Anotou mentalmente que o delegado não o tratou de você. Bom sinal.

"Já era hora, delegado", disse, brincalhão. "Eu estava a ponto de pensar que o senhor tinha perdido as faculdades..."

Diante de tamanha insolência, Sabuesa deu um pulo de indignação. Já não se ganha o suficiente para esses sustos, pensou, irritado.

Depois se dirigiu a Lorenzo.

"Você tem um tio poderoso e bem situado no regime, rapaz. Mas vou seguir a sua pista, e se o que estou pensando se confirmar, nem seu tio, nem Deus, nem Jesus Cristo que o pariu salvam você da prisão de Carabanchel."

Lorenzo assentiu com a cabeça.

"Não sei o que o senhor está pensando, delegado, mas está enganado. Minha pista não leva a nenhum lugar suspeito. Siga-a o quanto quiser e puder: só o levará à Itália, aos museus de Capodimonte e de Florença, a uma pintora que se chama Artemisia Gentileschi, que me interessa muito. Talvez escreva alguma coisa sobre ela, porque o que me interessa, delegado, é escrever..."

Sabuesa estava convencido de que Lorenzo Avendaño debochava dele, mas ainda não podia demonstrar. Não podia fazer nada.

Estava tão furioso que cometeu uma imprudência, em parte por fanfarronice, para se vingar de sua impotência momentânea. "Um recado, nunca se sabe: diga a seu Federico Sánchez que ele não vai durar muito... Vamos capturá-lo no dia em que menos se espera... e breve..."

Que estupidez, Sabuesa pensou em seguida, que bobagem estou fazendo... Se é inocente não pode entender o que eu disse, e se entende vai avisar a seus amigos.

QueroqueDeussefodaeaputavirgemeamãequeapariu, e continuou resmungando blasfêmias e palavrões, enquanto se dirigia para seu carro, pois José Manuel o proibira de ficar em La Maestranza.

"Mas você, Benigno, como sabe a história de Croce?", Mercedes acabava de perguntar, com apreensão e surpresa inquisitiva.

Para corrigir sua imprudência só cabia a Perales dizer parte da verdade. Decidiu-se de imediato, para que Mercedes não nutrisse desconfiança. Pois, era de imaginar, ela sabe com certeza que o marido anotava diariamente as peripécias da viagem de lua-de-mel: talvez até José María tivesse lido para sua mulher certos trechos de seu diário íntimo; e se assim foi, devem ter sido os mais crus e sugestivos, os mais propícios a reavivar sua memória ou seu apetite erótico; e se Mercedes sabe que esse diário existiu, levará anos se perguntando se José María o destruiu, antes de sair de Biarritz, ou se o escondeu em algum lugar, na casa da rua Alfonso XII ou em La Maestranza; e agora venho eu com essa história de Croce, e Mercedes pode pensar, com toda razão, que encontrei o diário, que é essa a fonte de meu conhecimento sobre o episódio napolitano, e ficará angustiada, envergonhada provavelmente, pensando no que eu posso ter descoberto...

É preciso tranqüilizá-la logo de uma vez.

"Encontrei uma caderneta de José María onde ele anotava suas reflexões, suas leituras..., fala de Keynes, de Ortega, de suas conversas com Bergamín e alguns colaboradores de *Cruz y Raya*: Eugenio Imaz e Semprún Gurrea... Nesse contexto há um resumo datado de junho de 1936 de sua conversa com Benedetto Croce, em Nápoles..."

"E por que você não me disse nada", pergunta Mercedes num tom gelado, taxativo.

"Mas, Mercedes, não tive tempo... Encontrei-o ontem à noite, na biblioteca, por acaso... Nem tive tempo de lê-lo a fundo, nem de lhe contar hoje de manhã, com tudo o que aconteceu..."

A explicação é plausível, mas Mercedes não baixa a guarda.

"Vá buscar imediatamente essa caderneta e traga-me aqui", diz com voz opaca de ordem e comando.

Benigno vacila um instante, sem dúvida amolado com esse tom imperativo, violento, quase desdenhoso. Mas faz um esforço, levanta-se e sai da sala, seguido pelos olhares dos outros.

Saturnina Seisdedos, a Satur, interrompe o que estava fazendo para observar a saída de Benigno.

Em pé ao lado do aparador, está destrinchando um lombo de aparência apetitosa para que Raquel vá levando aos convidados, de dois em dois, os pratos servidos. De entrada, serviram ovos estrelados com batatas; em seguida, um peixe ao forno; e agora é o prato de carne.

Como todos os outros, Saturnina notou a reação apreensiva e sobressaltada de Mercedes diante da descoberta anunciada por

Benigno de um caderninho de José María Avendaño. Mas ela sabe a que se ater, sabe por que Mercedes mostrou tanto constrangimento e temor. Quando nada, pode adivinhar. Tal como Benigno, se bem que por outras razões, em virtude de outros dados, de outras confidências, pode adivinhar. Na verdade, a Satur nada sabe do diário íntimo de José María: não soube nem sabe de sua existência, nem sabe que Benigno o descobriu por acaso. Mas sabe bastante sobre a viagem de lua-de-mel, graças aos relatos entrecortados, fragmentários de Mercedes, por vezes de uma exatidão estranha e até masoquista, e sempre culpada; por vezes jubilosos, desafiantes, repletos de nostalgia; sabe bastante para intuir qual pode ser seu temor ao ouvir alguém falar de um caderno pessoal de José María, recém-descoberto.

Além disso, Saturnina foi testemunha das últimas peripécias dessa dita e ditosa viagem de lua-de-mel: viu aparecer na vida dos dois o jovem fotógrafo inglês, aquele Timothy lindíssimo. Afinal, seu José María a mandara para Biarritz para ficar com eles, com Mercedes e ele, durante as últimas semanas de veraneio, na casa da família Avendaño, não longe da praia de la Chambre d'Amour.

Apesar dos crescentes achaques da idade, dos cansaços da viagem e do verão que se anunciava calorento, a Satur foi com gosto para Biarritz. Adorava estar com os rapazes, os três juntos ou separados; sentia-se lisonjeada ao confirmar que apreciavam não só seus pratos, mas também suas histórias. Ficava radiante por ser tratada com tanta confiança, eles contando-lhe todos os seus pensares e pesares, vivendo diante dela com naturalidade e sem nenhum tipo de disfarce.

Caso se exigisse dela que estabelecesse preferências, diria que pelo primogênito, José Manuel, tinha respeito e afeto, por ser machão, decidido e audacioso tanto com as mulheres como com os negócios; pelo segundo, José Ignacio, tinha carinho com um toque de compaixão por considerá-lo um bocado frouxo, requintado demais, quase pernóstico, absorto demais nos livros, pouco preparado para a crueza da vida; sempre tive medo de que nos saísse um maricas, ela comentava; mas não, felizmente virou padre, e segundo a Satur mais valia isto do que aquilo.

Pelo pequeno — esse tratamento vinha da infância dos meninos — tinha admiração, gostava dele de verdade: era o mais bonito dos três, o mais esperto, o mais generoso, embora talvez indeciso demais, provavelmente por timidez, por falta de confiança em si mesmo.

Por isso é que foi com gosto para Biarritz, juntar-se a Josemari e à belíssima Mercedes.

Além disso, era quase uma tradição passar os verões com os rapazes, em Biarritz ou onde quer que fosse. Nos anos pares, pelo menos, porque nos ímpares — na família Avendaño, ninguém jamais soube a origem desse hábito repetitivo — faziam quase sempre um longo cruzeiro pelos mares árticos ou tropicais.

Assim, em 1932 Saturnina esteve com os irmãos em Biarritz. Por volta de 10 de agosto daquele verão todas as conversas da casa, sempre cheia de hóspedes, giraram em torno de um santo que a Satur desconhecia, do qual não era devota, um tal de são Jurjo. Só se falava dele, e por causa dele os irmãos tiveram discussões acaloradas. Irritada com a própria ignorância, Saturnina se atreveu a pedir explicações a José María numa tarde em que estavam sozinhos, certa de que ele, fosse quem fosse o bendito e desconhecido santo, não riria dela. E de fato José María explicou que o santo não era um são Jurjo, mas um Sanjurjo, general que tinha se sublevado contra o governo apesar de ter jurado a bandeira da República. E explicou sem chacota, seriamente, e, além do mais — e foi isso que Saturnina mais apreciou —, sem contar aos outros para que eles rissem às gargalhadas com a história de são Jurjo.

No seguinte ano par, isto é, em 1934, novamente a Satur andou veraneando com os rapazes. Veraneando e outoneando, melhor dizendo. Pois naquele ano tudo começou no mês de julho, em Santander, onde José María se apaixonou por Mercedes Pombo e teve início o namoro; em seguida estiveram em Biarritz — depois de uma escapada até a fazenda de La Maestranza, onde Mercedes, tendo a mãe dona Constancia como pau-de-cabeleira, foi apresentada à família Avendaño —, e em outubro os três irmãos, juntos dessa vez, foram para Paris, onde o primogênito organizava a despedida de solteiro dos dois mais moços.

Da temporada em Paris a Satur podia contar milhares de anedotas, que foi dizendo a Mercedes ao longo dos anos, já que era ela o obscuro objeto do desejo e do enfrentamento entre os irmãos.

Entre José Manuel e José María, ao menos; dos pensamentos íntimos do futuro jesuíta pouco se sabia.

Seja como for, atenta como era às conversas durante o almoço, a Satur também reparou que José Ignacio tinha censurado em seu relato todos os dados escabrosos, e particularmente o que se referia à noite no Esfinge — ao lhe contar o episódio, José María traduziu o nome do luxuoso bordel parisiense, convencido de que a Satur seria incapaz de pronunciá-lo ou memorizá-lo em francês —, ou seja, durante o almoço José Ignacio nada disse do Esfinge, decerto por discrição e cavalheirismo diante de Mercedes, outrora objeto da violenta briga entre os irmãos. Mas, meu Deus, se ela quisesse contar, pensava a Satur enquanto observava o serviço na sala de jantar, se ela quisesse contar, aí sim, é que se ia ver com quantos paus se faz uma canoa. Mas não vai contar nada, pelo menos agora não vai contar nada, não vai interromper o almoço nem pedir silêncio para contar o que sabe da história dos Avendaño, mas, mesmo se agora ela não vai dizer nada, a Satur sabe muito bem, essa mestra intuitiva na arte tão difícil de pôr ordem nos relatos, sabe muito bem por onde começar: por aquela noite no Esfinge, de farra, de orgia até, no exato momento em que

José Manuel anunciou que estava decidido a exercer sobre Mercedes seu direito de pernada, de primogênito à moda antiga; e disse isso em francês, *droit de cuissage*, não só porque os irmãos costumavam falar entre si nessa língua, que dominavam à perfeição, quando estavam em Paris ou em Biarritz, mas também porque eram francesas as duas mulheres com quem José Manuel acabava de estar num reservado, para um momento de gáudio e gozo triangular, e que tinham ficado para tomar com eles umas taças de champanhe, vestidas apenas de meias pretas e máscaras da mesma cor, e estas se explicam pelo fato de que não eram prostitutas, mas senhoras da boa sociedade que iam regular mas anonimamente ao Sphinx para se entregarem a quem fizesse o melhor lance, já que a venalidade de seus atos era para elas um atrativo a mais, como era o fato, bastante corrente, de que um de seus amantes ocasionais fosse um cavalheiro que freqüentasse os jantares ou festas da boa sociedade parisiense, mas que, naturalmente, ignorava com quem estava gozando.

Mas a Satur não vai contar nada agora. Não só porque não é o momento oportuno — todos estão pendentes da volta de Benigno e do caderninho que ele trará —, como também porque já combinou com o gringo bonitão, o americano, para depois do almoço: vai gravar este relato antes que ele vá para Madri, no final da tarde.

Mercedes tem em mãos a caderneta que Benigno acaba de lhe entregar. Todos notam sua emoção, a ansiedade de sua busca, ao folhear as páginas manuscritas.

Ninguém diz nada.

Mercedes não demorou muito para verificar que a caderneta encontrada por Benigno não tem nada a ver com o diário íntimo que seu marido escreveu durante a viagem de lua-de-mel, pelo menos desde Nápoles, e do qual lhe tinha lido certos trechos para excitar sua memória.

Aqui, de fato, ele só trata de questões sérias — mas quando pensa nessa palavra, "sérias", Mercedes é invadida por uma espécie de tristeza irônica, profunda: não era "sério", e mesmo grave, o prazer que José María e ela descobriram juntos em Nápoles, não era provavelmente o que de mais sério tinha acontecido com eles em sua tão curta vida em comum? —, enfim, questões que de regra assim são consideradas: opiniões de Keynes e comentário sobre suas teorias; notas de leitura sobre ensaios ou artigos de Ortega y Gasset, resumos de discussões com Eugenio Imaz e José Bergamín, e assim por diante. E também uma nota bastante longa sobre a conversa com Benedetto Croce.

Ela fecha os olhos, todos vêem que fecha os olhos.

Lembra-se do Museu de Capodimonte, lembra-se de sua contemplação, no início rotineira, depois fascinada, do quadro da Gentileschi. Lembra-se de tudo o que pode lembrar.

"Lorenzo", diz depois, ao reabrir os olhos, ao devolver a todos os convidados um olhar úmido de memória emocionada, "Lorenzo, acho que este manuscrito de seu pai deve ser seu: a você pertence e lhe permitirá saber melhor quem ele era..."

Entrega o caderninho a Lorenzo.

Este, por sua vez, o folheia. Grita de repente.

"Olhem que coincidência romanesca! Uma nota sobre Semprún Gurrea a propósito de um ensaio que ele publicou em *Cruz y Raya*! Pois eu o conheci em Roma, há pouco, na casa de María Zambrano... E falamos desse ensaio de 1934, que eu também tinha lido... *Fadrique Furió Ceriol, consejero de príncipes y príncipe de consejeros...*"

"Era a Zambrano? Seu pai a conheceu... Mas no seu cartão você só escreveu María Z.", comenta Mercedes.

"Esse Z intrigava o delegado Sabuesa... Estava interessado em saber o sobrenome completo", Benigno acrescenta.

"O delegado? Mas que porra tem a ver Sabuesa com o meu cartão-postal?"

"Não seja grosseiro, Lorenzo. Fale assim com seus amigos, se quiser, mas na minha casa não", protesta Mercedes.

"Bem, mil desculpas, mas o que tem a ver?"

Benigno explica o que sabe.

"Pelo que entendi, ele viu o cartão-postal no armazém de Eloy Estrada. Ficou indignado que você chamasse sua mãe de 'Mercedes de minh'alma' e quis saber quem seria essa María Z."

"Pois é Zambrano, está dito..." Vira-se para sua mãe. "O mais engraçado é que Semprún Gurrea, segundo me contou naquela tarde em Roma, esteve com vocês na casa de Eusebio Oliver na noite em que Lorca leu sua última peça, *A casa de Bernarda Alba...*"

Mercedes concorda.

"Eu ia lhe contar isso agora mesmo. Poucos dias antes da sublevação de Franco em Melilla... José María e eu acabávamos de chegar de Biarritz... E fomos para Quismondo, viemos para cá no dia seguinte..."

Carmela Oliver, a loura esposa de Eusebio, o gastrenterologista, tinha lhes preparado um jantar de verão: gaspacho e vichyssoise, saladas de mariscos, merluza fria ao vinagrete, vitela empanada também fria, com vinhos brancos e sangria. Participavam do jantar, que Mercedes se lembre, além de García Lorca e do farmacêutico Revilla — mas tem certeza de que se esquece de algum convidado —, Semprún Gurrea com sua mulher, esta do segundo casamento: uma alemã ou suíça, discreta, quase insignificante, alourada, muito mais moça do que o marido, e que falava um castelhano fluente, mas com estranhas palavras de origem germânica mal castelhanizadas; que por exemplo dizia "alotria" para dizer animação ou desordem; e que havia sido a *Fräulein* de seus filhos, tinha não sei quantos, sete, um monte, com sua primeira mulher, uma Mauro Gamazo, filha de *don* Antonio, irmã de Honorio, que morava no mesmo prédio que nós, na rua Alfonso XII, esquina com a Juan de Mena...

E Mercedes se lembra de que durante o jantar houve discussões terríveis, inflamadas, e um dos presentes, talvez Oliver, o próprio dono da casa, proclamou aos berros que já era hora de o Exército pôr ordem, agir com mão de ferro diante de tanta confusão nas ruas, tanto assassinato, tanta greve revolucionária; mas José María Avendaño e Semprún Gurrea eram da mesma opinião, totalmente opostos à intervenção do Exército, e no final sossegaram e Lorca pôde ler a obra que acabava de concluir...

E Mercedes achou que havia uma obscura, inexplicável coerência entre o tema fundamental de *A casa de Bernarda Alba*, a saber, o tema do sangue feminino, da virgindade, e sua experiência na viagem de lua-de-mel.

Dos convidados daquele jantar, Mercedes se lembra sobretudo de Semprún Gurrea, não só porque estavam de acordo, o marido dela e ele, quanto à situação política da Espanha, mas porque, já de madrugada, os dois casais saíram juntos da casa de Eusebio Oliver e foram passeando até suas próprias casas, muito próximas uma da outra. Os quatro iam em companhia do farmacêutico Revilla, personagem da Madri da época, assíduo nas tertúlias do Lyon d'Or, em La Granja del Henar, em todos os cafés literários, espectador de todas as estréias de teatro, nas quais era famoso pelo costume de, caso não gostasse da peça, interpelar os atores ou o autor com ironia letal. Pois bem, quando saíram da casa dos Oliver, na rua Claudio Coello, os empregados da empresa Granja Poch já estavam entregando os litros de leite pasteurizado no bairro de Salamanca: era a última moda na distribuição, essa entrega matutina de garrafas por empregados de uniforme vistoso, em carrinhos silenciosos de rodas com pneus.

Na rua, antes de se separar dos dois casais, que iam pela Alcalá e pela praça de la Independencia até a rua Juan de Mena, o farmacêutico Revilla, que se preparava para pegar a direção oposta, viu passar uma fila de carrinhos leiteiros e silentes: "Vão aí os exércitos do marechal Poch", comentou.

E foi embora, contente com a piada.

Semprún Gurrea e sua mulher, dona Anita, despediram-se deles defronte do portão do prédio, depois de um último comentário lânguido sobre o calor que se aproximava, já perceptível no ar fresco da madrugada.

Lá no alto estavam os móveis encapados de algodão branco para o veraneio. Mercedes foi até a geladeira, pegar um refresco. José María deu corda no mecanismo do gramofone e pôs um disco: o tango, o seu tango, a música fetiche que tocava em Santander quando se conheceram, em Nápoles, quando se possuíram, "*Caminito que el tiempo ha borrado...*".

Estavam dançando, muito agarrados, quando José María viu Raquel, recostada num sofá onde devia ter dormido, esperando por eles. Que idade teria a neta de Saturnina?, conjecturou. Entre dezesseis e dezessete, mais ou menos. Seu olhar cruzou com o da garota. Mercedes não tinha percebido nada: Raquel estava atrás dela. Então, mantendo o olhar fixo no de Raquel, ele começou a despir Mercedes, a tirar seu casaquinho de linho e a blusa. Mercedes, até então sonolenta, compreendeu o que acontecia: pelo menos intuiu. Virou-se, viu Raquel, se excitou, se conteve, fez um esforço, afastando-se do corpo de José María, das coxas que a aprisionavam. Acabou-se, murmurou quase aos prantos, acabou-se, José Mari, você tinha me prometido, tínhamos decidido, nos amarmos sozinhos.

Mas ele já estava além de todo recato, de toda reflexão: possesso, em suma.

Um pouco bêbado também, certamente.

"Mas, Mercedes, você não ouviu? Vai haver rebelião, matança, guerra civil: mais uma, porém mais cruel do que nunca... Um modelo de guerra civil hispânica, sem trégua nem quartel... Você não viu como nossos amigos, tão educados, tão cultos, ficaram ao falar da situação? Não os ouviu pedindo morte? O pobre Lorca estava assustado... Pois é, será a última vez... depois de Raquel, o dilúvio..."

Deu uma risada tristíssima e declamou um verso de Alberti: "*Los campesinos pasan pisando nuestra sangre...*".

Acabou de despir o torso de Mercedes e chamou Raquel.

Vinte anos depois, na sala de jantar de La Maestranza, Mercedes acabou de contar a cena em casa de Eusebio Oliver.

Não contou até o final, é claro: terminou o relato com a brincadeira de Revilla sobre o marechal Poch. Quase ninguém entendeu, porque quase ninguém sabia alguma coisa sobre a Granja Poch; teve de explicar.

De toda maneira, não contou o final.

Raquel também conhece o final.

Ela cruzou a sala de jantar, como há vinte anos, foi pegar a moringa de água fresquíssima, encheu o copo de Mercedes.

As duas mulheres se olham, pensam na mesma coisa. Mas pode se chamar pensamento essa fisgada de sangue alvoroçado, desesperado?

Isabel se aproxima de Lorenzo, andou folheando com ele o caderno de notas do pai, José María Avendaño: esse pai morto antes que ela nascesse.

Desde que Benigno decifrou a inscrição final, apenas legível, Isabel é a única — nem Mercedes nem Lorenzo prestaram atenção — que registra: "Maestranza, 15 de julho de 1936; Fotos: Enciclopedia Toreo".

Grava na memória.

Ao cair da tarde, alguém, na certa Isabel, toca ao piano uma peça melancólica, melodia cujas notas se esparramam pelo ar denso do entardecer, como sílabas soltas de um poema esquecido.

Lorenzo está no alpendre da casa, pára, presta atenção: Isabel, sem dúvida. Costuma sentar-se ao piano quando está só.

Lembra-se de uns versos.

Naquela mesma madrugada — hoje mesmo, que estranho, tantas coisas num só dia! —, nessa madrugada, na rua Alfonso XII, ao voltar da casa de Domingo, tinha se lembrado de uns versos de Blas de Otero.

Na verdade os haviam descoberto juntos, em Paris, dois anos antes, quando sua mãe para lá os mandou a fim de que se desembaraçassem. Num livro de poemas publicado pouco antes, *Angel fieramente humano*, que ambos acharam inovador, em certo sentido inaugural de outra forma de escrever poesia. Tinham descoberto esses versos numa tarde, depois de terem visitado o túmulo de Stendhal no cemitério de Montmartre. Sentados no terraço de um café da Place Blanche, Lorenzo tinha lido para ela aqueles versos.

"Mademoiselle Isabel", era o título do poema. Mas Lorenzo se esqueceu, ou pelo menos não se lembra, palavra por palavra, dos primeiros versos do soneto. Depois, sim, lembra-se perfeitamente:

Princesa de mi infancia; tú, princesa
promesa, con dos senos de clavel;

yo, le livre, le crayon, le, le... *Oh Isabel,*
Isabel..., tu jardín tiembla en la mesa.
De noche, te alisabas los cabellos,
yo me dormía, meditando en ellos
*y en tu cuerpo de rosa; mariposa...**

E assim por diante, até o final, um terceto mais abaixo.

Isabel, extasiada, fez um gesto atrevido, mas o fez de forma recatada, que se desculpe a contradição, tomando cuidado para que só ele pudesse vê-lo.

Desabotoou a blusa leve de verão e lhe mostrou os seios, livres, soltos, dourados, sob o linho imaculado do corpete.

"Isabel, você está louca", disse Lorenzo, fechando os olhos, deslumbrado. E depois murmurou: "*dos senos de clavel...*".

Foi num café de Paris, depois de terem meditado diante do túmulo de Stendhal no cemitério de Montmartre.

Nessa madrugada, dois anos mais tarde, quando se encontrou com Isabel, que esperava por ele no apartamento da Alfonso XII forrado de branco, Lorenzo relembrou os versos de Blas de Otero.

Sua irmã estava deitada contra seu corpo, acariciando-o.

Lorenzo tentou se distrair da onda de desejo que subia de sua virilha, subjugando-o. Tentou pensar intensamente, insistentemente, em alguma coisa que o distraísse. Nada adiantou: nem um excurso mental, sistemático, pelo último ensaio filosófico lido;

* "Princesa de minha infância; tu, princesa/ promessa, com dois seios como cravos; eu, *le livre, le crayon, le, le*... Ó, Isabel/ Isabel... teu jardim treme sobre a mesa./ À noite, alisavas teus cabelos,/ eu dormia, meditando neles/ e em teu corpo de rosa; mariposa..." (N. T.)

nem uma reflexão sobre um tema tão distante do sexo como a política de reconciliação nacional recém-lançada pelo Partido Comunista; nem um exercício espiritual de esquecimento e domínio do corpo, aprendido com um colega de faculdade adepto da ioga: nada foi capaz de distraí-lo do desejo crescente.

Teve um último rompante de consciência irônica antes de sucumbir: nem a ioga me distrai da foda, pensou Lorenzo.

Mas talvez pelo nervosismo, talvez por um difuso e subjacente sentimento de culpa que freava seu apetite libidinoso, talvez pela própria precipitação de uma Isabel inexperiente, o fato é que Lorenzo gozou logo, não conseguiu se manter em estado de penetrar em Isabel e deflorá-la.

Ela choramingou, frustrada. Ele se enfureceu consigo mesmo, e com ela também, naturalmente. Mas logo voltaram à ternura de um longo abraço.

Enquanto a luz do sol crescia ao entrar pelas vidraças das janelas que davam para o Retiro, Lorenzo sussurrava ao ouvido de Isabel outros versos de Blas de Otero:

No vengas ahora.
Huye.
Hay días malos, días que crecen
en un charco de lágrimas.
Escóndete en tu cuarto y cierra la puerta
y haz un nudo en la llave
y mírate desnuda en el espejo, como
*en un charco de lágrimas...**

* "Não vem agora./ Foge./ Há dias maus, dias que crescem/ num charco de lágrimas./ Esconde-te em teu quarto e fecha a porta e dá um nó na chave/ e olha-te nua no espelho, como/ num charco de lágrimas..." (N. T.).

E ela se levantou de súbito, não quis mais ouvir, foi para a ducha, voltou meia hora depois, limpa, lisa, intocável.

"Estou pronta", disse, "vamos para Quismondo?"

E foram.

Agora, no final da tarde deste 18 de julho, Lorenzo está no alpendre de La Maestranza. Lá dentro desfiam-se as notas do piano. Michael Leidson acaba de se despedir, volta para Madri.

O historiador americano foi embora muito contente: "O relato que Saturnina me fez", disse a Lorenzo, "é maravilhoso. Imagino que, em boa parte, é uma invenção ou um embuste, mas tanto faz: é fantástico. Que talento natural tem essa velhinha para contar as histórias! Conta como Faulkner, mas sem se esforçar. Você leu Faulkner?".

Lorenzo dá de ombros: a dúvida ofende, diz muito sério.

E acrescenta, deliberadamente provocativo, vangloriando-se de propósito:

"Li quase tudo o que se escreveu neste mundo. Mas você tem razão: a Satur conta como a Rosa Coldfield de *Absalão, Absalão*... Bem, mas nem sempre leio na língua adequada. O *Quixote*, li em alemão, e esse romance de Faulkner, em italiano... Não acho que isso tenha muita importância. A pátria do escritor não creio que seja a língua, mas a linguagem..."

Leidson solta um assobio admirativo.

"Você tem aí um tema de tese de doutorado!", exclama.

Riem.

"Dos relatos da Satur, qual foi o que mais o impressionou?", pergunta Lorenzo.

Leidson não duvida um minuto: já sabe.

"Como contou a cerimônia desta manhã: a chegada à capela do féretro de seu pai e do de El Refilón. Depois, para concluir, ela imaginou uma conversa entre os dois, quando ficaram sozinhos, após a homilia e os responsos. Abrem-se os caixões, saem os mortos, que continuam a ser jovens, como eram em 1936, e eles se falam, contam toda a história de suas famílias: a história da Espanha... Uma maravilha: tenho gravado. Se interessar, lhe mando uma transcrição..."

"Interessa-me", diz Lorenzo.

Mas Leidson já foi embora.

E Mercedes também foi. Não estava previsto, mas de repente, no meio da tarde, ela pediu a Mayoral que preparasse o carro e foi com Raquel e Benigno para Madri, sem outras explicações.

Em La Maestranza ele ficou só com Isabel.

Acontecerá o que está escrito desde sempre: em seu sangue, em sua imaginação, no turvo destino da estirpe.

Ele vai andando até a música melancólica que Isabel está tocando. Até o corpo de Isabel: "*dos senos de clavel*".

As fotos, uma dúzia, estão expostas na superfície brilhante da tampa do piano de cauda.

São nus femininos, e as provas fotográficas estão muito contrastadas, como se usava nos anos 30. A mesma mulher, nua, em diferentes poses, umas ousadas, até mesmo indecentes: de pé, ou sentada, ou deitada, de modo que suas coxas, seus quadris, seus seios sobressaiam na visibilidade mais sugestiva.

Num conjunto de fotos a mulher esconde o rosto, virando a cabeça, ou escondendo-o com a cabeleira, ou com as mãos. Em outras, a mulher está de costas, inclinada sobre o encosto de um sofá, ou de uma poltrona, de modo a realçar a redondeza perfeita de suas nádegas.

Numa das fotos em que a mulher nua esconde o rosto distingue-se com nitidez seu sexo e o triângulo sedoso e escuro dos pêlos pubianos.

Mas em três ou quatro provas fotográficas a mulher está de frente, com os braços abertos, oferecida, o rosto visível: Mercedes Pombo.

Lorenzo viu as fotos, contemplou-as uma por uma.

Deslumbrado com a beleza desse corpo de mulher, admirável em suas proporções e seus volumes, simultaneamente insolente e frágil em sua transparência carnal. Mas ao mesmo tempo aterrorizado pelo que estas imagens significam: na frente de quem e para quem sua mãe posou nua?

Lorenzo se vira para Isabel, que continua tocando piano, aparentemente impassível.

"Isabel", diz com voz sumida, "o que é isso?"

Ela dá de ombros, pára de tocar sua melancólica sonata, fecha o piano.

"Isso é mamãe, não está vendo?"

"Estou vendo, Isabel. Mas mamãe com quem? Quando? Por quê?"

"Mamãe em Biarritz, no final da viagem de lua-de-mel. Saturnina já tinha me contado alguma coisa sobre um fotógrafo inglês, jovem e bonito... Se você virá-las verá que as fotos estão assinadas 'Timothy', está vendo? Primeiro a Satur achou que era um maricas, um apaixonado por papai, mas sem dúvida os dois o usaram; queimei algumas, para que não fique rastro nem lembrança, mas talvez eu jamais esqueça as fotos dos três, *acting*, como diria o inglês; lindíssimo, de fato, e garanhão, indiscutivelmente, não fique vermelho, Lorenzo! Fotos impressionantes, tristes, excitantes, horríveis, lindas, melhor destruí-las, foi o que eu fiz, só guardei as de mamãe sozinha. Viu que beleza de mulher? Gostaria de parecer com ela..."

Tem como que um soluço, levanta-se, beija Lorenzo, terna, suavemente.

“Adeus, Lorenzo, vou embora... Vou estudar na Inglaterra, nos Estados Unidos, onde for... Voltarei gorda e mãe de família...”

Afasta-se, vira-se para olhá-lo pela última vez.

“Mayoral me leva, telefonarei para você, fique com as fotos... ‘Adeus, amor, adeus até a morte...’.”

ESTA OBRA FOI COMPOSTA EM ELECTRA PELA SPRESS E IMPRESSA
PELA RR DONNELLEY EM OFSETE SOBRE PAPEL PÓLEN SOFT DA
SUZANO BAHIA SUL PARA A EDITORA SCHWARCZ EM SETEMBRO DE 2004